第2版

調剤報酬請求事務

基礎知
レセプト

NIメディカルオフィス

TAC出版
TAC PUBLISHING Group

はじめに

医療の質の向上を図る目的で政府が推進している医薬分業は、「処方」という医療内容を、患者に明らかにするという側面をもっています。「自分の使う薬が何なのか」を患者自身が知ることができるということは、患者の「知る権利」や医療の公開を考えた場合、いっそう重要な意味をもってきます。

こうしたことも背景となって、処方箋の発行枚数は年々増加の一途をたどっています。患者のほとんどは保険薬局から調剤を受ける状況になっています。また、診療報酬明細書（医科・歯科レセプト）よりも調剤報酬明細書（調剤レセプト）の方が、その発行枚数において上回っています。

このように調剤レセプトの伸びが著しい状況にある一方で、調剤報酬請求事務についての十分な人材の育成がなされていないという現実があります。

本書は、調剤報酬請求事務の算定ルールだけではなく、医薬品の基礎知識などについてもページを設けて、読者の皆様が調剤報酬請求事務のエキスパートとして活躍されるよう作成しました。皆様のお手元でお役に立つことができればと願っています。

NI メディカルオフィス

第 I 部
調剤事務の基礎知識

第 Ⅱ 部
レセプトの作　成

本書の利用法

本書は第Ⅰ部の「調剤事務の基礎知識」と第Ⅱ部の「レセプトの作成」にわかれています。

第Ⅰ部には「調剤技術料」などの項目ごとに練習問題をもうけて、読者の皆さんが学んだ知識の確認ができるように構成しました。また調剤点数などの「まとめ」のページももうけました。この「まとめ」のページは下のように青色のインデックスをつけてわかりやすくしてあります。第Ⅱ部の練習問題のレセプト作成に活用してください。

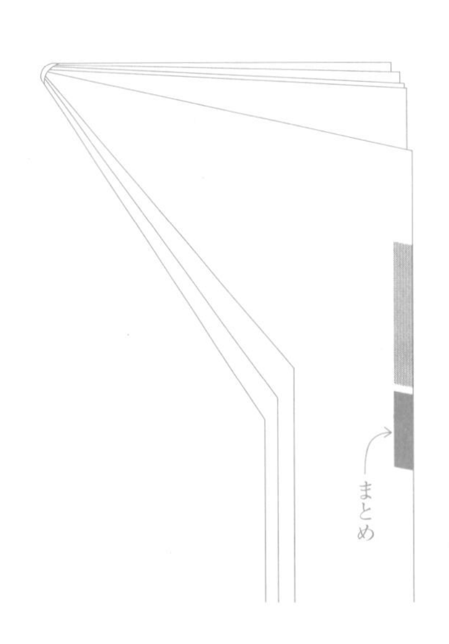

おことわり

本書は、令和6(2024)年6月改定準拠にて作成しています。

また第Ⅱ部の練習問題は、問題の「処方箋」、解答例の「レセプト」と「解説」にわかれていますが、それぞれ濃淡を変えた青色のインデックスをつけて参照しやすいようにしました。

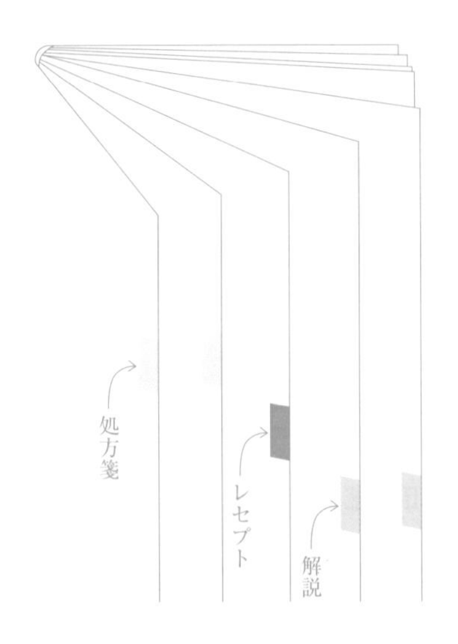

＊P.151にレセプト用紙のフォーマットを、P.260～265に薬価基準の抜粋を掲載しました。学習にご活用ください。

令和6(2024)年
調剤報酬点数表等の改定〈抜粋〉

■ 調剤基本料 ■ （処方箋受付1回につき）

▶調剤基本料1　42点　⇨　**45**点

○調剤基本料2、調剤基本料3－イ、3－ロ、3－ハまたは特別調剤基本料に該当しない場合

○医療資源の少ない地域に所在する保険薬局の場合

▶調剤基本料2　26点　⇨　**29**点

イ. (改) 処方箋受付回数が月4,000回超かつ上位3医療機関に係る合計受付回数の集中率70%超

ロ. 処方箋受付回数が月2,000回超かつ集中率85%超

ハ. 処方箋受付回数が月1,800回超かつ集中率95%超

ニ. 特定の保険医療機関に係る処方箋受付回数が月4,000回超（当該保険薬局が所在する建物内の複数の保険医療機関からの処方箋の場合はすべて合算した回数）

ホ. 特定の保健医療機関に係る処方箋受付回数が月4,000回超（同一グループに属するほかの保険薬局において、保険医療機関に係る処方箋による調剤の割合が最も高い保険医療機関が同一の場合は、当該他の保険薬局の処方箋の受付回数を含む）

▶調剤基本料3－イ　21点　⇨　**24**点

㋑ 同一グループの保険薬局による処方箋受付回数が月に35,000回超40,000回以下かつ集中率95%超

㋺ 同一グループの保険薬局による処方箋受付回数が月に40,000回超40万回以下かつ集中率85%超

㋩ 同一グループの保険薬局による処方箋受付回数が月に35,000回超40,000回以下で、特定の保険医療機関との間で不動産の賃貸借取引がある

㊁　同一グループの保険薬局による処方箋受付回数が月に40,000回超40万回以下で、特定の保険医療機関との間で不動産の賃貸借取引がある

▶調剤基本料3－ロ　16点　⇨　19点

同一グループの保険薬局による処方箋受付回数の合計が月に40万回超または、同一グループの保険薬局の数が300以上で以下の場合

㋑　集中率85%超

㋺　特定の保険医療機関との間で不動産の賃貸借取引がある

▶調剤基本料3－ハ　32点　⇨　35点

○同一グループの保険薬局における処方箋受付回数の合計が月に40万回超で集中率85%以下

○同一グループの保険薬局の数が300以上のグループに属する保険薬局で集中率85%以下

▶特別調剤基本料A（新）

保険医療機関と不動産取引等その他の特別な関係を有していて、集中率が50%超　5点

▶特別調剤基本料B（新）

調剤基本料の届出を行っていない　3点

［地域支援体制加算］

地域支援体制加算1　39点　調剤基本料1　32点

地域支援体制加算2　47点　調剤基本料1　40点

地域支援体制加算3　17点　調剤基本料1以外　10点

地域支援体制加算4　39点　調剤基本料1以外　32点

※地域支援体制加算3・4で特別調剤基本料Aを算定している場合は、それぞれの点数の10/100に相当する点数

※特別調剤基本料Bは算定不可

［連携強化加算］　2点　⇨　5点

［医療DX推進体制整備加算］（新）（月1回）　4点

…電子薬歴、電子処方箋の対応応需、マイナ保険証の利用実績等

［在宅薬学総合体制加算］（新）

在宅薬学総合体制加算1　15点

在宅薬学総合体制加算２　**50**点

■ 薬剤調製料 ■

［無菌製剤処理加算］（１日につき）　※下記（　）内は６歳未満の点数

抗悪性腫瘍剤（希釈する場合を含む）　79点（147点）

麻薬（希釈または原液を無菌的に充填）　69点（137点）

■ 薬学管理料 ■

調剤管理料

［重複投薬・相互作用等防止加算］

ロ．残薬調整に係るもの　30点　⇨　**20**点

［医療情報取得加算］

医療情報取得加算１（６月に１回）　**3**点

…オンライン資格確認体制導入の薬局で調剤

医療情報取得加算２（６月に１回）　**1**点

…オンライン資格確認体制導入・電子資格確認により薬剤情報を取得

服薬管理指導料３

介護老人福祉施設等入所者（ショートステイ等の利用者も含む）　45点

［特定薬剤管理指導加算］

特定薬剤管理指導加算１（特に安全管理が必要な医薬品）

イ．新たに処方（新）　**10**点

ロ．指導の必要（新）　**5**点

特定薬剤管理指導加算３（新）（初回処方時１回限り）

イ．医薬品リスク管理計画に基づく指導（対象医薬品の最初の処方時１回）　**5**点

ロ．選定療養（長期収載品の選択）等の説明（対象医薬品の最初の処方時１回）　**5**点

外来服薬支援料２

［施設連携加算］（新）（月１回）

…入所中の患者を訪問し、施設職員と協働した服薬管理・支援をした場合　50点

調剤後薬剤管理指導料　（新）（月１回）

1．糖尿病患者、糖尿病用剤の新たな処方または投薬内容の変更　60点

2．慢性心不全患者、心疾患による入院経験あり　60点

在宅患者緊急訪問薬剤管理指導料１

［夜間訪問加算］（新）　400点

［休日訪問加算］（新）　600点

［深夜訪問加算］（新）　1,000点

服薬情報等提供料２　（月１回）

イ．保険医療機関（新）　20点

ロ．リフィル処方箋の調剤後（新）　20点

ハ．介護支援専門員（新）　20点

在宅移行初期管理料　（新）（初回のみ）　230点

第 I 部
調剤事務の基礎知識

調剤事務とは…

医療機関（病院、診療所など）から発行される処方箋を、患者が調剤薬局へ持参したときに、まず最初に処方箋を扱うのが調剤事務の仕事をする人です。

調剤事務のおもな仕事は、下の図に示すように、処方箋受付、患者登録、薬剤調製料などの算定、調剤録とレセプトの作成です。ここで気をつけなくてはならないことは、調剤と薬剤の説明などは薬剤師の仕事範囲で、事務者はあくまでも、その調剤した薬品の点数算定がおもな仕事である、ということです。

［調剤薬局での流れ］

被保険者（患者）
↓
治療→処方箋発行
医療機関
↓
保険薬局
調剤専門薬局

処方箋受付
患者登録 →調剤事務者

↑支払　請求↓

処方箋により調剤 →薬剤師

薬剤調製料・薬剤料
などの算定 →調剤事務者

審査機関

↑支払　請求↓

調剤録の作成 →薬剤師

1か月ごとに明細書
（レセプト）作成 →調剤事務者

保険者

医薬分業は、薬価基準制度と診療報酬体系の改正などを含めた、一連の医療改革を背景に急速に進んでいます。処方箋の発行枚数は年々増え、ほとんどの患者さんが処方箋をもって保険薬局から調剤を受けています。

医薬分業とは、医師は診療に専念し、薬剤師は患者の服薬管理指導、薬剤に関する情報提供、副作用の有無、また必要に応じて患者に関する情報を医師へ照会するなど、医薬品の有効性・安全性を管理することで、医薬品の適正使用の推進に寄与しています。在宅医療においても、平成12年からの介護保険の施行に伴い、患者の居宅へと活動の範囲も広がっています。また、少子高齢化社会においても安定した保険財政を保つために、新たな医療提供体制が構築されつつあります。医療費の適正化もその対策の一つで、保険請求の審査業務も充実され、保険調剤も地域医療の一端を担うことになってきました。

こうしたことを背景に保険請求事務者の必要性が急速に高まっています。さらにレセプトの枚数も、今では歯科の診療報酬明細書よりも調剤のレセプトの枚数が多くなり、当然のことながらそれに比例して事務者の需要も多くなっています。調剤事務は今後ますます地域における医療チームの一員として、活躍を期待される職業になってきています。

医療保険と保険薬局

私たちが病気やけがで病院に行くときは、保険証をもっていきます。保険証は、保険の種類によって健康保険被保険者証、国民健康保険被保険者証などにわかれています。1961年に国民皆保険が実現して以来、だれもが保険で診察を受けられるようになりました。

病院の受付に保険証を出し、診察を受けて薬を受けとります。病院の受付で処方箋を受けとり、病院の外にある保険薬局で薬を受けとることが一般的となりました。

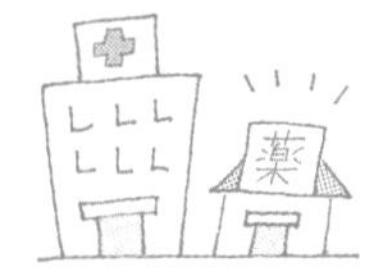

- 医療保険
  - おもにサラリーマンとその家族を対象とする
    - 全国健康保険協会管掌健康保険
    - 組合管掌健康保険
    - 日雇特例被保険者
    - 船員保険
    - 国家公務員共済組合
    - 地方公務員等共済組合
    - 警察共済組合
    - 公立学校共済組合
日本私立学校振興・共済事業団
  - おもに自営業者を対象とする
    - 国民健康保険
    - 国民健康保険組合
- 後期高齢者医療制度 ― 75歳以上と65歳以上の寝たきり状態の人など

[日本のおもな医療保険制度]

医療保険制度のおもな種類

日本の医療保険は、被用者(雇われている人)を対象として職場で加入する被用者保険と、地域住民が居住地で加入する地域保険の２つの体系から成り立っています。

1　被用者保険

民間企業のサラリーマンが加入する健康保険と、公務員などが加入する共済組合、そして船員保険などの総称です。

■健康保険

民間サラリーマンが加入する公的医療保険制度。全国健康保険協会管掌健康保険（協会けんぽ）と、組合管掌健康保険（組合健保）があります。協会けんぽは健康保険組合を結成するほど従業員の規模が大きくない中小企業の従業員を対象に、全国健康保険協会が運営しています（2008年９月までは社会保険庁が政府管掌健康保険（政管健保）として運営していました）。また組合健保は大企業や企業グループ（単一組合）、同種・同業の企業（総合組合）が健康保険組合を結成して運営しています。

事業所に日々雇われる人々（日雇特例被保険者）や任意継続被保険者なども健康保険の対象になります。

■共済組合

共済組合制度には、国家公務員共済組合、地方公務員共済組合（地方公務員が対象）、私立学校教職員共済組合（私立学校の教職員が対象）などがありますが、医療に関する給付については各共済組合法とも健康保険法の場合と同様の内容になっています。

なお共済組合の場合、被保険者にあたる者を「組合員」、被保険者証に相当するものを「組合員証」とよんでいます。

■船員保険

従来の船員保険制度は、船員という職業の特性により、医療保険、年金保険、雇用保険、労働者災害補償保険に該当する保険事故の、すべてを給付の対象とする総合的社会保険でしたが、2010年１月より、船員保険制度の改正が実施され、医療の部分については、職務外疾病部門は全国健康保険協会の運営に、職務上疾病部門は労災保険制度に統合されて厚生労働省の運営になりました。

2　地域保険

前述の健康保険などが職域保険とか､被用者保険などとよばれるのに対して、地域保険とよばれます。

■国民健康保険

商店主、農業従事者などの自営業者と、小さな商店や工場の従業員、無職者、日本に居住（きょじゅう）する外国人などが加入する公的医療保険制度です。国民健康保険は、2017年度まで市町村・特別区それぞれが保険者となって運営していましたが､2018年度からは､都道府県と市町村･特別区が共同保険者となって運営します。

■国民健康保険組合

自営業者であっても、同種同業のものが連合して国民健康保険組合をつくって､独自に運営することもあります｡略して国保組合とよばれています｡医師国民健康保険組合、理容健康保険組合、料理飲食健康保険組合など、多くの国保組合があります。

3　退職者の健康保険

在職中に社会保険に加入していた者は、退職した後は､「国民健康保険」または「健康保険の任意継続」、もしくは「親族が加入する社会保険の被扶養者」になる手続きが必要になります。また、退職するまでに勤務していた会社の健康保険組合が「特定健康保険組合」であった場合は、特例退職被保険者になることができます。

■健康保険の任意継続

退職後も、引き続き会社の加入する健康保険に入ることをいいます。２年間という期限付きですが、退職前とほぼ変わらない保険給付を受けることができます。

■健康保険組合の特例退職被保険者

厚生労働大臣の認可（にんか）を受けている健康保険組合では、その組合員であった者（退職者）を対象として、組合が独自に退職者医療給付を実施できることになっています。この認可を受けた健康保険組合を「特定健康保険組合」といい、その退職者医療給付を受ける人を「特例退職被保険者」といいます。特例退職被保険者への給付内容は一般の被保険者に準じて受けることができますが、傷病手当金（しょうびょうてあて）については支給されません。給付の内容は本人・家族とも国民健康保険の退職者と同じです。

4　高齢者医療制度

70歳以上75歳未満の高齢者は、前期高齢者としてこれまでの医療保険制度に加入し、75歳以上の高齢者、65歳以上で一定の障害認定を受けた人は、都道府県ごとに設置される後期高齢者医療広域連合が運営する後期高齢者医療制度に加入します。

■後期高齢者医療制度

後期高齢者医療制度とは、高齢者の高額な医療費の抑制と、高齢者の特性に合わせた医療サービスを提供する制度です。

後期高齢者医療制度の運営は、都道府県ごとにすべての市町村が加入する後期高齢者医療広域連合が行い、後期高齢者医療の事務を処理します。

後期高齢者医療制度の被保険者は、広域連合の区域内の住民で、75歳以上の人、また、65歳以上75歳未満で寝たきりなどの一定の障害認定を受けた人です。後期高齢者医療制度加入後は、国民健康保険・被用者保険の被保険者ではなくなります。

保険薬局

1　保険薬局とは

病院や診療所が保険診療を行うには、厚生労働大臣に申請して「保険医療機関」として指定を受けなければなりません。また保険診療に従事する医師も、厚生労働大臣に申請して「保険医」としての登録を受けなければなりません。そして保険医の処方箋によって調剤を行う「保険薬局」や「保険薬剤師」も同様の手続きをとることになっています。

このように薬局の指定と薬剤師個人を登録するという二重の方式がとられ、調剤報酬の請求などの事務的、経済的主体としての責任を保険薬局が分担し、調剤についての責任は保険薬剤師がもつというようにして、保険調剤の円滑な運営が図られています。

CHECK!

≪保険薬局のつとめ≫

▷懇切丁寧に療養の給付を担当すること。
▷諸手続を適正に行うこと。
▷健康保険事業の健全な運営を損なわないこと。
▷厚生労働大臣が定める事項を薬局内の見やすい場所に掲示すること。
▷処方箋を確認すること。
▷患者が要介護被保険者かどうかの確認をすること。
▷患者の一部負担金を受領すること。
▷領収書を無償で交付すること。
▷調剤録の記載とその整備を行うこと。
▷処方箋と調剤録を3年間保存すること。
▷患者の不正行為を通知すること。

2　保険調剤と調剤報酬

病院や診療所などの保険医療機関で診察を受けたとき、その医療機関の薬局(院内薬局)からは患者に薬を渡さないで、処方箋を交付する場合がありますが、これを院外処方といい、患者は処方箋を保険薬局に提出して薬を受けとります。そして、この保険調剤にかかる費用を調剤報酬といい、厚生労働大臣によって定められた「調剤報酬点数表」によって算出します。

点数表に基づいて算出した調剤報酬は、患者の加入する医療保険の給付率に応じた患者一部負担金を窓口で徴収し、残りの保険給付分を代行機関を経由して保険者に請求します。つまり患者の負担率が3割であれば、残りの7割を保険者に請求することになります。

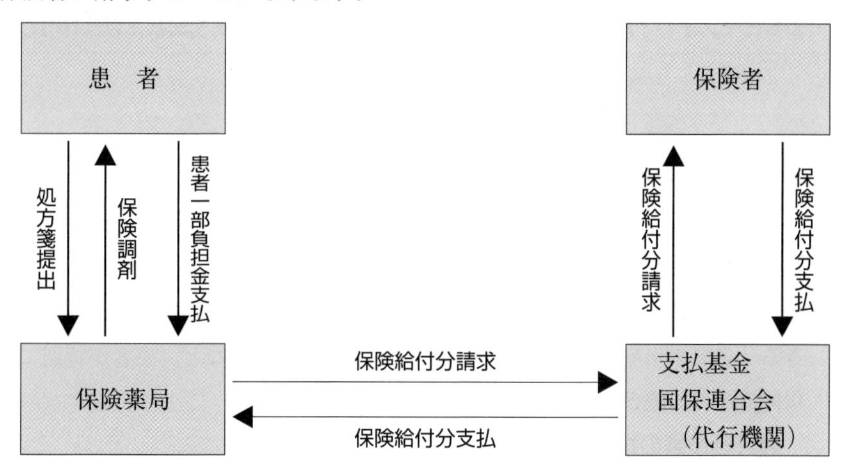

■医療保険と患者負担割合一覧

<table>
<tr><th colspan="3" rowspan="2">保険の種類</th><th rowspan="2">法別番号</th><th colspan="2">患者負担率</th></tr>
<tr><th>本　人</th><th>家　族</th></tr>
<tr><td rowspan="10">社会保険</td><td colspan="2">全国健康保険協会管掌健康保険</td><td>（０１）</td><td colspan="2">３割</td></tr>
<tr><td rowspan="2">船員保険</td><td>業務外</td><td rowspan="2">０２</td><td colspan="2">３割</td></tr>
<tr><td>業務上、下船後３か月以内の業務外、通勤災害</td><td>０割</td><td></td></tr>
<tr><td rowspan="2">日　雇</td><td>一般</td><td>０３</td><td colspan="2" rowspan="3">３割</td></tr>
<tr><td>特別</td><td>０４</td></tr>
<tr><td colspan="2">組合管掌健康保険</td><td>０６</td></tr>
<tr><td colspan="2">自衛官等</td><td>０７</td><td>３割</td><td></td></tr>
<tr><td colspan="2">共済組合</td><td>３１～３４</td><td colspan="2" rowspan="3">３割</td></tr>
<tr><td rowspan="2">特例退職</td><td>特定健康保険組合</td><td>６３</td></tr>
<tr><td>特定共済組合</td><td>７２～７５</td></tr>
<tr><td rowspan="2">国保</td><td colspan="2">一般国保</td><td rowspan="2"></td><td colspan="2" rowspan="2">３割
（保険者により２割あり）</td></tr>
<tr><td colspan="2">国保組合</td></tr>
<tr><td colspan="3">後期高齢者医療制度</td><td>３９</td><td colspan="2">１割･２割･３割</td></tr>
<tr><td colspan="3">前期高齢者医療制度*1</td><td colspan="3">65歳～75歳未満の者が対象。65歳～69歳は３割。70歳～74歳の現役並み所得者は３割、一般及び低所得者は２割（2014年４月１日以降に70歳になった者）</td></tr>
</table>

（注）義務教育就学前の乳幼児は２割負担。
＊1　2014年３月31日以前に70歳になった者は、１割負担。

保険外併用療養費制度と公費負担医療制度

1　保険外併用療養費制度

この制度は、高度先進医療や承認前の治験中の薬など、保険給付の対象とするかの評価が必要な「評価療養」と、新たに設定された国内未承認医薬品等の使用や国内承認済みの医薬品等の適応外使用等を迅速に保険外併用療養として使用できる「患者申出療養」と、特別な病室の提供や予約診療など、患者が特別に選ぶ保険適用外の療養である「選定療養」に分かれます。

■評価療養の種類

①先進医療　②医薬品の治験に係る診療　③医療機器の治験に係る診療　④薬価基準収載前の承認医薬品の投与　⑤保険適用前の承認医療機器の使用　⑥薬価基準に収載されている医薬品の適用外使用　⑦保険適用医療機器の適応外使用

■患者申出療養の種類

◦先進的な医療を迅速に受けられるよう、審査期間の抜本的な短縮をする。

［前例がある医療］→原則２週間（現行の評価療養は１月程度）

［前例がない医療］→原則６週間（現行の評価療養は６月程度）

◦先進的な医療を、地方でも身近な医療機関で受けられる。

⇒抗がん剤の適応外使用の場合、がん診療連携拠点病院（全国400か所程度）等、各都道府県で５～６か所程度の医療機関で受けられることを目指す。

■選定療養の種類

①特別の療養環境の提供　②予約診療　③時間外診療　④200床以上の病院の未紹介患者の初診　⑤紹介なしの200床以上の病院の再診　⑥制限回数を超える医療行為　⑦180日間を超える入院　⑧歯科の金合金等　⑨金属床総義歯　⑩小児う蝕の治療後の継続管理　⑪長期収載品を希望する場合（2024年10月から施行・適用）

療養全体にかかる費用のうち、先進的な医療技術や特別なサービスにかかる費用は患者が自費で負担します。なお、一般の療養と共通する基礎的部分（診察・検査・投薬・入院料など）は保険が適用され、患者は自己負担分を支払い、残りは保険外併用療養費（被扶養者は「家族療養費」）として現物給付されます。

つまり被保険者が支払う額は、基礎的部分の自己負担と評価療養・選定療養にかかる費用の合計額になります。

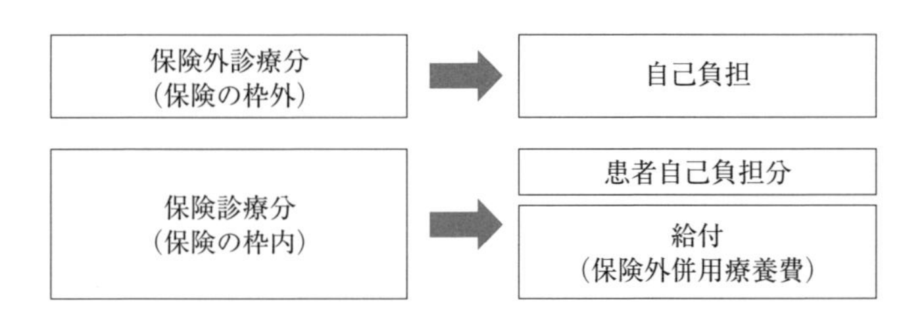

【後発医薬品のある先発医薬品（長期収載品）の選定療養について】

2024年10月より、長期収載品に選定療養の仕組みが導入されます。厚労省が定める基準に該当する長期収載品を患者が希望する場合、後発医薬品の最高価格帯との価格差の４分の３までは保険給付の対象とし、４分の１を患者負担とします。医療上の必要性がある場合や後発医薬品の提供が困難な場合は、これまで通り保険給付の対象となります。これに伴い、処方箋の様式が変更となります（P.161参照）。

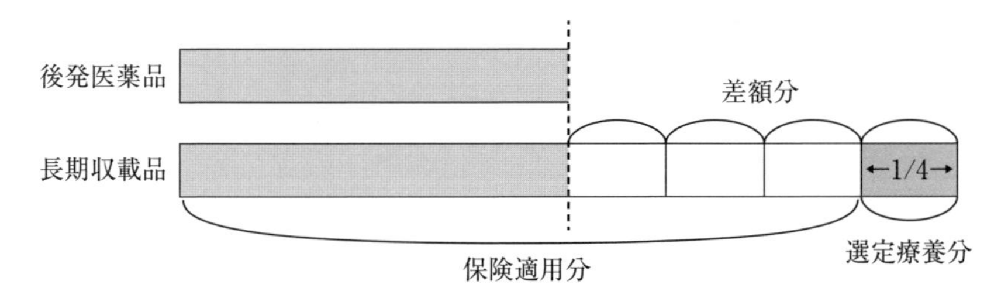

■医薬品、医療機器等の品質、有効性及び安全性の確保等に関する法律（略称：医薬品医療機器等法）の製造承認を受けた薬価基準収載前の医薬品投与

1．対象となる医薬品及び期間

医薬品医療機器等法の製造承認を受け、薬価基準に収載を希望している医薬品を薬価基準収載前に医師の処方箋に基づいて調剤した医薬品 ― 承認された日から90日以内に限る。

医薬品医療機器等法上の
製造承認日
薬価基準への収載を希望
→ 保険外併用療養費を適用 → 薬価基準への収載日 → 保険適用

承認日から90日以内に投薬の場合に限る

2．取り扱える保険薬局及び保険医療機関

当該薬剤を処方できる保険医療機関	当該薬剤の処方箋を応需できる保険薬局
○ 常勤の薬剤師が２名以上配置されていること。 ○ 医薬品情報室を有し、常勤の薬剤師が１名以上配置されていること。 ○ 医薬品情報室の薬剤師が、有効性・安全性等の薬学的情報の管理と医師等に情報提供を行っていること。 ○ 処方箋を交付する場合であっても、医薬品の名称、用法、用量、効能、効果、副作用、相互作用に関するおもな情報を文書により医療機関が提供していること。 ○ 患者に、薬局において特別の料金を徴収されることがある旨の説明を行うこと。	地域支援体制加算の施設基準の届出を行った保険薬局

3．当該保険薬局での取扱い

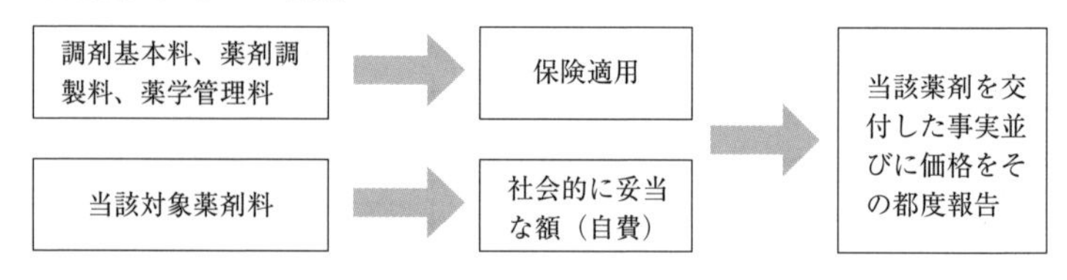

2　公費負担医療制度

　公費負担医療制度とは、国や地方自治体が税金などの財源を基礎として、医療に関する給付を行う制度をいい、医療費の全部または一部を特定の疾病を対象として、公費で負担する制度と、社会福祉制度として、医療費の自己負担分を公費で負担して、経済的弱者を救済する制度に大別されます。

　なお、この公費負担の医療費は、すべて健康保険の例に準じて算定する仕組みになっています。

次表の給付と保険薬局での一部負担（患者の自己負担分）は次図のような関係になっています。（結核患者適正医療の場合の例）

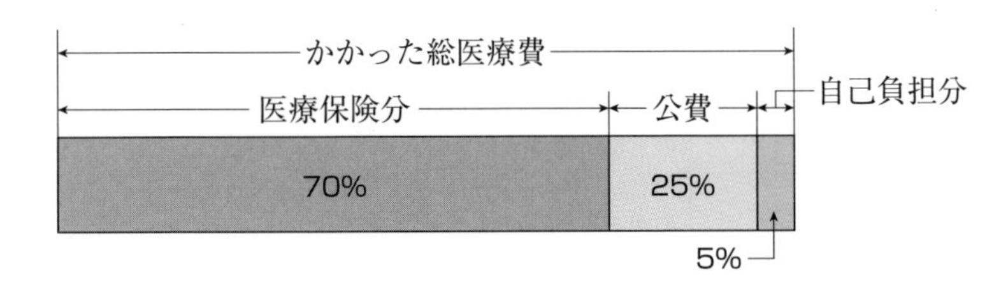

■おもな公費負担医療制度の概要

公費負担医療の種類	法別番号	制度の概要（給付の範囲）	保険薬局での一部負担
心神喪失者等医療観察法による医療の給付	30	心神喪失等の状態で重大な他害行為を行った人を対象とし、その社会復帰の促進を目的として、措置入院又は退院後の通院医療に要した費用を全額国庫負担。	なし
感染症予防法による結核患者の適正医療	10	結核患者に対して化学療法、エックス線検査、結核菌検査、外科的療法などの中から保健所長が承認したものに対し、医療に要した費用の95%を公費で負担。ただし医療保険を優先して適用。	医療に要した費用の5%
障害者総合支援法による精神通院医療	21	精神障害者の適正な医療を普及する。病院等へ収容しないで精神障害の医療を行う場合、その費用の90%を公費で負担。ただし医療保険を優先して適用。精神障害による身体合併症も対象となるが、感染症、新生物、アレルギー（薬物の副作用によるものを除く）、筋骨格系疾患を対象とする薬剤は公費対象外。	医療に要した費用の10%（月額負担上限あり）。
障害者総合支援法による更生医療	15	身体障害者の更生を援助しその福祉の増進を図る。障害者手帳の交付を受けている18歳以上の人が対象。障害の程度を軽くしたり、取り除いたりする医療を受けた場合に、費用の90%を公費で負担。ただし医療保険を優先して適用。	医療に要した費用の10%（月額負担上限あり）。
障害者総合支援法による育成医療	16	18歳未満で肢体不自由、視覚障害、聴覚障害、言語障害、心臓障害、腎臓障害、呼吸器障害、先天性内臓疾患などの障害のある児童が対象。生活能力を得るために必要な医療を受けた場合に、費用の90%を公費で負担。ただし医療保険を優先して適用。	医療に要した費用の10%（月額負担上限あり）。

特定疾患治療費、先天性血液凝固因子障害等治療費、水俣病総合対策費の国庫補助による研究治療費等	51	難病の治療法の研究促進とともに、難病患者の医療費を助成する。（難病法施行に伴い特定疾患治療研究事業の対象疾患の多くは法別54に移行）スモン等認定を受けたものが対象。疾病の治療費用は医療保険を適用し、自己負担30%の者はそのうち10%を公費で助成（70歳以上の上位所得者以外は医療保険と同一の自己負担割合）。ただし所得に応じた自己負担月額限度額がある。	原則、医療に要した費用20%（月額負担上限あり）。
児童福祉法による小児慢性特定疾患治療研究事業	52	18歳未満で、指定した疾患（14疾患群、760疾病）に罹患していると指定医による診断を受け、認定を受けた児童が対象。医療費助成の対象となるのは、患者ごとに都道府県が指定した指定医療機関等（医療機関、保険薬局、訪問看護ステーション）に限定される。疾病の治療費用は医療保険を適用し、自己負担30%の者はそのうち10%を公費で助成（70歳以上の上位所得者以外は医療保険と同一の自己負担割合）。ただし所得に応じた自己負担月額限度額がある。	原則、医療に要した費用20%（月額負担上限あり）。
児童福祉法の措置等に係る医療の給付	53	保護者がいないか、保護者がいても児童を養育できないなど、家庭環境に恵まれない児童が対象で、児童保護施設等に入所している場合と里親に養育されている場合がある。また、身体・知的障害があり、施設に入所している児童も対象。医療保険の自己負担額を助成。（医療保険が適用されない場合は全額公費負担）	なし
難病の患者に対する医療等に関する法律による特定医療	54	特定難病（306疾病、指定医による診断が必要）と認定を受けた者が対象。医療費助成の対象となるのは、患者ごとに都道府県が指定した指定医療機関等（医療機関、保険薬局、訪問看護ステーション）に限定される。疾病の治療費用は医療保険を適用し、自己負担30%の者はそのうち10%を公費で助成（70歳以上の上位所得者以外は医療保険と同一の自己負担割合）。ただし所得に応じた自己負担月額限度額がある。	原則、医療に要した費用の20%（月額負担上限あり）。
石綿による健康被害の救済に関する法律による医療費の支給	66	労災補償による救済の対象とならない、石綿による健康被害を受けた人とその遺族に対して医療費等を給付する。中皮腫、気管支・肺の悪性新生物など、石綿の吸引による疾病で、政令で定めるものが対象。医療保険の自己負担額を助成。	なし

生活保護法による医療扶助	12	生活に困窮する人（生活保護者）に対し、医療券・調剤券によって医療を現物給付する。医療保険を優先して適用、自己負担額を給付。医療保険が適用されない場合は全額公費負担。	なし
労災医療	—	業務上や通勤災害により、労働者が傷病を負ったり死亡した場合に、医療を提供する。全額労災保険を適用。	なし
公害健康被害の補償等に関する法律による公害健康被害者医療	—	大気汚染などの公害で疾病や障害を受けた患者を救済。慢性気管支炎、気管支ぜん息、ぜん息性気管支炎、肺気腫などの続発症にかかり、公害医療手帳の交付を受けている人が対象。医療に要する費用の全額を給付。	なし
予防接種事故	—	予防接種法による予防接種により健康被害を生じた人と死亡した人が対象。医療保険を優先して適用し、自己一部負担額を助成。	なし

■高額療養費制度

高額療養費制度とは、医療機関や調剤薬局等で支払った金額が1か月の中で一定の上限額を超えた場合に、差額分が支給される制度です。ただし、自己負担額が10割の医療費や、入院時の食事療養費、差額ベッド代は対象外です。

[70歳未満の対象者]

適用区分		自己負担限度額(月額)	多数・該当(月額)
区分ア	年収約1,160万円～ 社保:標報83万円以上 国保:旧ただし書き所得901万円超	252,600＋(医療費－842,000円)×1%	140,100円
区分イ	年収約770万円～約1,160万円 社保:標報53万円～79万円 国保:旧ただし書き所得600万円～901万円	167,400＋(医療費－558,000円)×1%	93,000円
区分ウ	年収約370万円～約770万円 社保:標報28万円～50万円 国保:旧ただし書き所得210万円～600万円	80,100＋(医療費－267,000円)×1%	44,400円
区分エ	～年収約370万円 社保:標報26万円以下 国保:旧ただし書き所得210万円以下	57,600円	44,400円
区分オ	住民税非課税者	35,400円	24,600円

注　1つの医療機関等での自己負担(院外処方代を含む)では、上限額を超えないときでも、同じ月の別の医療機関等での自己負担(69歳以下の場合は、2万1千円以上であることが必要)を合算することができる。この合算額が上限額を超えれば、高額療養費の支給対象となる。

［70 歳以上の対象者の上限額］

適用区分		自己負担限度額		多数回該当
		外来（個人単位）	外来・入院 （世帯単位）	
現役並み 所得Ⅲ（３割）	年収約1,160万円～ 標報83万円以上 課税所得690万円以上	252,600円＋（医療費－842,000）×1％		140,100円
現役並み 所得Ⅱ（３割）	年収約770万円～約1,160万円 標報53万円以上 課税所得380万円以上	167,400円＋（医療費－558,000）×1％		93,000円
現役並み 所得Ⅰ（３割）	年収約370万円～約770万円 標報28万円以上 課税所得145万円以上	80,100円＋（医療費－267,000）×1％		44,400円
一般 （１割・２割）	年収約156万円～約370万円 標報26万円以下 課税所得145万円未満等	18,000円 年間上限 14万４千円	57,600円	44,400円
低所得Ⅱ （１割・２割）	住民税非課税世帯	8,000円	24,600円	該当なし
低所得Ⅰ （１割・２割）	住民税非課税世帯 （年金収入80万円以下など）	8,000円	15,000円	

注　１つの医療機関等での自己負担（院外処方代を含む）では上限額を超えないときでも、同じ月の別の医療機関等での自己負担を合算することができる。この合算額が上限額を超えれば、高額療養費の支給対象となる。

※　上記の表のように、自己負担限度額は医療保険被保険者の所得区分によって異なる。高額な医療費の支払方法としては、次の２種類がある。どちらも支払う金額は、自己負担限度額まで。

1．「高額療養費制度」を利用する…先に３割負担で支払い、あとから申請して、自己負担限度額を超えた金額を払い戻してもらう。加入している医療保険にもよるが、３～４か月程度で高額療養費として支給される。

2．「限度額適用認定証」の交付を受ける…前もって高額な医療費を支払うことが予想できるときは、事前に手続きして限度額適用認定証の交付を受け、医療機関の窓口で限度額適用認定証と保険証を提示すると、ひと月（月の初めから終わりまで）の窓口での支払いを、高額療養費制度で定められた自己負担限度額までにすることができる。

■限度額適用認定証

高額療養費制度は、医療保険の負担割合（通常３割）の医療費を窓口で支払った後に自己負担限度額を超えた分が払い戻されますが、事前に公的医療保険（健康保険組合・協会けんぽの都道府県支部・市町村国保・後期高齢者医療制度・共済組合など）に申請して「限度額適用認定証」の交付を受けておくと、ひと月（月の初めから終わりまで）の窓口での支払いを、高額療養費制度で定められた自己負担限度額までにすることができます。高額療養費制度の区分通りに、年収により適用区分が決定し、「限度額適用認定証」に記載されます。70歳以上の場合は、適用区分により決められている記号をレセプトの特記事項に記載します。2022年10月1日より後期高齢者医療の負担割合が変更になったことに伴い、75歳以上の適用区分で一般の29区エが、41区カと42区キに変更になりました。

[70歳未満の適用区分]

所得区分	適用区分	特記事項欄
上位所得	ア	26区ア
	イ	27区イ
一般	ウ	28区ウ
	エ	29区エ
住民税非課税世帯	オ	30区オ

[70歳以上の適用区分]

被保険者証等	適用区分	特記事項欄
3割	現役並みⅢ	26区ア
	現役並みⅡ	27区イ
	現役並みⅠ	28区ウ
2割又は1割	一般	29区エ
	(低所得)Ⅱ・Ⅰ	30区オ

[75歳以上の適用区分]

所得区分	適用区分	特記事項欄
3割	現役並みⅢ	26区ア
	現役並みⅡ	27区イ
	現役並みⅠ	28区ウ
2割	一般Ⅱ	41区カ
1割	一般Ⅰ	42区キ
	低所得Ⅱ	30区オ
	低所得Ⅰ	

練習問題・・・・・・・・・・・・・・・・・・・・＞解説

□1　昭和２年、国民皆保険制度が実現され、国民であれば何らかの保険適用を受けることになった。

×1　国民皆保険制度の実現は昭和36年で、昭和２年は健康保険法が施行された年です。

□2　被保険者から保険料を徴収し、保険事業を営む機関を保険者という。

○2　設問のとおり。

□3　被保険者や被扶養者の医療に要した費用のうち、保険者が負担する割合のことを給付率という。

○3　設問のとおり。

□4　法人事業所の場合、従業員５人未満でも全国健康保険協会管掌健康保険(協会けんぽ)または組合管掌健康保険へ加入しなければならない。

○4　法人の場合、従業員数に関係なく加入が義務づけられています。

□5　被用者保険の被保険者は、企業、官庁、学校などの職場で働く人である。

○5　設問のとおり。

□6　保険料を、事業主と被保険者が２分の１ずつを負担すると定められているのは被用者保険である。

○6　勤労者本人の報酬（標準報酬月額）で定められ、源泉徴収（給料から天引き）されます。

□7　日雇健康保険は全国健康保険協会が運営する。

○7　設問のとおり。

□8　日雇労働者は就労が継続的ではないため、保険料は日額で定められている。

○8　設問のとおり。

□9　国民健康保険は世帯員ごとに保険料が課せられるため、世帯員全員が被保険者である。

○9　国保では、大人や子どもの区別なく、一人ひとりが被保険者ですが、加入は世帯ごとで行います。

□10　労働者災害補償保険法（労災保険法）の保険者は政府（厚生労働省）であるが、実際の事務は、各都道府県の労働局が行い、窓口は労働基準監督署である。

○10　設問のとおり。

□11　国保組合の例として、「医師国保」「食品販売国保」などがあげられる。

○11　設問のとおり。

□12　社会保険の被保険者であった人が退職後、任意継続の手続きをすれば、75歳になるまで任意継続被保険者の資格を得ることができる。

×12　健康保険任意継続の被保険者資格は、２年間だけです。

□13　特例退職被保険者の給付率は、国保の退職者被保険者の給付率とは異なる。

×13　特例退職被保険者給付率と国保の退職者被保険者の給付率は原則７割で、給付内容は同じです。

□14　戦傷病者等に対する医療やスモンなど難病の治療、研究を目的とする場合、公費負担による医療を受けることができる。

○14　このような制度を公費負担医療といいます。社会福祉や公衆衛生の観点から国または地方公共団体が特定の対象者に対し、公費により医療に関する給付を行うものです。

□15　後期高齢者医療制度の被保険者は、75歳以上の人のみである。

×15　65歳以上の、寝たきりなど一定の障害のある人も後期高齢者医療制度の被保険者になります。

□16 「後期高齢者医療制度」は、対象となる加入者すべてが「本人」となり、保険者番号は、法別番号39から始まる6桁の数字で構成される。

×16 保険者番号は、法別番号39から始まる8桁の数字で構成される。

□17 会社内で仕事中、賊と格闘して負傷した警備員は、労災保険の対象となる。

○17 第三者の加害行為による災害の場合、加害者と被害者との間に私的な怨恨関係がなく、災害の原因が業務にあり、業務・災害間に相当因果関係が認められる場合、業務起因性があると認められ、労災保険の対象となります。

□18 保険医療機関・保険薬局という組織に対しても、保険医・保険薬剤師に対しても、各々の責任を明らかにするために指定・登録する制度を二重指定制という。

○18 設問のとおり。

□19 調剤報酬算定の基準は、都道府県知事によって定められている。

×19 厚生労働大臣によって定められています。

□20 保険者から支払いを受けた地方厚生(支)局は、請求書を発行した保険薬局に調剤報酬の支払いをする。

×20 診療報酬の審査支払業務は、地方厚生(支)局ではなく、国保については国民健康保険団体連合会が、被用者保険については社会保険診療報酬支払基金が行います。

□21 介護保険利用者の調剤報酬の請求は、介護レセプトを用いて利用者の加入している医療保険により、

×21 介護保険の利用者であっても、調剤報酬の請求には、調剤報酬明細書（調剤レセプト）を使用します。

国民健康保険団体連合会または社会保険診療報酬支払基金を経由して行う。

□22　医療保険が適用される医療と、適用されない医療が同時に行われた場合は、保険が適用される療養の費用も含めて、医療費の全額が自己負担となる。

×22　2006年から導入された保険外併用療養費制度では、通常の治療と共通する基本的な部分は保険給付とし（一部負担を除く）、評価療養や選定療養などの特別な療養は自己負担することになりました。

□23　保険外併用療養費制度には、評価療養として先進医療や薬価基準収載以前の承認医薬品の投与などが、選定療養として特別の療養環境の提供などがある。

○23　ほかに、評価療養には医薬品・医療機器の治験に関わる診療、選定療養には予約・時間外診療などがあります。

□24　公費負担者番号について、更正医療における障害者総合支援法は「21」で、通院治療中の精神障害者の医療における障害者総合支援法は「15」である。

×24　更正医療における障害者総合支援法は「15」で、通院治療中の精神障害者の医療における障害者総合支援法は「21」です。

□25　生活保護法による医療扶助では、生活に困窮する人に対し医療券・調剤券によって現物を給付する。

○25　保険薬局での一部負担はありません。

医薬品の基礎知識

調剤事務担当者にも、医薬品の分類や「医薬品、医療機器等の品質、有効性及び安全性の確保等に関する法律（医薬品医療機器等法）」についての一応の基礎知識が必要とされます。ことに医薬品の種類、剤形、包装、投与方法などは、点数計算にも関わってきます。また「薬価基準」についても理解しておかなければなりません。

医薬品と薬局

1　医薬品とは

医薬品とは、臨床の場において種々の病気（疾患）の治療のために用いられる物質の総称です。

医薬品について最も重要な法律の「医薬品医療機器等法」（定義）第２条の中では次のように定められています。

⑴　日本薬局方に収められている物。

⑵　人又は動物の疾病の診断、治療又は予防に使用されることが目的とされている物であって、機械器具等（機械器具、歯科材料、医療用品、衛生用品並びにプログラム（電子計算機に対する指令であって、一の結果を得ることができるように組み合わされたものをいう。以下同じ。）及びこれを記録した記録媒体をいう。以下同じ。）でないもの（医薬部外品及び再生医療等製品を除く。）

⑶　人又は動物の身体の構造又は機能に影響を及ぼすことが目的とされている物であって、機械器具等でないもの（医薬部外品、化粧品及び再生医療

等製品を除く。)

なお⑴の日本薬局方とは、日本で繁用されている医薬品の品質規格書の役割を果たしているもので、医薬品の品名、化学組成、性状、確認試験、純度試験、定量法、貯法、常用法、極量などが記載されています。

現代では、医薬品は人間が健康な生活をするための必要不可欠な物となっています。そのため医薬品には、次のような４つの大きな特性があります。

⑴ 生命関連性…医薬品は人間の生命に直接関連している。

⑵ 公共性…医療に使用される医薬品は、何らかの形で公共的制度によって保障される形態をとっている。また、製造、流通、使用といったさまざまな面で適正な取り扱いが求められる。

⑶ 高品質性…生命・健康に密接に関連するため、高い純度と均質な品質が求められる。

⑷ 使用の緊急性…病気にかかったり怪我をするのは時間も場所も一定していない。いつどこで、医薬品が必要になるかは予測できないが、必要な医薬品が必要なときに供給されなければ国民の保健衛生のうえで、重大な障害となる。

■医薬品の種類

医薬品にはどのような種類があるのでしょうか。

まず、医薬品医療機器等法による分類で大きく２つに分けると、「医療用医薬品」と「その他の医薬品」に分けられます。そしてこの２つが右のようにさらに分けられます。

医療用医薬品は、病院や診療所で診察・診断されて処方箋をもらうことで、入手する医薬品です。保険薬局では、おもに医療用医薬品を扱います。

その他の医薬品のうち、要指導医薬

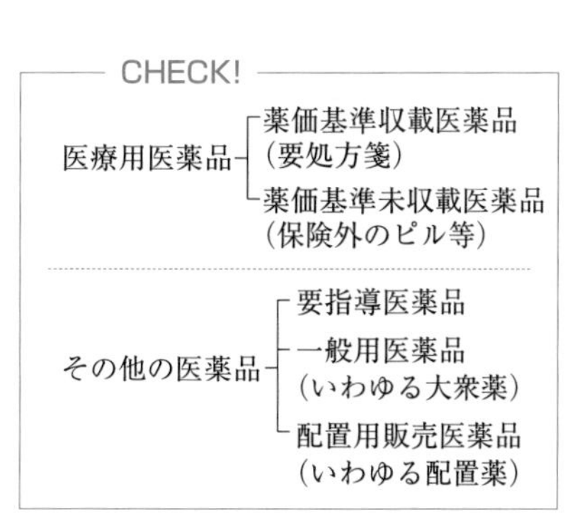

○医療用医薬品

医師の処方箋により出される薬。医師の診断に基づいて、薬の選択、用量、服用方法などが選定されているので、一般用医薬品に比べ、効きめも副作用も強い。

品と一般用医薬品は、薬局・薬店でだれでも買える医薬品です。配置用というのは、家庭に訪問して販売する置き薬のことです。

医療用医薬品と一般用医薬品とでは、薬に含まれる成分が同じでも、量などが違うことが多いです。一般用医薬品は、安易な使用による副作用の危険性などがあるため、成分量が抑えられているのに対し、医療用医薬品は、それぞれの患者の症状にあわせて、量や服用時間が調節されています。

○要指導医薬品
医療用医薬品に準じたカテゴリーの医薬品。薬剤師の対面による情報提供と指導が必要な薬で、インターネット販売を禁止している。
○一般用医薬品
製薬会社に対して、成分などについての厳しい規制があって、比較的安全性が高い。特に医師の処方箋を通さずに服用できる。副作用が起きる危険性によって、3つに分類されている。

現在の医薬品市場の生産金額で見ると全体の85%が医療用医薬品で、残りの15%が一般用医薬品という構成比になっています。しかし、初期に行われる治療、すなわち「プライマリケア」の中で重要な位置を占めるセルフメディケーション（自己治療）では、一般用医薬品は大きな役割を担っています。一般用医薬品は「大衆薬」あるいは「OTC（Over The Counter）薬」といわれます。また医療用医薬品として使用されているものが、厚生労働省が有効性や安全性などを審査した上で、薬局での店頭販売に転換（スイッチ）された場合、その医薬品を「スイッチOTC薬」とよんでいます。

2　薬局と医薬品販売業

医薬品は、薬局や医薬品販売業の許可を受けた者でなければ業として取り扱えないことになっています。医薬部外品や化粧品は特に取扱者の制限はないので、コンビニエンスストアやスーパーでも扱えます。

○医薬部外品
ある程度の薬効はあるが人体に対する作用が緩和であり、口臭や体臭の防止、あせも、ただれ等の防止などに用いるもの。ドリンク剤なども含まれます。

■薬　局

薬局とは「薬剤師が販売又は授与の目的で調剤の業務並びに薬剤及び医薬品の適正な使用に必要な情報の提供及び薬学的知見に基づく指導の業務を行

う場所（その開設者が併せ行う医薬品の販売業に必要な場所を含む）」（医薬品医療機器等法第２条）とされています。病院や診療所の調剤所は医療法の対象とされているため、医薬品医療機器等法上の薬局からは除外されています。

CHECK!

薬局を開設するには、
・構造設備が基準に適合すること
・調剤数及び販売高に適合する員数の薬剤師がおかれていること
・薬局開設者の資格（人的）要件など
を満たしたうえで、所在地の都道府県知事の許可を受けます。

なお保険薬局は、販売業でいうと“薬局”にあたります。次に説明する医薬品販売業(1)～(3)のどの販売業にも属さないので注意しましょう。

■医薬品販売業

薬局以外で医薬品の販売をしている業態を医薬品販売業といいます。医薬品を販売・授与するためには、医薬品販売業の許可を受けなければなりません。販売方法などにより次のような種類があります。

(1) 店舗（てんぽ）販売業

店舗において要指導医薬品や一般用医薬品を販売、授与することができる販売業です。店舗ごとに都道府県知事の許可を受けます。販売業の管理のために薬剤師または登録販売者が必要です。販売できる医薬品は要指導医薬品と一般用医薬品に限定されています。医師等の処方による医療用医薬品を扱うことはできません。

(2) 配置販売業

わが国の伝統的な医薬品販売形態で、訪問販売の一種です。販売業者があらかじめ消費者の家庭などを訪問して、風邪薬や胃腸薬などの一般用医薬品が入った薬箱を置いていき、半年から１年後に再訪問して使用した分の代金の回収と薬の補充をするという販売方法です。配置販売される医薬品は置き薬ともいわれます。一般用医薬品のうち、経年変化が起こりにくいなど厚生労働大臣が定める基準に適合する医薬品を取り扱います。薬箱を配置しようとする区分ごとに、その地域の都道府県知事の許可を受けます。訪問するのは、薬剤師または登録販売者でなければなりません。

(3) 卸売販売業

薬局、病院などに医薬品を販売します。一般消費者には販売できません。

登録販売者制度について

医師による処方箋がなくても購入できる医薬品には、要指導医薬品と一般用医薬品があります。

一般用医薬品は、副作用のリスクの程度に応じて第一類、第二類、第三類に分類されます。このうち、薬剤師は要指導医薬品と第一類から第三類医薬品まで販売が可能ですが、リスクの低い第二・三類医薬品については、2009年6月から登録販売者も販売が可能となりました。

登録販売者とは、都道府県実施の登録販売者試験に合格し、都道府県知事の登録を受けた人です。薬剤師とは異なり、販売できる医薬品には制限があります。一般用医薬品のうち、第二類と第三類の医薬品のみ販売することができます。

医薬品の分類と作用

医薬品の分類方法にはさまざまな方法がありますが、調剤事務上必要と思われるのは、承認申請による分類、取り扱いの規制による分類、投与方法による分類の３つの分類です。

1　医薬品の有効成分、製剤の特徴に基づくおもな分類

右枠CHECK! のように、医薬品は人体に対する作用の強さやリスク、供給方法などにより、法令等で分類することができます。

CHECK!

▷薬局医薬品
- ＊医療用医薬品
- ＊薬局製造販売医薬品

▷要指導医薬品

▷一般用医薬品
- ＊第一類医薬品
- ＊指定第二類医薬品
- ＊第二類医薬品
- ＊第三類医薬品

また、各々の医薬品について、特徴に基づいて分類することもできます。

①　基原・本質による分類
…化学薬品、生薬、油脂、ろう、精油類　など

②　適用法による分類
…内用剤、外用剤、注射剤

③　投与方法による分類
…経口投与、注射、舌下投与、経直腸投与　など

④　剤形による分類
…内用剤／錠剤、カプセル剤、顆粒剤
…外用剤／吸入剤、点眼剤、点鼻剤　など

⑤　薬効による分類
…神経系及び感覚器官用医薬品
…代謝性医薬品
…生薬・漢方処方に基づく医薬品　など

2　規制による分類

医薬品には、普通薬と行政上の規制がある規制医薬品とがあります。規制医薬品は、いずれも取り締まる法律や、薬事法による規制が明記されています。そして、規制医薬品以外が普通薬ということになります。

(1)　毒薬・劇薬（医薬品医療機器等法第44条）

毒薬は、毒性が強いものとして厚生労働大臣が指定する医薬品をいいます。取り扱いの注意は、直接の容器または被包に黒地に白枠、白字で品名と「毒」の文字を記載しなければなりませんし、医薬品の一般販売業以外の販売業者は、封を開いて販売・授与・販売の目的で貯蔵できません。また14歳未満の者、その他安全な取り扱いに不安を認める者には譲渡できません。毒薬は他のものと区別して貯蔵し、または陳列し、毒薬を貯蔵・陳列する場所には鍵をかけなければなりません。

劇薬は、劇性が強いものとして厚生労働大臣が指定する医薬品を指します。取り扱いの注意は、直接の容器または被包に白地に赤枠、赤字でその品名と「劇」の文字を記載しなければなりません。劇薬を取り扱う場合は、他のものと区別して貯蔵、または陳列しなければなりません。

また、14歳未満の者、その他安全な取り扱いに不安を認める者には譲渡できません。

(2)　習慣性医薬品（医薬品医療機器等法第50条）

麻薬や覚醒剤以外で習慣性のあるものとして厚生労働大臣の指定する医薬品で、たとえば催眠剤のような場合は「注意―習慣性あり」の表示を、直接の容器等に記載しなければなりません。なお、一般に習慣性とは、神経系に作用し、反復投与によって反応性が低下し、用量を多くしなければ最初の効果を得られない場合をいいます。

(3)　麻　薬（麻薬及び向精神薬取締法第２条関係）

ヘロイン、コカイン、LSD、モルヒネなど麻薬及び向精神薬取締法において麻薬に指定されているものをいいます。麻薬は中枢神経系に作用し、精神機能に影響を与え、依存性がありますが、反対に鎮痛・鎮静などの作用を持つために治療薬として使われるものがあります。たとえばモルヒネには強い依存性がありますが、同時に強い鎮痛作用も持つため、がんなどの疼痛を軽減するのに用いられます。

麻薬は、麻薬以外のものと区別し（覚醒剤を除く）、鍵のかかる安全な設備内に保管しなければなりません。直接の容器・被包に「麻」の記号が表示されていないときは、譲渡が禁じられています。

⑷ 向精神薬（麻薬及び向精神薬取締法第２条関係）

中枢神経系に作用して精神機能に影響を与えますが、長く使用した場合の有害性は麻薬よりは低いものをいいます。ベンゾジアゼピン系の抗不安薬、バルビツールなどの睡眠薬、メチルフェニデートやアンフェタミンのような中枢神経刺激薬などが、麻薬及び向精神薬取締法で向精神薬に指定されています。容器・直接の被包に「向」の記号が表示されていないと譲渡が禁じられています。

⑸ 覚醒剤（覚醒剤取締法第２条関係）

依存性があり、濫用（らんよう）された場合の有害性が強く、かつ覚醒作用を有するものをいいます。覚醒剤取締法では、フェニルアミノプロパン、フェニルメチルアミノプロパンとその塩類（えんるい）、またこれらのいずれかを含むものが指定されています。

⑹ 覚醒剤原料（覚醒剤取締法第２条関係）

覚醒剤の原料として使用されるものをいい、エフェドリンやメチルエフェドリンを含有（がんゆう）するものなどが指定されています。ただし、これらの含有量が10％以下の場合は規制の対象とはなりません。

⑺ 生物由来製品・特定生物由来製品（医薬品医療機器等法第２条）

生物由来製品とは、人、その他の生物（植物を除く）に由来するものを原料または材料として製造をされる医薬品、医薬部外品、化粧品または医療機器のうち、保健衛生上特別の注意を要するものとして厚生労働大臣が指定するものです。

ワクチンや遺伝子組換え医薬品等がこれに当てはまります。

特定生物由来製品とは、生物由来製品のうち、販売し、賃貸し、または授与した後において当該生物由来製品による保健衛生上の危害の発生または拡大を防止するための装置を講ずることが必要なものであって、厚生労働大臣が指定するものをいいます。

(8) 再生医療等製品（医薬品医療機器等法第２条）

○人または動物の細胞に培養等の加工を施したものであって、
①身体の構造または機能の再建、修復または形成
②疾病の治療または予防を目的として使用するもの
○遺伝子治療を目的として、人または動物の細胞に導入して使用するもの
※人の細胞等を用いることから、品質が不均一であり、有効性の予測が困難な場合があるという特性を有している。

●再生医療等製品の定義

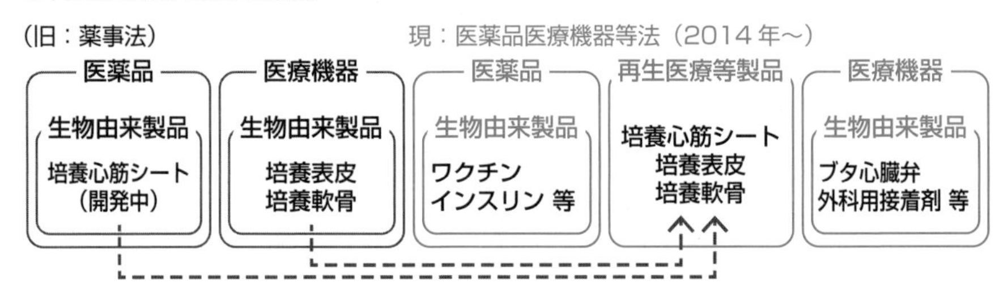

3 おもな投与方法による分類

局方の製剤総則には、基準となる製剤名が67種類記載されています。最近では、多種多様な剤形が考案されてきています。その理由は、薬剤の吸収性や安全性などの問題点を解決でき、かつ目的に最適な製剤が追求されてきたためです。おもなものは、次のとおりです。

■経口投与する製剤

最も汎用されている剤形で、医薬品を一定の形状に圧縮したり、溶媒に湿潤させたものを一定の形状に成形したものなどがあります。大部分は、小腸で吸収され、門脈（もんみゃく）によって肝臓に運ばれ、肝臓を通過してから身体全体に循環（じゅんかん）して作用します。錠剤（じょうざい）、散剤（さんざい）、丸剤（がんざい）、カプセル剤、顆粒剤（かりゅうざい）、エキス剤などがあります。

○散　剤
ごく微量の有効成分に、乳糖やデンプンを加えて取り扱いやすくした粉末状のものです。水剤以外では他の内服薬より吸収されやすくなっています。

○顆粒剤
粉薬のように見えますが、調剤したり、服薬がしやすいよう粒状に作られたものです。

また内用薬は服用方法によって「内服薬」と「屯服薬(とんぷく)」に分けられます。

内服薬 定期的に服用する薬です。処方箋に「毎食後1日3回」「6時間毎(ごと)に1日4回」など、服用量と服用時間に指示のあるものです。

［例］Rp　ロキソニン錠60mg　3T
　　　分3毎食後　7日分

注)「Rp」とは「処方せよ」という意味です。

このように記載されている場合は、「ロキソニン錠60mg」という内用薬を1日に3錠（3T）を3回に分けて（1回分は1錠服用になります）毎食後、7日間服用しなさいということです。服用日数(～日分)は、処方箋には「～T・～TD」などと記載されることもあります。

屯服薬 臨時的に服用する内用薬です。熱や痛みなどの症状があるときにだけ飲む薬剤です。

［例］Rp　ボルタレン錠25mg
　　　1錠　3P
　　　疼痛時

これは「ボルタレン錠25mg」という内用薬を疼痛(とうつう)時に1錠服用で、3回分投与ということです。処方箋には「～回分・～P・～包・～屯」などと記載されます。

○錠　剤

最も多い剤形で、主成分の含量を均一にし、一定の品質で大量生産できるという利点があります。円板形、だ円形などいろいろな形のものがあり、また、割線を入れて1/2錠、1/4錠という飲み方ができるようになっているものもあります。口中で噛みくだいて服用するチュアブル錠や、頬側部に挿入して口腔粘膜から吸収させるバッカル錠も含まれます。

○カプセル剤

錠剤とともに多く使われる剤形で、ゼラチンでできたカプセルの中に、粉末や顆粒状の薬をつめたものです。においが強かったり、味が悪い薬を飲みやすくするためのものです。カプセルはゼラチンでできていますので、胃の中で溶けるようになっています。

○シロップ剤

甘味剤や糖類を含む粘稠(ねんちゅう)性のある液状または固形の製剤。エリキシル剤、乳剤などがあります。

○軟膏・クリーム剤

貼付剤のように皮膚から吸収されますが、テープのように皮膚に粘着させるのではなく直接皮膚に塗(ぬ)ったり擦(す)り込んだりして使用する薬物です。

○点眼剤

薬物は結膜嚢(けつまくのう)内から角膜(かくまく)を透過(とうか)して吸収されます。投与された点眼剤は涙とともに流されるため、目の表面での薬物の滞留(たいりゅう)時間も吸収に影響してきます。

■外用薬

貼付薬、塗布剤(軟膏)、点眼剤、坐剤、トローチ剤など、直接患部に用いて皮膚や粘膜から吸収させて効果をあげる薬剤です。身体の表面の疾病だけでなく、心臓や血管などの循環器の疾病にも使われます。トローチは口中に含みますが、飲みこまないで喉の粘膜から薬を吸収させ喉の粘膜に作用する薬剤で、外用薬です。

○直腸内投与

直腸に投与される薬物には、痔疾患や殺菌など局所作用を目的としたものと、解熱鎮痛などの全身作用を目的としたものとがあります。直腸から吸収された薬物は、肝臓を通過しないで全身に行きわたります。坐剤（直腸内・膣内）などがあります。

○吸入薬

ある種のホルモン薬や、気管支喘息の薬には吸入する薬（喘息用のエアゾールなど）もあります。薬を鼻腔や肺の粘膜から吸入させるためです。

［例］Rp　アクロマイシントローチ15mg　6錠／4日分
　　　　　アクロマイシン軟膏3%　5g

カルテには「～g・～個・～枚・～mL」などと記載されます。

■薬剤の形と記号

医薬品は、作用の仕方、使用目的などによっていろいろな形につくられますが、これを剤形といいます。レセプトに使用量を記入する場合は、それぞれ次の表示例のような略号を使用してよいことになっています。

剤　形	表示記号	表示例
錠　剤	T, Tab	1T, 2Tab (T, Tabは「錠」の意味)
カプセル	C, Cap	1C, 2Cap
粉薬(末・散・顆粒)	g	1.0, 2.0 (gは省略される場合が多い)
液　剤	mL, cc	1mL, 2cc
軟膏・クリーム等	g	1g, 2g
坐　剤	個	1個, 2個

4　医薬品の作用

■医薬品の体内での働き

どのような投与方法でも、体内に吸収された薬物は全身の循環血液中に入り、作用部位に達して薬効を発揮します。そして、いずれは肝臓や腎臓で代謝され、糞中あるいは尿中へと排泄されます。この生体内における変化を吸収（absorption）、分布（distribution）、代謝（metabolism）、排泄（excretion）といい、それぞれの頭文字をとって、ADME（アドメ）と略称しています。

吸収とは、薬物が体内の血液循環に入ることをいいます。また分布とは、血液によって運ばれた薬物が体内の組織（臓器）に移行することをいいます。大部分の薬物は分解・抱合され、作用のない物質へと変化（不活性化）していき、排泄しやすい化合物を作ります。これが代謝です。代謝には酸化・還元・加水分解・抱合という様式があります。代謝されると尿中あるいは糞中へと排泄されます。ある一部の薬物は、呼気中や、汗中、乳汁中へも排泄されます。いずれも排泄は薬物の作用時間に大きく関係し、排泄が速ければ作用時間が短く、遅いものは作用が長く持続することになります。

■医薬品の相互作用

処方では、一度に複数の医薬品を投与することがあります。その場合、体内における作用には単剤の投与の時よりも注意が必要です。なぜなら、２種類以上の薬が重なると、互いに作用しあって影響することがあり、ある場合には作用が強くなったり、ある場合には弱くなったり、ある場合には有毒な化合物を形成することすらあるからです。このことを薬物の相互作用といいます。

■医薬品の反復投与

では、長期に同じ医薬品を投与した場合は、どのような変化が起こるのでしょうか。すべての薬物について起こるわけではありませんが、医薬品を反復して投与した場合に、薬物に対する生体の反応性が変化することがあります。

⑴　耐性・交差耐性

薬物を長期間繰り返し使用していると、その効果が減弱することです。

一般的に、麻薬性鎮静薬、催眠性鎮静薬のバルビツール酸誘導体や、アルコール、覚醒剤などがあげられます。また耐性を示す薬物だけでなく、類似の構造を持つ薬物にも耐性を示すことを交差耐性といい、そのほかに短期間に耐性を生じる場合をタキフィラキシーといいます。

(2) 脱感作

連続投与あるいは短期間に頻回投与した際にみられる生体反応の低下のことです。脱感作の機序として、受容体の反復刺激による感受性の低下や、受容体数の減少が生じます（ダウンレギュレーション）。短時間の反復投与による脱感作をタキフィラキシーといいます。

(3) 薬物依存

薬物を摂取すると活力の亢進などの効果が現れ、再度薬物を摂取したいという欲求が起こる場合を精神的依存といいます。また、薬物を摂取して精神的依存の形が繰り返されると、薬物の中断による身体症状、すなわち禁断症状が現れるようになります。これを身体的依存といいます。

(4) 蓄積性

薬物の吸収に比べて排泄の速度が遅いと、次第に体内に薬物が蓄積し、なんらかの原因で初回投与には見られなかった強い反応が起こり、中毒反応を起こす場合があります。これを蓄積性といい、特に強心配糖体（ジギトキシンなど）が知られています。

医薬品の安定性と包装・保管

1　医薬品の安定性

医薬品は、一定期間、安全に使用できなければなりません。そこで医薬品には、有効期限・有効期間が設定されています。また、有効期限・有効期間内の保証のためにさまざまな安定性試験が行われています。

○長期保存試験

申請した貯蔵法で、原薬の物理的・化学的性質が有効期間内を通じて適正に保持されるかどうかを評価するための試験です。たとえば、温度25±2℃、湿度60±5％の保存条件で、12か月間の安定性を調査したりします。

○加速試験

一定の流通期間の医薬品品質を評価するのに、短期間で推定するための試験です。たとえば、温度は25℃ではなく40±2℃で、湿度も60％ではなく75±5％で、6か月間で安定性を評価します。

○苛酷試験

医薬品の流通期間中に起こる可能性のある極端な条件のもとで、品質の変化を予測するための試験です。加速試験よりも、もっと苛(か)酷(こく)な条件（温度や、湿度の高い状態）で行われ、医薬品本来の安定性に加えて分解生成物についても分析が行われます。

○経時変化

以上のような試験中に医薬品が変化していく状況を経時変化といいます。医薬品の保存中に、光や温度、湿度によって安定性が低下して品質が低下することがあります。品質の低下とは、主薬の効力の低下、均一性の低下、毒性の発現等をいいます。

2　医薬品の包装と保管

医薬品は、その保護のために包装されています。この包装によって医薬品の使用性が良くなったりもします。医薬品の保護とは、医薬品の変質、劣化、破損を防止したり、微生物などの進入を防いだりすることです。また使用性が良くなるとは、薬剤がユニット化されることで医薬品の扱いが簡単になったり、調剤者があらためて量を計ったり、調剤したりすることなく患者に渡すことができることを意味しています。その上、ユニット化された医薬品にはロット番号という管理番号が付けられることで、生産の管理や情報の管理、使用期限の管理など品質保証のための情報媒体ともなるわけです。

○PTP包装

PTPは、錠剤・カプセルの包装の主流をなしています。表面がポリ塩化ビニールなど、背面がアルミ箔などの薄い金属で作られています。携帯や保管に便利ですが、ミシン目やスリット方向によっては誤飲してしまうことがあり、シートの工夫や注意書きが必要です。

○ストリップ（SP）包装

SP包装は、錠剤やカプセルが帯状に両面を透明ビニールのようなシートでシール包装された形態をいいます。PTPと違い、ビニール部分を切って中の医薬品を取り出すような包装です。ただし、シートが柔らかいので調剤室や携行途中の温度や湿度によるカール現象が起こることもあります。

○バラ包装

錠剤やカプセルの1つひとつをシートでくるまずに、瓶などに直接入れてある形態で、そのまま携帯することはほとんどありません。調剤時に分包するときなどに用いられます。また、錠剤やカプセル同士が直接触れ合った状態なので、扱い方によっては錠剤が欠けたりする原因になります。

○分包包装

おもに散剤や顆粒剤を、ラミネートフィルムで1回服用量単位ごとに計量、充塡し分割したものです。分包機にかけて作られます。

○ピロー包装

PTPまたは、SP包装したものをさらに包装する形態で、防湿性（ぼうしつせい）の向上のために行われます。

○アンプル（管）

おもに注射液に使用される容器で、ガラス製がほとんどです。たいていがワンポイント・カット方式で、首の部分に傷があり、やすりを必要としないで簡単に開けることができるようになっています。最近では、アンプルそのものに包装をほどこし、ガラス片の飛散（ひさん）を防止できるものも出てきています。

○バイアル（小瓶）

バイアルも材質はガラスですが、蓋（ふた）の部分がゴム栓（せん）になっていて、注射針を差し込んで必要量あるいは全量を吸引（きゅういん）して使用する注射剤の容器です。

○軟膏剤とクリームの包装

軟膏（なんこう）剤・クリームの包装では、アルミ製のチューブが汎用（はんよう）されています。必要量だけを絞（しぼ）り出すことができ、品質を保つことができます。最近ではラミネートチューブなどのプラスチックチューブが多く使われるようになっています。

■医薬品保管のための容器

医薬品は、次のような外的要因によって影響を受けます。

○温　度

高温では医薬品の分解や変質が促進され、低温では液剤から結晶の析出、乳化状態の破壊が起こります。常温では変化の起こらないものが多いですが、インスリン製剤やワクチンなどは影響を受けやすいので温度管理が必要です。

○湿　度

吸湿・脱湿によって品質が悪くなる医薬品があります。これは、空気中の水分を吸いとったり、医薬品中の水分がとられたりすることによって、製剤中の有効成分の濃度が変化するためです。多くの場合、医薬品は防湿対策が施されています。

○空　気

特に酸素に敏感な医薬品に対して注意が必要です。これは、酸化とよばれる作用が働くためで、ビタミンＣなどは酸化によって破壊されてしまいますので、空気を通さないガラスや金属の容器に密封します（プラスチック容器は、通気性のある場合があります）。

○光

光に敏感な医薬品には注意が必要です。ビタミン剤やホルモン剤、アルカロイドは、光による分解の影響を受けるため、遮光が可能な容器に入れるか、ブリキ缶や遮光を施したビンに入れます。

○振動・衝撃

医薬品の多くは、振動や衝撃には弱いものです。輸送中に加わる振動や、作業中の落下衝撃などが考えられ、これらによる破壊への対策を考えながら包装されています。

そこで、以上のような外的要因による影響を避けるために、医薬品を薬局などで保管するときには、その製剤の性質によりさまざまな容器に保管します。容器の種類はその用途（ようと）に応じて、またその特質によって次のように分けられています。

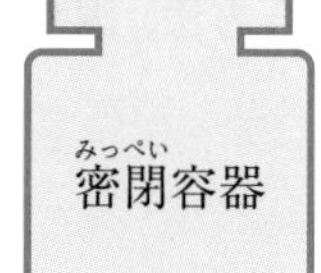

通常の取り扱いまたは、運搬・保存状態において、外部からの固形の進入を防ぎます。
（紙袋や箱のような簡単なもの）

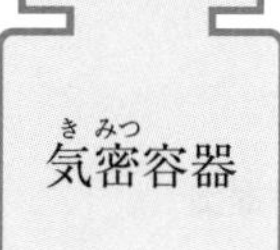

液状または固形の異物が進入するのを防ぎます。
風解（ふうかい）・蒸発（じょうはつ）を防ぐことができます。
（ガラスびん、かん、プラスチック容器など）

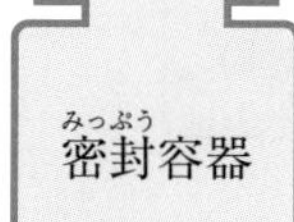

気体または微生物の進入を防ぎます。
（アンプルなど）

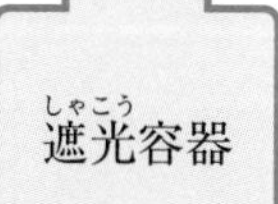

光の透過（とうか）を防ぎ、医薬品を光の影響から保護します。
（茶色や濃い緑色のびんなど）

処方箋と薬価基準

1　処方箋

処方箋とは、医師が患者の治療に必要な薬剤の処方量、投与方法、調整法を、薬剤師に指示するための文書です。

処方箋の流れは次の図のようになっています。

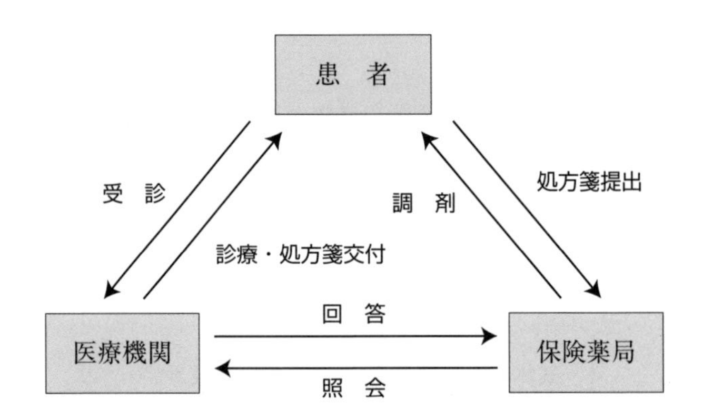

また、処方箋には必ず記載しなければならない次のような項目があります。

(1)　保険者番号
(2)　被保険者証、被保険者手帳の記号・番号
(3)　患者の氏名、生年月日、性別
(4)　被保険者・被扶養者の別
(5)　医療機関の名称と所在地
(6)　都道府県番号、点数表番号、医療機関コード
(7)　保険医氏名
(8)　処方箋の発行の年月日と処方箋の使用期間
(9)　公費の場合は公費負担者番号と公費負担医療の受給者番号
(10)　薬品名、分量、用法、用量（投与日数）

2 薬価基準

「保険医療機関及び保険医療養担当規則第19条」に「保険医は、厚生労働大臣の定める医薬品以外の薬物を患者に施用(しよう)し、又は処方してはならない。」と規定されています。この厚生労働大臣の定める医薬品を「保険薬」といい、保険診療で使用する薬剤はこの保険薬に限られています。

保険薬の購入価格の一覧表を「薬価基準」といい、政府が発行する官報で告示されます。「薬価基準」には、「内用薬」「外用薬」「注射薬」の３つの区分で医薬品が掲載されています。その数はおよそ15,000種類にもなります。

処方箋に記載された医薬品の価格を知るためには、この薬価基準を引くのが基本です。

CHECK!

○同じ品名、同じ剤形の薬剤で２種類以上の規格が薬価基準にある場合で、処方箋に規格の表示がないものは、最低の規格のもので計算します。

○薬価を調べるときは剤形を確認しなければなりません。同じ品名でも錠剤と顆粒など２種類の形がある場合もあり、それぞれ薬価が異なることもあるので注意しましょう。

■薬価基準の引き方

カルテに記載された薬剤の価格を求めるには、品名、剤形、規格（力価）を確認し、該当する薬価を確定します。

	(品名)	(規格)	(剤形)	
［例１］処方箋に	アルドメット錠	250	3T	とある場合、

① アルドメット錠を薬価表で引きます。

② 3Tとあるので剤形は錠剤です。
（薬価表の「規格・単位」欄に１錠と表示されているものが錠剤）

③ 規格（力価）は250㎎のものです。

したがって、
アルドメット錠　250㎎　3T　の薬価は
１錠　16.80円×3T＝50.40円　となります。

	(品名)	(規格)	(剤形)	
［例２］処方箋に	コデインリン酸塩散10%「タケダ」	10%	1.0	とある場合、

10%と、%表示がありますので倍用散です。該当する薬価を求めます。

コデインリン酸塩散10%「タケダ」 10% 1.0 の薬価は

1g 149.80円×1.0＝149.80円 となります。

■薬剤の有効成分の表示

力価表示 錠剤やカプセル剤の量は、薬価基準には○mg 1錠、○mg 1カプセルなどと表示されていますが、この○mgというのは1錠、1カプセルに含まれている原末の量を示しています。これを力価（りきか）といいます。

倍用散 きわめて強い作用の薬は、適正な使用量が非常に微量なために、確実に服用できないことがあるので、特に作用のないものを混合し、薄めて使用します。この薄めるためのものを賦形剤（ふけいざい）といい、乳糖（にゅうとう）やでんぷんなどが使われています。また、薄める以前の薬は原末（げんまつ）といい、原末に賦形剤を加えて一定の倍率に薄めたものを倍用散（ばいようさん）といいます。

CHECK!

○10倍散（10倍に薄めたもの）は1g中に原末10%を含む（原末 1：賦形剤9）→薬価基準には10% 1gなどと表示されています。

○100倍散（100倍に薄めたもの）は1g中に原末1%を含む（原末 1：賦形剤99）→薬価基準には1% 1gなどと表示されています。

［例］アーテン散 1%1g→「100倍散」を意味します。つまり1gの中に0.01gの原末を含有しています。

○薬価基準に%の表示がなく、ただ1gとか10gと表示されている場合は「原末」を意味しています。

%表示と力価表示 処方箋には「○mg」と記載されることがあります。ところが薬価基準では「○%○g」とか「○%○mL」などと表示されています。この場合、次の換算式によって薬剤の規格と使用量を調べることができます。

$$\left.\begin{array}{l}A\%\ Bg\\ A\%\ BmL\end{array}\right]\ A\times B\times 10 = x\,mg$$

［例1］処方箋に　フェノバルビタール散160mgとある場合

薬価基準では「フェノバルビタール散10% 1g」と表示されています。

10% 1gを換算すると、10×1×10＝100mgとなり、160mgでは160÷100＝1.6gを処方したことになります。

［例２］処方箋に　トランサミン注10％ 250㎎とある場合

薬価基準では「トランサミン注10％ 2.5mL　1管」
「トランサミン注10％ 10mL　1管」 と記載されています。

これを換算すると　10％ 2.5㎖　1管→10 × 2.5 × 10 = 250㎎
10％ 10㎖　1管→10 × 10 × 10 = 1,000㎎
となります。

つまり10％ 2.5㎖のものを1管使用することになります。

練習問題 ・・・・・・・・・・・・・・・・・・・ 解説

□1　医薬品に関する最も重要な法律は医薬品医療機器等法である。

○1　設問のとおり。

□2　医薬品とは日本薬局方に収められているものである。

○2　「日本薬局方」は日本で繁用（はんよう）されている医薬品の品質規格書の役割を果たしており、この中に記載されているものを医薬品といいます。

□3　医薬品の使用対象となるのは人のみである。

×3　人だけではなく、動物も使用対象となります。

□4　医薬品の４つの大きな特性とは、生命関連性、公共性、高品質性、使用の重要性である。

×4　使用の重要性ではなく、使用の緊急性です。

□5　医薬品の高品質性とは、生命・健康に関連するため高い純度と均質な品質が求められることを意味する。

○5　設問のとおり。

□6　医薬品の使用の緊急性とは、必要な医薬品が必要なときに供給されることである。

○6　設問のとおり。

□7　医薬品と、医薬部外品には取扱者の制限がある。

×7　医薬部外品や化粧品には特に取扱者の制限はありません。医薬品は、薬局または医薬品販売業の許可を受けた者でなければ業として取り扱えないことになっています。

□8　店舗で販売と調剤ができるの

○8　設問のとおり。

は、保険薬局だけである。

□9　医薬品の販売業の許可については、店舗販売業の許可、配置販売業の許可、卸売販売業の許可の３種類に分けられる。

□10　一般用医薬品のうち、第一類医薬品を扱う店舗では薬剤師が、第二類・第三類医薬品を扱う店舗では、登録販売者が必要である。

□11　配置販売業は、医薬品を預(あず)けた時点で代金を請求することができる。

□12　店舗販売業における店舗管理者は、厚生労働省令で定めるところにより、薬剤師でなければならない。

□13　化粧品は医薬品である。

□14　一般用医薬品は、いわゆる大衆薬のことである。

□15　医療において、プライマリケアの重要な役割を果たしているのは、一般用医薬品である。

○9　設問のとおり。なお、一般の消費者に対して医薬品の販売等ができるのは、店舗販売業及び配置販売業の許可を受けた者のみです。

×10　第二類・第三類医薬品を扱う店舗では、薬剤師または登録販売者が必要です。

×11　医薬品を預けたときではなく、使用した後に代金を請求できます。富山の薬売りなど、わが国の伝統的な販売形態です。

×12　薬剤師または登録販売者でなければなりません。

×13　医薬品ではありません。

○14　設問のとおり。

○15　設問のとおり。プライマリケア（疾病や外傷の初期に行われる治療）で重要なセルフメディケーション（自己治療）では、一般用医薬品が大きな役割を担(にな)っています。

□**16**　大衆薬をOTT（over the table）という。

×**16**　OTC（over the counter：カウンター越しに売られる薬、大衆薬の意）といいます。

□**17**　調剤薬局事務員は、業務上知り得た「患者及び調剤上の秘密」を他に漏らしてはならない義務を負っている。

○**17**　厚生労働省通知「診療情報の提供等に関する指針」のなかで、「医療従事者は、患者の同意を得ずに、患者以外の者に対して診療情報の提供を行うことは、医療従事者の守秘義務に反し、法律上の規定がある場合を除き認められない」と規定されています。

□**18**　医薬品の名称で通常使われるのは、国際一般名である。

×**18**　通常使われるのは商品名や一般名です。

□**19**　医療用医薬品は、厚生労働省で審査される。

○**19**　設問のとおり。

□**20**　医療用医薬品を医薬品医療機器等法による分類で分けると、薬価基準収載医薬品と薬価基準未収載医薬品に分けることができる。

○**20**　設問のとおり。

□**21**　後発医薬品の承認申請には、先発医薬品と同様に発見の経緯や外国での使用状況、物理的化学的性質や規格・試験方法、安全性、臨床試験など数多くの試験を行い、20を越える資料を提出する必要がある。

×**21**　後発医薬品は、有効性・安全性についてはすでに先発医薬品で確認されていることから、安定性試験・生物学的同等性試験等を実施し基準をクリアすれば製造承認がなされます。

□**22**　一般用医薬品にも、後発品が

×**22**　一般用医薬品に後発品はあり

ある。

ません。

□23　医薬品には、医薬品医療機器等法による規制はない。

×23　医薬品は、すべて、医薬品医療機器等法により規制されています。

□24　２種類以上の生薬を細切り等にしたものを混合調剤し、煎じる量ごとに分包したものを浸煎薬という。

×24　正しくは、湯薬です。

□25　毒薬及び劇薬は、12歳未満の者その他安全な取り扱いに不安を認める者には販売等はできない。

×25　12歳未満の者ではなく、14歳未満の者です。

□26　劇薬には、白地に赤枠、赤字をもって品名と「劇」の字を記載しなければならない。

○26　設問のとおり。

□27　１回の使用料が極めて少量であり、滴瓶等により分割調剤するものを内服用滴剤という。

○27　設問のとおり。

□28　処方箋医薬品とは、医師からの処方箋を受けた者以外には、正当な理由なく販売してはならない医薬品をいう。

○28　設問のとおり。

□29　プレタール散20％（規格単位20％１g）を、1.6g調剤した場合の力価は32mgである。

×29　20％×1.6g×10＝320
よって、力価は320mgです。

□30　習慣性とは、神経系に作用し、

○30　設問のとおり。なお、習慣性

反復投与によって反応性が低下し、用量を多くしなければ最初の効果を得られないことをいう。

医薬品は、厚生労働大臣が指定します。

□31　医薬品の適正な使用のため、広告が制限される医薬品がある。

○31　設問のとおり。

□32　がんやその他の特殊な疾病に使用する医薬品は、特に広告が必要である。

×32　がん、その他の特殊な疾病に使用する医薬品の広告は、一般に向けては禁止されています。また、承認前の医薬品についても、効能・効果などの広告を行うことは禁止されています。

□33　麻薬は脳内に作用し、多幸感、幻覚などをもたらす薬物で、社会に悪影響を及ぼすため、所持は禁じられている。ただし、依存性や毒性は強くない。

×33　依存性や毒性が強く、健康を害するおそれがあります。

□34　依存性や毒性の強いアヘンやコカイン、覚醒剤等は世界的に使用が厳しく規制されている。

○34　設問のとおり。なお、日本では覚醒剤の濫用(らんよう)を、麻薬や向精神薬の濫用よりも重い刑罰で規制しています。

□35　覚醒剤と麻薬は同じものである。

×35　同じものではありません。

□36　薬物は、細胞の表面にある細胞膜のレセプターを通して薬理作用を現すが、特定の臓器の機能を促進させる作用を、選択作用という。

×36　正しくは、興奮作用であり、薬物が細胞、組織レベルでその機能を促進させる作用をいいます。

□37　５％エフェドリンは、覚醒剤原料として規制の対象となる。

×37　エフェドリンやメチルエフェドリンなどの含有量が、10％以下の場合は規制の対象とはなりません。

□38　スイッチOTC薬とは、医療用医薬品でのみ使用が認められている成分のなかで、使用実績があり、有効性や安全性などの審査を通過したものを、一般用医薬品に配合した医薬品をいう。

○38　設問のとおり。スイッチOTC薬の安全性を確保するために、承認時には、情報提供の方法、広告宣伝方法、販売方法に関して、通常のOTC薬よりも厳しい条件が付加されています。

□39　医薬品には、保証期間が設定されている。

×39　保証期間ではなく、有効期間や有効期限が設定されています。

□40　錠剤、散剤、カプセル剤などは内用薬である。

○40　設問のとおり。ほかに丸剤、顆粒剤、エキス剤などがあります。

□41　坐剤は内用薬である。

×41　坐剤(ざざい)は外用薬です。経口投与で用いる内服薬や屯服薬を内用薬といいます。

□42　テープのように皮膚に粘着させる薬物を、軟膏剤という。

×42　軟膏剤(なんこうざい)ではなく、テープ剤、貼付剤(ちょうふ)といいます。

□43　エアゾールは外用薬であり、吸入して使用するものである。

○43　設問のとおり。「吸入(きゅうにゅう)」は気管支細胞に直接作用させる方法で、喘息(ぜんそく)用のエアゾールなどがあります。

□44　点眼剤は内用薬でも外用薬でもない。

×44　点眼剤(てんがんざい)は外用薬です。

□45　医薬品にはロット番号という

○45　ロット番号は生産の管理や使

管理番号が付けられている。

用期限の管理など、品質保証のための情報媒体となっています。

□46 薬物は生体内に入ってさまざまな変化を受けるが、その変化は吸収、分布、代謝、分解の４つに大きく分けられる。

×46 分解ではなく排泄(はいせつ)です。

□47 吸収とは、薬物が体内の循環血液中に入ることである。

○47 設問のとおり。

□48 血流に乗って体内を循環した薬剤が、再び肝臓へ移動して分解されることを、代謝という。

○48 設問のとおり。

□49 複数の薬物を投与した場合、その薬物同士がたがいの薬理作用を増強したり減弱したりすることを薬物の相互作用という。

○49 設問のとおり。

□50 相互作用が吸収で起こった場合、吸収が阻害される場合がある。

○50 吸収が遅くなったり、早くなったりします。

□51 同じ薬物を長期に投与した場合に起こる変化を、長期作用という。

×51 長期作用ではなく反復作用といいます。

□52 長期間同じ薬物を投与していると、薬効が増強することがある。これを耐薬性という。

×52 薬効が減弱(げんじゃく)することを耐薬(たいやく)性といいます。麻薬性の鎮静薬やアルコールなど。

□53 長期に薬物を投与し、禁断症状が現れることを精神的依存という。

×53 身体的依存といいます。薬物を摂取し、再度薬物を摂取したいという欲求の起こることを精神的依存といいます。

□54　経時変化は、保存期間中の品質の低下を知る試験であり、主薬の効力の低下、均一性の低下、毒性の発現などをみる。

○54　設問のとおり。

□55　PTP包装は、錠剤やカプセルなどを指で押し出すタイプの包装をいう。

○55　設問のとおり。PTP（press through package）包装は錠剤やカプセルの包装の主流をなしています。

□56　散剤や顆粒剤などを、ラミネートフィルムで1回服用量単位ごとに計量し、充塡して分割する包装を分包という。

○56　設問のとおり。分包機でつくられます。

□57　医薬品の保管容器のうち、密閉容器は外部からの気体や微生物の進入を防ぐ容器であり、密封容器は固形の異物の進入を防ぐ容器である。

×57　設問は、密閉容器と密封容器の説明が逆になっています。

□58　医薬品医療機器等法は、医薬品に関して虚偽または誤解を招くおそれのある事項を、その医薬品の容器等に記載してはならないと明確に定めている。

○58　そのほかに、「承認を受けていない効能または効果」や「保健衛生上危険がある用法、用量または使用期間」を記載禁止事項としています。

□59　ビタミン剤やホルモン剤等の光に敏感な医薬品では、ブリキ缶に入れて保管することが可能である。

○59　ビタミン剤等の、光による分解の影響を受ける医薬品は、遮光が可能な容器に入れるか、ブリキ缶や遮光を施したビンに入れて保管します。

□60　医師が薬の量や調整法などを薬剤師に指示する文書を、処方箋という。

○60　設問のとおり。

□61　処方箋には、「医療機関の名称と所在地」が記載されていれば、「保険医名」は記載されていなくてもよい。

×61　処方箋には、いくつかの記載しなければならない事項があります。「医療機関の名称と所在地」の記載がある場合であっても、「保険医名」の記載は必要となります。

□62　処方箋に記載する薬の量は、内服薬は1日分の量、屯服薬は1回分の量、外用薬は投与した全量を記載する。

○62　設問のとおり。

□63　T、Tabとは、カプセル剤のことである。

×63　T、Tabは錠剤のことです。カプセル剤はC、Capなどと表します。

□64　処方箋の「食後」とは、食事後30分くらいをさす。

○64　設問のとおり。

□65　投与日数の上限が決められている薬剤に、向精神薬がある。

○65　向精神薬だけではなく、麻薬や注射薬などにも投与日数の上限が決められています。

□66　「Rp」という略語は「処方せよ」を意味し、処方の最初に記す。

○66　設問のとおり。

□67　処方に「ロキソニン錠60mg　1T　3P」とある場合は、屯服薬の

○67　Pは「何回分」の意味です。

処方を意味する。

□68　同一品名、同一剤形の薬剤で２種類の規格が薬価基準にある場合、処方箋に規格の表示のないものは高い方の規格のものを計算する。

×68　低い方の規格のものを計算します。

□69「メキシチールカプセル　150mg　分３毎食後」と、投与量が力価で表示されている場合の調剤は50mg錠と100mg錠を１錠ずつとする。なお、メキシチールカプセルは50mg、100mgの２種類がある。

×69　50mg錠を３錠とします。

□70　0.5％１mLを力価で表すと5mgとなる。

○70　設問のとおり。

力価の計算方法：

A％×BmL（量）×10＝$x$mg（力価）

0.5％×１mL×10＝x

0.5×10＝x

x＝5(mg)

□71　抗ヒスタミン薬の催眠作用をカフェインの覚醒作用が打ち消すことを、拮抗作用という。

○71　設問のとおり。

まとめ
調剤事務用語・略語など

1．調剤事務用語

●医薬品、医療機器等の品質、有効性及び安全性の確保等に関する法律（略称：医薬品医療機器等法）

医薬品、医薬部外品、化粧品、医療用具について、その品質や有効性、安全性を確保することを目的に、必要な規制を定めた法律（1960年制定）。地方薬事審議会の設置や薬局の開設、医薬品等の製造承認、販売許可、基準、検定、取扱い、広告などについて規定しています。2014年、薬事法から改称。

●後発医薬品（後発品・ジェネリック医薬品）

既承認医薬品（先発品）と有効成分、投与経路、用量・効能・効果などが同等の医薬品をいいます。通常、先発品の再審査期間・特許期間経過後に承認されます。先発品をもとに開発・生産されるため、低コストに抑えられ、承認審査も簡素化されます。

●長期投与

１回処方量（1回に処方できる期間）を超えて薬を投与すること。

ただし、2002年４月以降、麻薬や向精神薬、薬価基準収載１年未満の新医薬品以外の薬剤については、療養担当規則による投薬期間の制限が廃止され、「予見することができる必要期間」に従って投薬することが求められるだけとなりました。

●調　剤

薬剤師が医師の発行した処方箋に基づいて、薬剤を分量どおりに調整し薬袋に詰めるまでの一連の作業のこと。

通常の調剤形式には固型剤と液剤があり、前者には散剤、顆粒剤、軟膏剤、硬膏剤などがあり、後者には水剤、浸透合剤、懸濁液剤、乳剤、チンキ剤、注射剤などがあります。

●調剤録

薬局において調剤業務の記録のために整備している記録簿のこと。記入日から３年間の保管が義務付けられています。

薬剤師法による記載事項は、患者の氏名と年齢、医薬品名と分量、調剤年月日、調剤量、調剤を行った薬剤師の氏名、処方箋の交付年月日、処方箋を交付した医師の氏名、医師の勤務する病院・診療所の名称と所在地、処方箋に記載された医薬品の内容を医師の同意を得て変更し調剤した場合の変更内容、医師に疑義照会を行った場合の回答の内容。

また、健康保険法関係においても上記の内容のほかに、被保険者証の記号・番号、保険者名、生年月日、被保険者・被扶養者の別、処方箋に記載された薬剤の用量、既調剤量と使用期間、薬剤点数と調剤手数料、請求点数と患者負担額の記載が定められています。

●服薬指導

おもに薬剤師が患者に対して有効、安全に薬物療法を行えるように指導すること。

薬剤名、用法、用量、注意事項、副作用・相互作用、保管上の注意などの医薬品情報を提供します。

●保険薬局

調剤薬局。病院、診療所、家畜診療施設の調剤所を除いて、医師が発行した処方箋に基づいて保険薬剤師が調剤を行う場所のこと。また、医療機関から発行される処方箋による調剤のみを行い、他の医薬品販売などは行わない薬局を、調剤専門薬局といいます。

なお、保険医や保険医療機関が処方箋の交付に際し、患者に対して特定の調剤薬局において調剤を受けるように患者を誘導する行為は、保険医療機関及び保険医療養担当規則により禁じられています。

●麻薬及び向精神薬取締法

麻薬・向精神薬の輸出入、製造、製剤、譲渡について必要な取り締りを行うとともに、麻薬中毒者に必要な医療を行うなど、それらの濫用(らんよう)による保健衛生上の危害を防止することを目的とした法律。

医療機関における麻薬施用者(しようしゃ)（医師・歯科医師）や麻薬管理者（医師・歯科医師・薬剤師）は、都道府県知事の免許が必要です。麻薬施用者でなければ麻薬を施用することや、麻薬を記載した処方箋を交付することはできません。

このほかには、麻薬の保管や施用に関する記録についても定められています。

●麻薬処方箋

麻薬を処方した文書。都道府県知事の免許を受けた麻薬施用者だけが交付できます。処方箋には、患者の氏名、住所、麻薬の品名、分量、用法・

用量、麻薬施用者の氏名、免許証番号などを記載し、記名押印（署名）します。

●薬剤費比率

医療費に占める、投薬と注射による薬剤費（検査や処置・手術などで使用される薬剤の費用は含まない）の割合のこと。

全体としては、薬価基準の引下げ、医薬分業の進展、定額払いの拡大などから、年々低下の傾向にあります。諸外国と比べて比率が高いため“薬漬け医療”の根拠とされる場合がありますが、分母となる医療費が低いこと、公定薬価が高いこと、薬剤費の範囲が異なることなどから一概には比較できません。

●薬事・食品衛生審議会

医薬品、医療用具、食品衛生などに関する行政執行上の重要事項を審議する、厚生労働大臣の諮問機関。中央省庁再編に伴い、2001年より食品衛生調査会と中央審議会が統合されました。２つの分科会と30名以内の委員で構成されています。分科会には、薬事分科会と食品衛生分科会があります。

●薬　歴

患者ごとに作成される薬剤の服用歴のこと。

薬歴には、患者が過去に使用した医薬品の名称、数量、副作用、アレルギーの有無などを患者からの情報に加えて、処方箋を受け付けるたびに、処方した医療機関名、医師名、処方日、処方内容、患者への指導事項、調剤日などが記載されています。

調剤報酬点数表には、服薬管理指導料が設定されています。

●薬価改正

保険診療に用いられる医薬品の基準価格について、実勢購入価格に基づいて見直しを行うこと。２年に１回程度、全面改正が行われ、1990年以降はすべて引下げとなっています。

●薬価基準制度

保険診療で使用できる医薬品の範囲と価格を公的に定める制度。保険医療機関は薬価基準（使用薬剤の公定価格）に基づいて保険請求を行います。

現行制度については、薬価差の問題などが指摘され、改革が求められています。問題点としては、製薬企業が、新規性は乏しいが薬価差は大きい新薬開発に集中しがちであることや、不透明な取引が行われること、医療機関では高薬価シフトや薬剤多用などの歪みが生じることなどが指摘されています。

制度改革の論点としては、①薬剤使用の適正化、②健全な医薬品市場の形成、③有用性の高い医薬品開発、④透明性・効率性の高い制度の構築などがあげられています。

●薬価差（益）

医薬品の購入価格と保険請求価格（薬価基準）の差額。薬価差は医療機関の利益となり、これまでは医療機関の経営に大きく貢献してきましたが、薬剤の過剰使用の原因ともいわれ、年々薬価差の縮小が図られています。その結果として、医薬分業も進展してきました。

2. 薬物の剤形

薬物はそれぞれ物理的、化学的性質が異なるので、どのような薬物でも任意の剤形にはできません。患者にとって飲みやすく、扱いやすいことも必要で、それぞれの薬効を最も良く発揮できるような形に調整します。

●散　剤（さんざい）

医薬品を粉末状に製剤化したものです。数種類の薬剤を混ぜたり、身体の大きさや個人の体質などに合わせて、量の微妙な調節ができます。常用量が微量で、秤量（秤で量を計ること）しにくい医薬品は、乳糖などの適当な賦形剤を加え、何倍かに薄めて製剤をします。

散剤の粉末粒子は95％が500～850μmの大きさに統一されています。これより小さく75μm以上の粒子の散剤は細粒剤とよばれます。

●顆粒剤

医薬品を顆粒状にしたもので粒子がそろっています。飛散しにくいので、調剤上取り扱いやすいという長所がありますが、散剤と混合しにくいという短所もあります。

●錠　剤

医薬品を一定の形に圧縮して製剤したものです。胃腸障害を起こす薬剤は、錠皮を利用して胃では溶けないで腸で溶けるように工夫されたものや、溶解時間の異なる剤皮で医薬品を層状に重ね、徐々に作用を起こさせる工夫をした錠剤もあります。

●カプセル剤

医薬品を液状、懸濁状、のり状、粉末または顆粒剤の形にして、ゼラチンでできた筒状の容器の中に詰めたものです。苦味、悪臭のある薬を飲みやすくします。

溶けるタイミングの調整もしやすく、一つは胃で、もう一つは腸で溶けるような２種類の顆粒を入れた顆粒型カプセルや、一個一個の顆粒が膜でおおわれ徐々に溶けることで効果を長持ちさせる拡散徐放型カプセル、溶ける速度の違う数種類の顆粒を入れて、長く効かせたい痛み止めなどに使うスパンスル型カプセルなどがあります。

●丸　剤

医薬品に賦形剤、結合剤、崩壊剤または適当な添加剤を加えて球状に成形したものです。丸剤は包装や携帯上の面で難点があるので、錠剤やカプセル剤に変えられることが多く、種類は少なくなっています。

●液　剤

液状の製剤で、内用液剤と外用液剤があります。

内用液剤には、内用水剤、シロップ剤、懸濁剤、乳剤、エリキシル剤、リモナーデ剤、エキス剤、流エキス剤、浸煎剤、チンキ剤、飽和剤、浸透合剤、芳香水剤などがあります。

外用液剤には、含漱剤、注入剤、洗浄剤、ローション剤、吸入剤、エアゾール剤、浣腸剤、消毒剤、点鼻剤、点眼剤、点耳剤、塗布剤などがあります。

●坐　剤（ざざい）

医薬品を基剤に均等に混ぜ、一定の形に成形して肛門や膣に用いる固形の外用薬です。形は円柱状、円錐状、球状などがあります。体温で徐々に溶けて作用し、解熱鎮痛剤、痔疾治療剤などとして用いられます。

●トローチ剤

医薬品を一定の形状に作ったもので、口の中で徐々に溶解または崩壊させて、口腔、咽頭などの局所に適用する製剤です。殺菌、消炎などの作用があります。

服用時の注意としては、噛ませないで、しゃぶらせておきます。

●バッカル剤

口の中の頬側の部分に挿入し、徐々に吸収させる製剤です。

●舌下剤（ぜっかざい）

すみやかに吸収させる目的で舌下部に挿入して用います。急速な薬効の発現を求めるときに使用します。

●チュアブル剤

口の中でしゃぶったり、噛み砕い

てから服用する錠剤です。

●軟膏剤（なんこうざい）

適当な粘稠度（粘りぐあい）のある半固形状の外用剤で、油脂（ワセリン、ラノリン、豚脂）、グリセリンやポリエチレン剤に薬物を混和した、軟らかいバター状の外用薬。被覆、収斂、消炎、防腐、殺菌などの作用があります。皮膚に塗布して用います。

●硬膏剤（こうこうざい）

固形の医薬品を紙、布またはプラスチック製フィルムなどに延ばして皮膚に粘着させて用いる外用剤です。製剤法の工夫によって、経皮的に薬物の効果を長時間持続させることが可能です。

●リニメント剤

液状または泥状で、皮膚にすり込んで用いる外用薬です。

●パップ剤

医薬品の粉末をグリセリン、水、適当な液状物質と混和し、均等にしたものを布に延ばし、消炎、温罨法、刺激の目的で、湿布に用いる外用薬です。

●注射剤

注射器を用いて体内に注入する薬。注射する部位によって静注、筋注などがあります。インフルエンザ等の予防など様々な抗体製剤の多くは注射剤になります。

3. 処方に使われる略語

処方箋の処方欄には、次のような略語で処方内容が記載されることがあります。

略語	意味
A	アンプル、管
C（Cap，K，Kap）	カプセル
g（gr）	重さの単位
mL（cc）	液体の容量の単位
S（Sy）	シロップ
Suppo	坐剤
T（Tab）	錠剤　2Tは2錠のこと。

Rp，Rx	「処方せよ」のこと。処方の最初に記す。
分3，3×，3×T，3×Tgl	1日3回にわけて服用するということ。分3，3×を使うことが多い。
P	何回分、何包。屯服薬の場合に記される。
1W	1週間分
TD，T	何日分。処方の末尾の3TDまたは3Tは3日分のこと。Tは何錠の意味と何日分の意味に使われますが、薬剤名のすぐ後に3Tとあれば3錠の意味ですから、Tの文字の位置でどちらの意味かがわかります。 [例]Rp ムコスタ錠100mg 3T(3錠) 分3×2T(2日分)

4. 医薬品の略名・慣用名

上記の略語のほかに、医薬品の名称が長い場合に用いられる慣用名や略名があります。慣用名とは、薬品の起源・性質にちなんでつけられたもので、古くから使用されているものです。

アトモヒ	モルヒネ・アトロピン
アンナカ	安息香酸(あんそくこうさん)ナトリウムカフェイン
エフェド	エフェドリン塩酸塩
塩カル	塩化カルシウム
塩ナト	塩化ナトリウム
塩パパ	パパベリン塩酸塩
塩プロ	プロカイン塩酸塩
カナマイ	カナマイシン硫酸塩・カナマイシン
カマ	酸化マグネシウム
重ソ	炭酸水素ナトリウム

硝ビス	次硝酸(じしょうさん)ビスマス
ストマイ	ストレプトマイシン
タンナルビン	タンニン酸アルブミン
チオペン	チオペンタールナトリウム
ハイポ	チオ硫酸ナトリウム
ビカ	炭酸水素ナトリウム
硫アト	硫酸アトロピン
硫麻	硫酸マグネシウム
リンコデ	コデインリン酸塩
B_1	チアミン塩化物塩酸塩(ビタミンB_1剤)
B_2	リボフラビン（ビタミンB_2剤）
B_6	ピリドキシン塩酸塩（ビタミンB_6剤）
B_{12}	シアノコバラミン（ビタミンB_{12}剤）
C	アスコルビン酸（ビタミンC剤）
IN(A)H	イソニコチン酸ヒドラジド(イソニアジド)
Ins	インスリン
PSP	フェノールスルホンフタレイン
PTU	プロピルチオウラシル
PZC	ペルフェナジン
VM	バイオマイシン

5. その他の基礎知識

●**アスパラギン酸製剤**

必須アミノ酸の1つで、多くの蛋白質中に数%含まれ、生体内代謝に重要な役割をもつ薬剤。

●**アルカロイド**

窒素を含む有機物で、アルカリ性反応を呈し、苦味があり、酸と結合して塩を作り、その塩は水にとけ、少量で強い薬理作用をあらわします。おもに高等植物体中に存在することが多く植物塩基ともいわれます。(阿片アルカロイド、ニコチン)

●**罨法薬**(あんぽうやく)

局所をあたためたり、冷やしたりする湿布薬。

●**エキス**

生薬をアルコールで浸出して低温で蒸発濃縮したもの。生薬と純粋薬の中間にあたります。

●**エリキシル剤**

芳香と甘味をもったアルコール性液(アミノフィリンは飲みにくいが、エリキシル剤にすると飲みやすくなります)。

●**化学療法剤**(かがくりょうほうざい)

生体に侵入したり寄生する病原体を死滅させて病気を治療します。病原体に対する効果が化学的に明らかな薬物で、人体には害が少なく病原体に強く作用します。合成物質と抗生物質があります。

●**冠血管拡張剤**(かんけっかんかくちょうざい)

冠動脈を拡張して冠血流を増加させる薬剤で、狭心症、心筋梗塞症、冠不全に多く使用されます。

●**肝臓疾患用剤**(かんぞうしっかんようざい)

肝臓機能を高めるはたらきがあります。グロンサン、リバオール錠など。

●**含嗽剤**(がんそうざい)

うがい薬のこと。

●**気管支喘息用剤**(きかんしぜんそくようざい)

喘息の呼吸困難発作を治療するもので、エフェドリン、アミノフィリン、抗ヒスタミン剤、モルヒネ類、下垂体前葉ホルモン(ACTH)、副腎皮質ホルモンなどがあります。

●吸着剤（きゅうちゃくざい）

腸内にある毒物やガスなどのような異状物質をその表面に吸着して、腸壁への刺激を減らし、粘膜からの呼吸をさまたげて、腸の膨満や下痢を防ぎ、また潰瘍面を被覆して外来の刺激から保護する薬剤（アドソルビン）。

●強心剤（きょうしんざい）

衰弱した心臓の働きを強める薬剤。ジギタリス、カフェイン、カンフル、ビタカンファー、アドレナリン、キニジン、プロカインアミド（不整脈の治療）など。

●強壮剤（きょうそうざい）

同化作用をさかんにして栄養をよくするもの。蛋白、脂肪、炭水化物の各製剤があります。

●矯味剤（きょうみざい）

味をよくするために主薬に加える薬物。単シロップなど。

●去痰剤（きょたんざい）

気道の痰や異物を排出させるもので溶解性去痰剤（重曹、アンモニアウイキョウ精）、催吐性去痰剤（吐根）、刺激性去痰剤（セネガ、オンジ、キキョウ、セキール）。咳をやわらげる効果があります。

●駆虫剤（くちゅうざい）

腸内寄生虫を殺すか弱らせるかして、体外に駆出させる薬物で、服用後原則として塩類下剤を与えます。回虫駆除剤、十二指腸虫駆除剤、条虫駆除剤、蟯虫駆除剤。

●血圧降下剤（けつあつこうかざい）

インド蛇木のレセルピン（中枢性に鎮静作用あり。ロウォルフィア・セルペンチナのアルカロイド）、ヘキサメトニウム塩（交感神経節遮断による）、ヒドララジン（中枢性）、クロルサイアザイド（利尿作用もある）など。

●血管拡張剤（けっかんかくちょうざい）

狭心症発作などのときに有効な冠状血管拡大作用があるもの（亜硝酸アミル、ニトログリセリンや臓器製剤のカリクレイン、ラカルノールなど）と、血圧を降下させるものがあります。

●血管収縮剤（けっかんしゅうしゅくざい）

一般に虚脱、ショック、中毒などによる血管麻痺（拡張）により血圧降下が著しいときや、臓器出血、子宮出血などに用います。アドレナリン、カフェイン（血管収縮、血圧上昇）、ストリキニーネ（中枢性）、下垂体後葉注射液（子宮収縮及び止血）。

●**血管補強剤**（けっかんほきょうざい）

毛細血管の浸過性を低下させ、抵抗性を増します。出血しやすいものには止血的に作用します。

●**血栓溶解剤**（けっせんようかいざい）

生活時中に、血液が血管系の中空を流れている間に固まってできる血栓をとかす作用をする薬剤。

●**解熱剤**（げねつざい）

中枢に作用して異常な発熱を抑えて体温を下降させます。同時に鎮痛作用を有するものが多いです。（アスピリン、アンチピリン、ミグレニン、キニーネ）

●**健胃剤**（けんいざい）

食欲を増進させ、胃の機能（胃液分泌と運動）をよくするもので、芳香性健胃剤（橙皮、桂皮、肉桂）、苦味性健胃剤（ゲンチアナ根、せんぶり、キナ皮、苦味チンキ）や苛烈刺激性健胃剤（ショウズク、カラシ、コショウ、タンニン酸フェナゾリン）など。

●**懸濁液**（けんだくえき）

液体中に固体粒子が肉眼か顕微鏡で見える程度の微粒子として分散しているもの。（ペニシリン懸濁液）

●**膏　剤**（こうざい）

皮膚被蓋薬である種々の泥膏、軟膏、硬膏などの基剤となるもの。豚脂、ラノリン、オリーブ油、ゴマ油、ワセリン、グリセリン、親水軟膏、吸水軟膏、カーボワックスなど。

●**抗生物質**（こうせいぶっしつ）

微生物のカビや放線菌のような細菌の作り出した化学物質で、他の病原微生物の発育を制御します。微生物の拮抗作用といえます。ペニシリン、ストレプトマイシン、クロラムフェニコール、テトラサイクリン系物質、アイロタイシン、オレアンドマイシン、カナマイシンなど。

●**抗キニン剤**

体内性炎症物質に拮抗して抗炎症効果を示す薬剤。（ホモクロニン錠）

●**抗ヒスタミン剤**

体内に発生したヒスタミンに特異的に拮抗して、それによる障害を軽減する薬剤で、多くのアレルギー疾患に使用されます。

●**酵素製剤**（こうそせいざい）

生物体内でつくられた有機物で、化学反応の速度を速める作用をする薬剤。（塩化リゾチーム、プロナーゼ）

●酵母製剤（こうぼせいざい）

栄養補給、代謝機能の促進、食欲増進、整腸の作用をする薬剤。

●興奮剤（こうふんざい）

病後の無力状態や、疲労で脳機能の衰えているときに用います。カフェイン、覚醒アミン（ヒロポン類）、カルジアゾール、アミノコルジン、ストリキニーネなど。

●サルファ剤

ブドウ球菌、連鎖球菌などの感染症に対して有効。（スルファ剤、サルファミン剤、スルファミド剤、スルファミン剤）

●催眠剤（さいみんざい）

特に睡眠を誘うものか、睡眠を強制的に一定時間持続させる目的に使用するもので、就眠剤（ブロムワレリル尿素―ブロバリン、ニトラゼパム―ベンザリン、ゾピクロン―アモバンなど）、熟眠剤（バルビタールなど）、持続睡眠剤があります。

●細胞代謝賦活剤（さいぼうたいしゃふかつざい）

酸素欠乏による諸症状の改善に用いられる薬剤。

●散瞳剤（さんどうざい）

瞳孔を散大させる薬物で、アドレナリン効果薬のフェニレフリンや抗コリン効果薬のアトロピン、ホマトロピンなど。

●散布剤（さんぷざい）

皮膚や粘膜の収斂や防腐の目的に使用します。

●シロップ

白糖を水にとかしたもので甘味の矯味薬。さらに芳香性のものを混ぜることもあります。

●子宮収縮剤（しきゅうしゅうしゅくざい）

収縮と同時に止血作用を有します。下垂体後葉製剤（ピツイトリン、アトニン）のほか、麦角（エルゴトキシン、エルゴタミン）、キニーネなど。

●刺激療法剤（しげきりょうほうざい）

弱い刺激は生物機能を鼓舞する働きがあります。刺激によって現れる反応は生活機能を高め、疾患に対する抵抗力、すなわち自然治癒力を増強させます。このような意味で行われる療法に使用する薬剤です。

●止血剤（しけつざい）

全身性止血剤（カルシウム剤、ゼ

ラチン、ビタミンK剤）と局所性止血剤（アドレナリン、第二鉄塩、タンニン、ミョウバン、トロンビンなど）があり、子宮止血には麦角、下垂体後葉注射液などがあります。

●持続性催眠剤（じぞくせいさいみんざい）

治療上持続的な眠りを必要とするときに使います。（バルビタール、フェノバルビタール、スルフォナールなど）

●瀉下剤（しゃげざい）

便通を促進させるもので軟下剤（緩和な下痢を起こす）、緩下剤（中度等）、峻下剤（激しい下痢を起こす）などがありますが、薬理作用から塩類下剤（腸管内で塩類浸透圧を高める—硫酸マグネシウム、硫酸ナトリウム、塩酸マグネシウム）、刺激性下剤（腸粘膜刺激により反射的に蠕動亢進を起こすもので、植物性下剤としてヒマシ油、アントラキシン誘導体—センナ、大黄、ロカイ、カスカラサグラダ。合成剤—フェノールフタレイン、フェノバリン、ビサチン。その他—硫黄、甘汞、粘滑薬〈寒天、流動パラフィン〉など）があります。

●就眠剤（しゅうみんざい）

寝つきをよくする薬で入眠剤ともいいます。尿素誘導体（ブロムワレリル尿素—ブロバイン、カルモチン及びブロムジエチルアセチル尿素—アダリオンなど）、効果の短いバルビツール酸誘導体（ヘキソバルビタール、チオペンタールなど）があります。

●縮瞳剤（しゅくどうざい）

瞳孔を縮小させる薬剤。副交感神経興奮剤。コリン効果薬のフィゾスチグミン、ピロカルピン、プロスチグミンなど。

●熟眠剤（じゅくみんざい）

就眠剤より排泄がやや遅く、効果が適当に長く続くものでバルビタール、フェノバールなどがあります。

●消毒剤（しょうどくざい）

人体に有害な微生物を化学的作用により死滅させるもので、酸化作用によるもの（クロール、サラシ粉、過マンガン酸カリウム、過酸化水素）、化学的親和力によるもの（ヨード類—ヨードチンキ、ヨードホルム、重金属塩—昇汞、マーキュロクローム、硝酸銀、次没食子酸ビスマス、色素消毒剤—ピオクタニン、アクリフラビン、アクリノール）、蛋白凝固によるもの（ホルマリン、石炭酸、昇汞）、リポイド溶解によるもの（アルコール〈60～70％〉、石炭酸、クレゾール)、水分脱取によるもの(食塩、ホルマリン、アルコール)、逆性石けんなどがあります。

●**生　薬**(しょうやく)

天然のままを薬として応用するもの。植物、菌体、動物臓器、血清など。

●**自律神経遮断剤**(じりつしんけいしゃだんざい)

自律神経の神経節に作用して伝達を遮断するもの。(ニコチン、テトラエチルアンモニウム塩、ヘキサメソニウムなど)

●**神経節遮断剤**(しんけいせつしゃだんざい)

自律神経節において節前繊維から節後繊維への刺激の伝達をさまたげる薬物。(ニコチン、TEA塩、C_6塩など)

●**人工栄養剤**(じんこうえいようざい)

栄養失調時などの栄養補給、消耗性疾患の補助療法などの目的で使用される薬剤。

●**浸　剤**(しんざい)

水または湯で生薬を浸出して、有効成分を抽出したもの。(ジギタリス浸剤)

●**制酸剤**(せいさんざい)

おもに胃酸度の高いときに応用。重炭酸ナトリウム、酸化マグネシウム、硅酸アルミニウム、水酸化アルミニウム、ロート剤、アトロピンなどで、胃・十二指腸潰瘍の場合はさらにバンサインなどを応用。

●**制瀉剤**(せいしゃざい)

下痢を止める作用があるもので、腸運動制御剤(アヘンやモルヒネ類、ロート剤)、腸収斂剤(次硝酸ビスマス、次炭酸ビスマス)、吸着剤(カオリン、硅酸アルミニウム)、その他乳酸菌製剤、キノフォルム剤などがあります。

●**精神安定剤**(せいしんあんていざい)

トランキライザー(tranquilizer)。精神的不安や、緊張状態を除いて精神を安定させるもの。メプロバメート、レセルピンなど。

●**生体酸化還元平衡剤**(せいたいさんかかんげんへいこうざい)

諸酵素の活性を維持し、あるいは賦活して解毒作用、抗アレルギー作用、メラニン生成制御作用などの働きをする薬剤。

●**制吐剤**(せいとざい)

船酔い、悪阻、メニエール症候群

などの際の制吐作用を有します。(メリスロン、トリオミン、クロルプロマジン)

●煎　剤(せんざい)

水に生薬を入れた後、一定時間熱して浸出させ有効成分を抽出したもの。

●対症療法剤(たいしょうりょうほうざい)

多くの場合には病因直接ではなく、病気のいろいろの症状や患者の苦痛を取り除くか軽減するために薬物治療が行われますが、こうした目的に用いられる薬物をいいます。

●耐　性(たいせい)

薬物に対する抵抗性をいいます。薬物に対する個体差も耐性により、またモルヒネやアルコールなどは連用によって耐性が高まります。

●チンキ

生薬（まれには化学的製剤）をアルコール中に抽出したもの。1mLの抽出液中には0.1 gの生薬有効成分を含みます。(苦味チンキ、アヘンチンキ)

●中枢抑制剤(ちゅうすうよくせいざい)

常用量での作用の強さは全身麻酔剤、催眠剤、鎮静剤（精神安定剤)、鎮痛剤の順になりますが、催眠剤でも大量に与えれば麻酔効果を現し、麻酔剤でも少量なら睡眠をもたらすので厳密な区別は困難です。

●腸内殺菌剤(ちょうないさっきんざい)

細菌性腸炎などのときに、腸内の殺菌消毒の目的で使用される薬剤。(カナマイシン、ナイスタチン)

●鎮咳剤(ちんがいざい)

咳嗽中枢を鎮静させて咳を鎮める薬剤。(モルヒネ類ことにリン酸コデイン)

●鎮痙剤(ちんけいざい)

痙攣を鎮める薬剤。抗てんかん剤として大発作にジフェニルヒダントイン（アレビアチン)、フェノバルビタール（ルミナール)。小発作にトライダイオン。その他の痙攣に臭化水素酸スコポラミン、抱水クロラール。

●鎮静剤(ちんせいざい)

大脳皮質中枢が異常に興奮しているときにそれを抑制させるもの。催眠剤、麻酔剤にも鎮静の効果があります。その他には臭素塩、吉草根。鎮痙作用があるスコポラミンや硫酸マグネシウムなど。

●**鎮痛剤**（ちんつうざい）

大脳の痛覚中枢の興奮を抑制して疼痛（とうつう）をやわらげたり消失させるもの。麻酔性鎮痛剤、麻薬類、解熱性鎮痛剤（アンチピリン、サリチル酸類）、合成鎮痛剤。

●**鎮痒剤**（ちんようざい）

皮膚疾患によるかゆみを軽減する作用があります。石炭酸、サリチル酸、ハッカ油、抗ヒスタミン剤など。

●**泥　膏**（でいこう）

パスタ剤。多量の粉末剤をワセリン、グリセリン、豚脂などと混和したもので、皮膚炎などの分泌物の吸収作用があります。

●**糖衣錠**（とういじょう）

錠剤の味をよくして飲みやすくするために、白糖やチョコレートで覆（おお）い、着色をしたり、つやを出したりしたもの。

●**高脂血症治療剤**（こうしけっしょうちりょうざい）

血清中のコレステロール、トリグリセリドなどを減らして動脈硬化を予防する薬剤。

●**毒薬、劇薬**（どくやく、げきやく）

医薬品は毒性の多少により、それぞれの取り扱い、貯蔵法などが規定されています。

毒薬や劇薬は人や動物の生体機能に危害を与えるか、与えるおそれのある医薬品であって、厚生労働大臣の指定したものをいいます。すなわち毒薬は経口投与により動物に対し20㎎／kg以下で死に至らせるもの、劇薬は300㎎／kg以下で死に至らせるもの、というのがだいたいの規準とされています。また中毒量と薬用量、蓄積作用、特異体質などについても考慮されて決められます。

またそれぞれレッテルの標準（毒薬：黒地に白ワクのレッテルに白字で「毒」の標示をつける。劇薬：白地に赤枠のレッテルに赤字で「劇」の標示をつける）、保管（毒薬はカギのかかる戸棚に入れる）などについても規定されています。

●**塗布剤**（とふざい）

皮膚や粘膜に塗る薬で、薬物を水、油、グリセリンなどに混和したもの。

●**内　服**（ないふく）

経口適用であり、適用法としてもっとも普通のもの。薬物はおもに小腸から吸収され血行に入ります。

●**乳　剤**（にゅうざい）

水液中に油を均等に分散させて乳

状としたもの。(肝油乳剤)

●尿防腐剤(にょうぼうふざい)

吸収された薬物が尿路に出て防腐及び消毒的に作用します。尿路感染症に用います。(ウロナミン、ヘキサミン)

●脳代謝促進剤(のうたいしゃそくしんざい)

脳の血液循環を促進するために用いられる薬剤。(サアミオン、シンメトレルなど)

●配合禁忌(はいごうきんき)

2種類以上の薬物を混合して与えるとき、混濁、湿潤、変色、悪味、作用減退などがあるために調剤上その配合をさけること。(アスピリンと重曹〈湿潤〉、アスピリンとアンナカ〈悪味〉、重曹とアヘンチンキ〈混濁〉など)

●倍用散(ばいようさん)

ごく微量を用いる薬品は、あらかじめそれを何倍かに薄めたもの(10倍散、100倍散などの倍用散)を使います。(10倍のコデインリン酸塩散とは、リン酸コデイン散1gに澱粉または乳糖9gを混ぜたもの)

●副交感神経遮断剤(ふくこうかんしんけいしゃだんざい)

消化器、泌尿の鎮痙に用いる薬剤。

●賦形剤(ふけいざい)

主薬をとかしたり、一定の形を与えたり、適当の量を与えるためのもの。

●ホルモン剤

各種のホルモンを、ホルモン療法に用いるために製剤したもの。脳下垂体ホルモン剤、唾液腺ホルモン剤、甲状腺・副甲状腺ホルモン剤、タンパク同化ステロイド剤、副腎ホルモン剤、男性ホルモン剤、卵胞・黄体ホルモン剤などに分類されます。

●補血剤(ほけつざい)

抗貧血薬。鉄剤、銅剤、砒素剤や肝臓及び胃壁製剤、葉酸、ビタミンB_{12}などの抗貧血因子含有のものがあります。

●ヨード剤

殺菌作用のほかに収斂作用があって分泌を抑制し、細菌の発育を阻止する作用のある薬剤。

●利胆剤(りたんざい)

胆汁の分泌、排出を促進するもので、胆汁酸製剤、硫酸マグネシウムなどがあります。

●ワクチン

予防接種等で使用される医薬品で治療ではなく予防のために使用されます。感染症の原因となる病原体に対する免疫ができる体のしくみを使って、病気に対する免疫をつけたり、免疫を強くするために接種します。

6. 薬の服用時間

●食　後

食事後およそ30分以内。胃の中に食べ物があると、胃壁に薬が触れにくく、胃の荒れが少ないです。

●食　前

食事前30分から１時間まで。食事によって胃の活動が活発になりすぎないように抑える制酸剤や、食後では吸収されにくい漢方薬など。

●食　間

食事後およそ２時間が目安。食事と食事の間。空腹時の胃粘膜の保護を目的とする薬などが処方されます。

●何時間ごと

食事に関係なく、６時間ごと、８時間ごとなど、一定の時間をおいて服用。不整脈の薬など、血液中の薬の濃度を一定に保つ必要がある場合。

調剤報酬

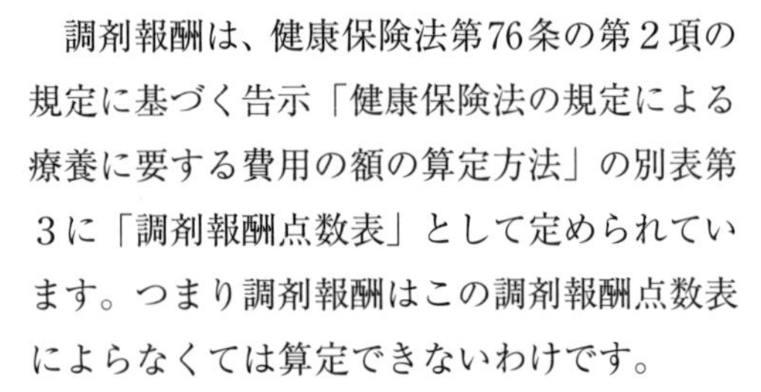

調剤報酬は、健康保険法第76条の第２項の規定に基づく告示「健康保険法の規定による療養に要する費用の額の算定方法」の別表第３に「調剤報酬点数表」として定められています。つまり調剤報酬はこの調剤報酬点数表によらなくては算定できないわけです。

点数表はすべて点数で表示されており、

1点＝10円 で、金額に換算できます。

調剤報酬の内容を大きく分けると、調剤技術料、薬学管理料、薬剤料、特定保険医療材料料の４つに分けられます。このうち調剤技術料と薬剤料は必ず算定する項目です。

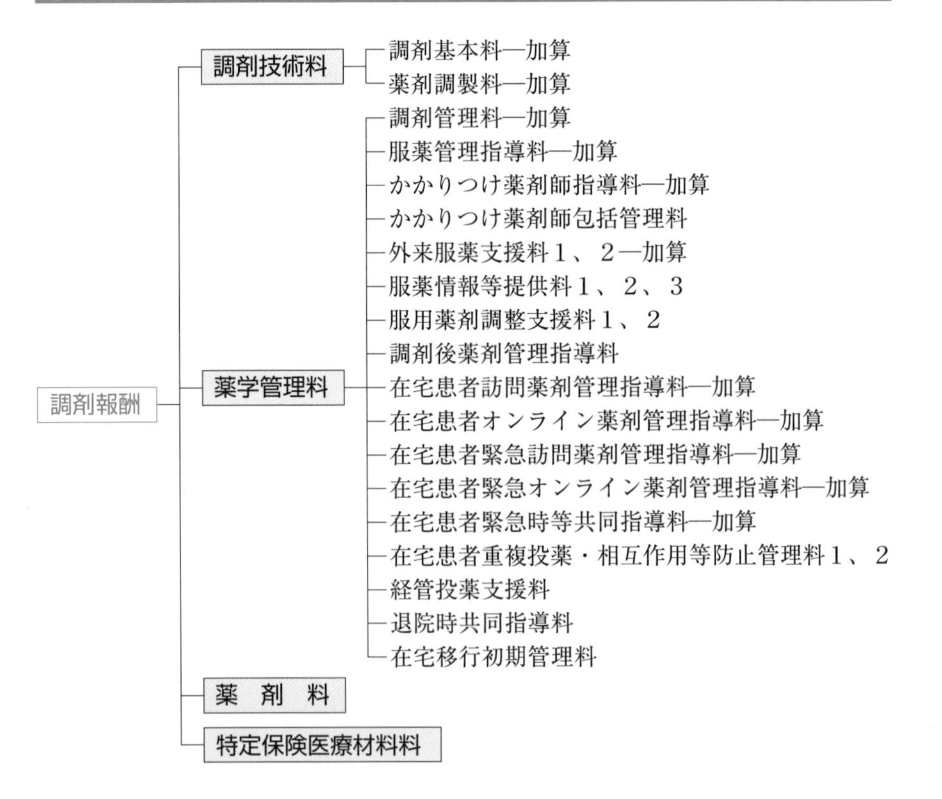

調剤技術料

調剤技術料は、調剤基本料と薬剤調製料、その加算点数によって算定 します。

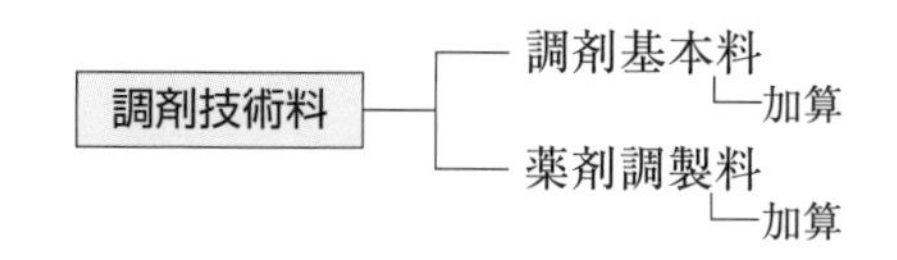

1　調剤基本料

調剤基本料は所定点数と加算点数で算定します。加算点数には、薬局の施設に対する加算として地域支援体制加算１～４が、後発医薬品を調剤した処方箋受付回数の割合に対する加算として後発医薬品調剤体制加算１～３が、また受付日や受付時間による加算として時間外・休日・深夜加算と夜間・休日等加算があります。また、後発医薬品の調剤数量が著しく低い場合は、調剤基本料から減算されることもあります。

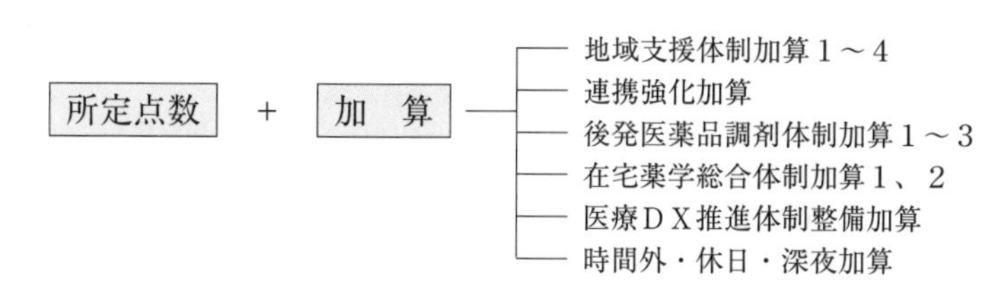

■所定点数

調剤基本料	点数
調剤基本料１　（処方箋受付１回につき） ◦調剤基本料２、調剤基本料３－イ、３－ロ、３－ハ又は、特別調剤基本料Ａ・Ｂに該当しない場合 ◦医療資源の少ない地域に所在する保険薬局の場合	45 (23)
調剤基本料２　（処方箋受付１回につき） 処方箋受付回数と集中率が下記のいずれかに該当（調剤基本料３のイ・ロ及び特別調剤基本料Ｂを除く） イ．月4,000回超かつ上位３医療機関に係る合計受付回数の集中率70％超 ロ．月2,000回超かつ集中率85％超 ハ．月1,800回超かつ集中率95％超 ニ．特定の保険医療機関に係る処方箋が月4,000回超（当該保険薬局が所在する建物内の複数の保険医療機関からの処方箋の場合はすべて合算した回数） ホ．特定の保健医療機関に係る処方箋が月4,000回超（同一グループに属するほかの保険薬局において、保険医療機関に係る処方箋による調剤の割合が最も高い保険医療機関が同一の場合は、当該他の保険薬局の処方箋の受付回数を含む）	29 (15)

調剤基本料３-イ　（処方箋受付１回につき） 同一グループの保険薬局の処方箋受付回数と集中率が下記のいずれかに該当（特別調剤基本料Ｂを除く） ◦月35,000回超４万回以下かつ集中率95％超 ◦月40,000回超40万回以下かつ集中率85％超 ◦月35,000回超４万回以下かつ特定の保険医療機関との間で不動産の賃貸借取引がある ◦月40,000回超40万回以下かつ特定の保険医療機関との間で不動産の賃貸借取引がある	24 (12)
調剤基本料３-ロ　（処方箋受付１回につき） 同一グループの保険薬局による処方箋受付回数の合計が１月に40万回を超える、又は同一グループの保険薬局の数が300以上のグループに属する保険薬局のうち（特別調剤基本料Ｂの保険薬局を除く）下記のいずれかに該当 ａ集中率85％超 ｂ特定の保険医療機関との間で不動産の賃貸借取引がある	19 (10)
調剤基本料３-ハ　（処方箋受付１回につき） 同一グループの保険薬局による処方箋受付回数の合計が１月に40万回を超える、又は同一グループの保険薬局の数が300以上のグループに属する保険薬局（調剤基本料２、同３-ロのｂ、特別調剤基本料Ｂの保険薬局を除く）のうち、集中率85％以下	35 (18)
特別調剤基本料Ａ 医療機関と不動産取引等その他の特別な関係を有していて、その病院に係る集中率が50％超	5
特別調剤基本料Ｂ 調剤基本料の届出を行っていない	3
注３ 複数の保険医療機関から交付された処方箋を同時に受け付けた場合の２枚目以降	所定点数の80/100
後発医薬品の調剤数量が著しく低い保険薬局の調剤基本料 以下の場合は指定点数から５点を減算する。（月600回以下の保険薬局を除く） ◦後発医薬品調剤数量５割以下 ◦後発医薬品調剤数量を地方厚生局長に報告していない	所定点数より５点減算
調剤基本料の減算で３点未満	3

※次のいずれかに該当する場合は、（　）内の数字で算定。
- ◦薬剤師のかかりつけ機能に係る基本的業務を１年間実施していない（処方箋受付回数が１月に600回以下の保険薬局を除く）
- ◦医療用医薬品の取引価格の妥結率が５割以下
- ◦医療用医薬品の取引価格の妥結率他を地方厚生局長に定期的に報告していない

<薬剤師のかかりつけ機能に係る基本的な業務>
- ◦時間外・休日・深夜加算
- ◦夜間・休日等加算
- ◦麻薬管理指導加算
- ◦重複投薬・相互作用等防止加算
- ◦かかりつけ薬剤師指導料
- ◦かかりつけ薬剤師包括管理料
- ◦外来服薬支援料
- ◦服用薬剤調整支援料
- ◦在宅患者訪問薬剤管理指導料
- ◦在宅患者緊急訪問薬剤管理指導料
- ◦在宅患者緊急時等共同指導料
- ◦退院時共同指導料
- ◦服薬情報等提供料
- ◦在宅患者重複投薬・相互作用等防止管理料
- ◦居宅療養管理指導費（介護保険）
- ◦介護予防居宅療養管理指導費（介護保険）
- ◦小児特定加算
- ◦地域の多職種連携会議への出席

CHECK!

○集中率
　特定の保険医療機関からの処方箋が占める受付の割合

○特定の保険医療機関
　処方箋受付回数に占める割合の最も多い１医療機関

○妥結率（薬価基準に収載されている医療用医薬品に限る）

$$妥結率＝\frac{購入時の総取引薬価額}{薬価基準の価格による総取引薬価額}$$

分割調剤	点数
長期投薬分割調剤	2回目以降5点＊1
後発医薬品分割調剤	2回目に限り5点＊2
医師の指示による分割調剤	医師の指示による分割回数により算定＊3

＊1　長期投薬（14日を超える投薬）で薬剤の長期保存が困難なために分割して調剤が行われるときは調剤基本料は初回のみ算定し、2回目以降は5点を算定する。この場合、薬学管理料の算定はできない。

＊2　初めて後発医薬品を服用する等の理由により分割して調剤を行った場合は、2回目の調剤に限り5点を算定する。この場合、薬学管理料（調剤管理料、服薬管理指導料、外来服薬支援料2を除く）は算定しない。

＊3　患者の服薬管理が困難等の理由で処方医の分割指示により調剤を行った場合は、調剤基本料＋加算、薬剤調製料＋加算、薬学管理料を合算して全体の分割回数で除した点数（小数点以下第1位を四捨五入）を算定し、分割の回数は、3回までと規定されている。ただし、服薬情報等提供料を算定する場合は、分割回数で除さない。なお、2回目以降は患者の服薬状況等を処方医に情報提供した場合に算定する。

リフィル処方箋による調剤

2022年4月より、リフィル処方箋による調剤が可能になりました。リフィル処方箋は、症状が安定している患者で、医師の処方により一定期間内に処方箋を反復利用できる処方箋です。処方箋の「リフィル可」欄に「✓」または「×」のチェックが記入されていて、総使用回数の上限は3回までです。また、投薬量に限度が定められている医薬品（向精神薬等）及び湿布薬には使用できません。調剤報酬明細書には、コメントとして、

・総使用回数　・本薬局での使用回数　・通算の使用回数　・次回調剤予定日

を記載します。処方箋の「調剤実施回数」欄に調剤日と次回調剤予定日を記入し、写しを薬局で保管し原本は患者に返却します。

■地域支援体制加算

厚生労働大臣が定める施設基準に適合しているものとして地方厚生局長等に届け出た保険薬局において調剤した場合には、地域支援体制加算として所定点数に加算します。

なお、特別調剤基本料Aを算定する保険薬局においては、10/100に相当する（　　）内の点数を加算します。また、特別調剤基本料Bを算定している保険薬局は、算定できません。

地域支援体制加算1＝32点

＊調剤基本料1を算定している。

＊［地域支援体制加算の体制基準］と［地域医療に貢献する体制を有することを示す実績］の地域支援体制加算1・2基準の中の④を含む3項目以上を満たす実績が必要。

地域支援体制加算2＝40点

＊調剤基本料1を算定している。

＊［地域支援体制加算の体制基準］と［地域医療に貢献する体制を有する

ことを示す実績］の地域支援体制加算１・２基準の中の８項目以上を満たす実績が必要。

地域支援体制加算３＝10点（１点）

＊調剤基本料１または特別調剤基本料Ｂ以外を算定している。

＊［地域支援体制加算の体制基準］と［地域医療に貢献する体制を有することを示す実績］の地域支援体制加算３・４基準の中の④と⑦を含む３項目以上を満たす実績が必要。

地域支援体制加算４＝32点（３点）

＊調剤基本料１または特別調剤基本料Ｂ以外を算定している。

＊［地域支援体制加算の体制基準］と［地域医療に貢献する体制を有することを示す実績］の地域支援体制加算３・４基準の中の８項目以上を満たす実績が必要。

［地域支援体制加算の施設基準］（⑷は薬局あたりの年間の回数）

⑴　地域医療に貢献する体制を有することを示す実績
⑵　医薬品等供給体制（1,200品目の備蓄や麻薬小売業者の免許等）
⑶　休日、夜間を含む調剤・相談応需体制（夜間休日対応体制の周知等）
⑷　在宅連携体制（在宅実績年24回以上等）
⑸　医療安全の取組（PMDAメディナビ登録等）
⑹　かかりつけ薬剤師指導料の届出を行っている
⑺　患者ごとに薬剤服用歴を作成している
⑻　管理薬剤師としての要件を満たしている（勤務経験･勤務時間･在籍年数）
⑼　定期的な研修計画策定と実施
⑽　患者のプライバシーに配慮している（パーテーションの設置等）
⑾　地域医療の取組（一般用医薬品販売や緊急避妊薬の備蓄等）

［地域医療に貢献する体制を有することを示す実績］

処方箋受付回数１万回あたり（⑩は薬局あたり）

項目	地域支援体制加算 １・２基準	地域支援体制加算 ３・４基準
①　時間外等、夜間・休日等の対応実績	40回以上	400回以上
②　薬剤調製料の麻薬加算の実績	1回以上	10回以上
③　重複投薬・相互作用等防止加算等の実績	20回以上	40回以上

④ かかりつけ薬剤師指導料等の実績	20回以上	40回以上
⑤ 外来服薬支援料1の実績	1回以上	12回以上
⑥ 服用薬剤調整支援料1･2の実績	1回以上	1回以上
⑦ 単一建物診療患者が1人の場合の在宅薬剤管理	24回以上	24回以上
⑧ 服薬情報等提供料の実績	30回以上	60回以上
⑨ 小児特定加算の実績	1回以上	1回以上
⑩ 認定薬剤師が地域の多職種連携会議に出席	1回以上	5回以上

■連携強化加算

厚生労働大臣が定める施設基準に適合しているものとして地方厚生局長等に届け出ており、他の保険薬局・保険医療機関及び都道府県等との連携により、災害または新興感染症の発生時等の非常時に必要な体制が整備されている保険薬局で調剤を行った場合に算定します。また、特別調剤基本料Bを算定している保険薬局は、算定できません。

連携強化加算＝5点

［非常時に必要な体制］

(1) 災害または新興感染症の発生時等において対応可能な体制を確保していることをホームページ等で広く周知していること

(2) 災害または新興感染症の発生時等における対応に係る地域の協議会または研修に参加するように努めていること。

(3) 災害または新興感染症の発生時等に医薬品の供給や地域の衛生管理に係る対応等を行う体制を確保していること。

■後発医薬品調剤体制加算

後発医薬品の調剤に関し、厚生労働大臣が定める施設基準に適合しているものとして、地方厚生局長等に届け出た保険薬局において調剤した場合、当該基準に係る区分に従い所定点数に加算します。

なお、特別調剤基本料Aを算定する保険薬局においては、10/100に相当する（　）内の点数を加算します。また、特別調剤基本料Bを算定している保険薬局は、算定できません。

［後発医薬品調剤体制加算の施設基準］

◦調剤した薬剤全体のうち、後発医薬品のある先発医薬品と後発医薬品を足した規格単位数量の割合が50％以上

◦後発医薬品の調剤を積極的に行っている旨の掲示
◦後発医薬品調剤体制加算を算定している旨の掲示

後発医薬品調剤体制加算1　80%以上＝21点（2点）
後発医薬品調剤体制加算2　85%以上＝28点（3点）
後発医薬品調剤体制加算3　90%以上＝30点（3点）

■在宅薬学総加体制加算

厚生労働大臣が定める施設基準に適合しているものとして地方厚生局長等に届け出た保険薬局において、厚生労働大臣が定める患者に対する調剤を行った場合に、当該基準に係る区分に従い、次に掲げる点数を在宅患者の処方箋1枚につき、所定点数に加算します。

なお、特別調剤基本料Aを算定する保険薬局においては、10/100に相当する（　）内の点数を加算します。また、特別調剤基本料Bを算定する保険薬局は、算定できません。

在宅薬学総合体制加算1＝15点（2点）
在宅薬学総合体制加算2＝50点（5点）

［施設基準］

◦在宅薬学総合体制加算1は、(1)～(7)の基準を満たすこと。
◦在宅薬学総合体制加算2は、(1)～(11)までのすべての基準を満たすこと。

(1)　在宅患者訪問薬剤管理指導を行う旨の届出を行っている保険薬局である。

(2)　直近1年間に、在宅患者訪問薬剤管理指導料、在宅患者緊急訪問薬剤管理指導料、在宅患者緊急時等共同指導料、居宅療養管理指導費及び介護予防居宅療養管理指導費についての算定回数(ただし、いずれも情報通信機器を用いた場合の算定回数を除く。)の合計が計24回以上であること。

(3)　緊急時等の開局時間以外の時間における、在宅業務に対応できる体制の整備（在宅協力薬局の保険薬剤師との連携も含む)。

(4)　地域の行政機関、保険医療機関、訪問看護ステーション及び福祉関係者等に対して、急変時等の開局時間外における在宅業務に対応できる体制（医療用麻薬の対応等の在宅業務に係る内容を含む。）に係る周知を自局及び同一グループで十分に対応する。また、情報の周知は地域の行政機関又は薬剤師会等を通じて十分に行う。

(5) 在宅業務の質の向上のため、研修実施計画を作成し、在宅業務に関わる保険薬剤師に対して在宅業務に関する研修を実施し、定期的に在宅業務に関する外部の学術研修（地域薬剤師会等が行うものを含む。）を受けさせている。

(6) 医療材料及び衛生材料を供給できる体制を有している。

(7) 麻薬小売業者の免許を取得している。

(8) 次のア又はイを満たす保険薬局であること。

ア 以下の①及び②の要件を全て満たすこと。

① 医療用麻薬について、注射剤１品目以上を含む６品目以上を備蓄し、必要な薬剤交付及び指導を行うことができること。

② 無菌製剤処理を行うための無菌室、クリーンベンチ又は安全キャビネットを備えていること。

イ 直近１年間に、在宅患者訪問薬剤管理指導料・在宅患者緊急訪問薬剤管理指導料・在宅患者緊急時等共同指導料に係る小児特定加算及び乳幼児加算の算定回数の合計が６回以上であること。

(9) ２名以上の保険薬剤師が勤務し、開局時間中は、常態として調剤応需の体制をとっていること。

(10) 直近１年間に、かかりつけ薬剤師指導料及びかかりつけ薬剤師包括管理料の算定回数の合計が24回以上であること。

(11) 高度管理医療機器の販売業の許可を受けていること。

■医療DX推進体制整備加算

厚生労働大臣が定める施設基準に適合しているものとして地方厚生局長等に届け出た保険薬局において調剤を行った場合に、月１回に限り４点を所定点数に加算します。また、特別調剤基本料Bを算定している保険薬局は、算定できません。

医療DX推進体制整備加算＝4点 （月１回限り）

[施設基準]

◦オンライン請求を行っている

◦オンライン資格確認体制を導入している

- オンライン資格確認システムから取得した診療情報を閲覧・活用できる体制である。
- 電子処方箋受付体制が整っている（2025年3月31日まで経過措置）
- 電子カルテ情報共有サービス活用体制が整っている（2025年9月30日まで経過措置）
- 電子薬歴・調剤録の管理体制が整っている
- マイナンバーカードの健康保険証利用実績（2024年10月1日から適用）
- 医療DX推進体制に関する事項等を薬局内に掲示している
- 原則ウェブサイトに掲載する。HP等を持たない薬局は免除（2025年5月31日まで経過措置）

受付回数のカウント

処方箋の受付回数と処方箋の枚数は必ずしも一致しません。同一保険薬局が同一患者から同一日に複数の処方箋を受けた場合、同一保険医療機関の同一の医師によって発行された処方箋は一括して受付１回と数え、また、異なる医師によって発行された処方箋についても、同一医療機関で一連の診療に基づき同一患者に交付されている場合は、一括して受付１回とします。

ただし、同一の保険医療機関から発行された場合でも、歯科の処方箋は別受付となります。

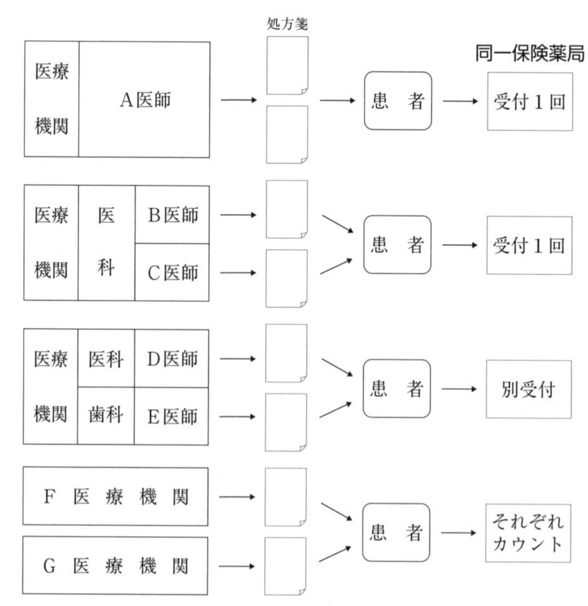

2　薬剤調製料

薬剤調製料は、内服薬、浸煎薬（しんせんやく）、湯薬（とうやく）、屯服薬（とんぷく）、外用薬、注射薬ごとに算定します。

■内服薬の薬剤調製料

内服薬は1剤につき算定します。

内服薬（浸煎薬、湯薬を除く）	1剤につき（4剤以上は算定できません）	24点
内服用滴剤（てきざい）	1調剤につき	10点

CHECK!

1　剤　と　は

1剤とは薬剤調製料の算定上適切なものとして認められる単位を意味します。具体的には次のとおりです。

① 1回の処方で服用時点が同一の内服薬は、個別の薬包などに調剤しても1剤として算定します。

② 服用時点が同一の薬剤は、投与日数にかかわらず1剤として算定します。
注）「服用時点が同一である」とは、2種類以上の薬剤について、服用日1日を通じて服用時点（たとえば「朝食後、夕食後服用」「1日3回食後服用」「就寝前服用」「6時間毎服用」など）が同一であることをいいます。食事を目安とする服用時点は、食前、食後、食間の3区分とされ、「食直前」「食前30分」などの違いがあっても薬剤調製料の算定では「食前」とみなします。

③ 前記の①と②にかかわらず、次の場合にはそれぞれを別剤として算定できます。
・配合不適など、調剤技術上の必要性から個別に調剤した場合。
・内服用固型剤（錠剤、カプセル剤、散剤など）と内服用液剤の場合。
・内服錠とチュアブル錠や舌下錠などのように服用方法が異なる場合。

■浸煎薬の薬剤調製料

浸煎薬とは生薬を薬局で浸煎して液剤にしたものです。

浸煎薬の薬剤調製料＝190点　（1調剤につき）

(1)　浸煎薬の薬剤調製料は、調剤した日数にかかわらず1調剤につき所定点数を算定します。

⑵　１回の処方箋受付について、４調剤以上は算定できません。

■湯薬の薬剤調製料

湯薬とは薬局で２種類以上の生薬を混合調剤して、患者が服用するために煎じる量ごとに、分包したものです。

湯薬の薬剤調製料は 1調剤につき 所定点数を算定します。１回の処方箋受付について４調剤以上は算定できません。

点数は投与日数によって次のように分かれます。

湯薬の薬剤調製料（1調剤につき）	
７日分以下の場合	190点
８日分以上28日分以下の場合	
７日目以下の部分	190点
８日目以上の部分（１日分につき）	10点
29日分以上の場合	400点

■屯服薬の薬剤調製料

屯服薬の薬剤調製料は、調剤した剤数に関係なく 1回の処方箋受付について 所定点数を算定します。

屯服薬の薬剤調製料＝21点

（受付1回につき）

CHECK!

屯服薬か屯服薬でないかは、処方箋の記載内容によって判断します。処方箋に指示された用法が「何回分」「何包」「P」と記載されていれば、屯服薬と判断します。屯服薬は臨時的に服用するもので、内服薬のように定期的に服用する薬ではありません。したがって「何日分」「TD」などとは記載されません。

■外用薬の薬剤調製料

外用薬の薬剤調製料＝10点

（1調剤につき）

⑴　外用薬の薬剤調製料は、１回の処方で何日分を投与しても、日数に関係なく、1調剤につき 所定点数を算定します。

⑵　１回の処方箋受付について、４調剤以上は算定できません。

⑶　トローチは外用薬 として算定します。

［例1］ Rp アクロマイシントローチ 15mg 3錠 3日分
薬剤調製料：10点

［例2］ Rp① アクロマイシントローチ 15mg 3錠 7日分
② ケトプロフェンパップ 30mg「日医工」 7枚
薬剤調製料：10点×2＝20点

■注射薬の薬剤調製料

注射薬の薬剤調製料は、調剤の剤数や日数に関係なく、処方箋の受付１回につき 所定点数を算定します。なお注射薬のうち、保険薬局で支給できるものは在宅医療での自己注射に用いる薬剤です。

注射薬の薬剤調製料＝26点 （受付１回につき）

3 薬剤調製料の加算

薬剤調製料に対する加算には、無菌製剤処理加算、麻薬加算と向精神薬・覚醒剤原料・毒薬加算、自家製剤加算、計量混合調剤加算等があります。

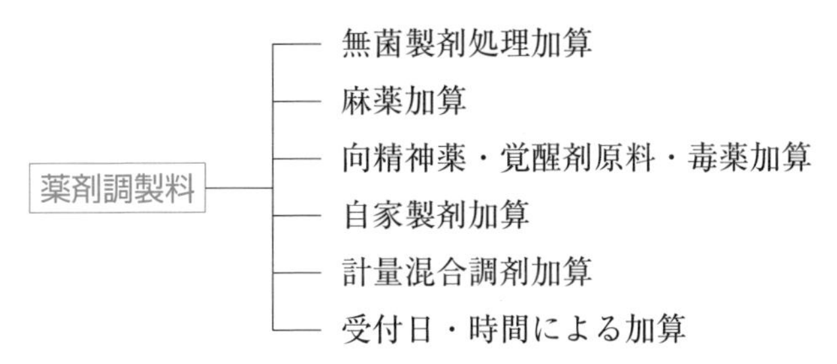

■無菌製剤処理加算（むきんせいざいしょり）

厚生労働大臣の定めた施設基準に適合するものとして、地方厚生局長等に届け出た保険薬局において算定できます。

２種類以上の注射薬を無菌的に混合して、中心静脈栄養法用輸液、抗悪性腫瘍剤（生理食塩水等で希釈する場合を含む）または麻薬（麻薬を含む２以上の注射薬を混合（生理食塩水等での希釈を含む）または原液を無菌的に充填）を製剤した場合に算定し、１日分製剤するごとに 加算します。

無菌製剤処理加算＝69点（137点）［中心静脈栄養法用輸液］
79点（147点）［抗悪性腫瘍剤］
69点（137点）［麻薬］
※（　）内は6歳未満の乳幼児の点数

■麻薬加算、向精神薬・覚醒剤原料・毒薬加算

麻薬加算＝70点　（1調剤につき）
向精神薬・覚醒剤原料・毒薬加算＝8点　（1調剤につき）

⑴　処方箋に麻薬、向精神薬・覚醒剤原料・毒薬が含まれているとき、それぞれ1調剤につき加算。
⑵　麻薬、向精神薬、覚醒剤原料、毒薬の品目数、投与日数に関係なく算定し、内服薬のほか、屯服薬、外用薬、注射薬についても加算できます。
⑶　麻薬を調剤した場合は1調剤につき70点を加算し、向精神薬、覚醒剤原料、毒薬を調剤した場合は1調剤につき8点を加算。
⑷　同一薬剤で加算が重複した場合、重複算定はできません。
⑸　同一剤に麻薬と向精神薬などが含まれる場合は、麻薬加算のみを算定。

［例］　A散　0.4g（麻薬・劇薬）
　　　　B散　0.3g（向精神薬）　｝分3毎食後

この場合は麻薬加算の70点のみを算定します。

⑹　向精神薬、覚醒剤原料、毒薬のうち2種類以上が重複している場合は8点のみを算定します。
⑺　薬剤の成分が麻薬、覚醒剤原料、毒薬でも、規制含有量以下のため、麻薬、覚醒剤、毒薬として取扱われていない場合は算定できません。

■自家製剤加算

自家製剤加算は、市販されている医薬品の剤形では対応できない患者の場合に、医師の指示に基づいて、服用しやすいように調剤上の特殊な技術工夫（くふう）を行った場合に1調剤につき算定します。その場合、調剤報酬明細書の摘要欄に理由を記載します。なお調剤上の特殊な技術工夫とは安定剤、溶解補助剤、懸濁剤（けんだくざい）など調剤技術上必要と認められる添加剤を加えて調剤した場合

や、ろ過、加温、滅菌などを行った場合をいいます。なお、錠剤を分割した場合は、所定定数の20/100に相当する点数を算定します。

ただし、調剤した医薬品と同一剤形、同一規格の医薬品が薬価基準に収載されている場合などは、算定できません。また、浸煎薬、湯薬の薬剤調製料には算定できません。

CHECK!

① 錠剤を粉砕して散剤とした場合
② 主薬（しゅやく）を溶解して点眼剤を無菌に製剤した場合
③ 主薬に基剤（きざい）を加えて坐剤（ざざい）とした場合
＊ 既製剤を単に小分けする場合は該当しません。
＊ 薬学的に問題がないと判断されない限り行ってはいけません。

●自家製剤する１調剤につき（(1)の場合は投与日数が７またはその端数を増すごとに）次の点数を加算します。

	剤形	所定点数	予製剤使用	錠剤を分割
内服薬・屯服薬	(1) 錠剤、丸剤、カプセル剤、散剤、顆粒剤、エキス剤の内服薬（７日分につき）	20点	4点	4点
	(2) 上記の屯服薬	90点	18点	−
	(3) 液　剤	45点	9点	−
外用薬	(1) 錠剤、トローチ剤、軟・硬膏剤、パップ剤、リニメント剤、坐剤	90点	18点	−
	(2) 点眼剤、点鼻・点耳剤、浣腸剤	75点	15点	−
	(3) 液　剤	45点	9点	−

注：予製剤とは、あらかじめ予想される調剤のために、複数回分を製剤しておき、処方箋受付時に、その製剤を投与することをいう。予製剤による調剤は所定点数の100分の20を算定する。

［例］　外用粉末剤　１g ｝混和
　　　　軟　膏　　　９g

外用粉末剤１gと軟膏（なんこう）９gを混ぜて調剤したものです。外用薬の軟膏剤を自家製剤したことになりますので、90点の加算になります。

■計量混合調剤加算

計量混合調剤加算は、２種類以上の医薬品（液剤、散剤、顆粒剤または軟・硬膏剤に限る）を計量、混合して、内服薬、屯服薬、外用薬を調剤した場合に算定できます。予製剤による調剤は所定点数の100分の20を算定します。ただし、自家製剤加算を行った場合や、錠剤を砕いて、１種類の散剤や顆粒剤と計量混合調剤した場合、調剤した医薬品と同一剤形、同一規格の医薬品が薬価基準に収載（しゅうさい）されている場合は、算定できません。

浸煎薬、湯薬の薬剤調製料には算定できません。

●計量混合調剤する１調剤につき 次の点数を加算します。

	剤　　形	所定点数	予製剤使用
内服薬 屯服薬 外用薬	液　剤	35点	7点
	散剤、顆粒剤	45点	9点
	軟・硬膏剤	80点	16点

［例］　Aシロップ　5mL
　　　Bシロップ　3mL
　　　Cシロップ　6mL
　　　D　液　　10mL
（以上 混合）

２種類以上の液剤を混合して調剤していますから、計量混合調剤加算の液剤35点の加算になります。

〈自家製剤加算と計量混合調剤加算〉

自家製剤加算を算定した場合には、計量混合調剤加算の算定はできないと述べましたが、次の事例のように「剤」が異なれば、両方の算定ができます。

［例1］　別剤（２剤）の場合

Rp①　A錠　２錠
　　　　分２　　14日分
（散剤への剤形変更の指示あり）
Rp②　B液　10mL
　　　C液　10mL
　　　D液　10mL
　　　　分３　　14日分

服用時点が異なりますから２剤です。Rp①で自家製剤加算を、Rp②で計量混合調剤加算の算定ができます。

［例2］ 同一剤（1剤）の場合

Rp① A錠 3錠
分3 14日分
（散剤への剤形変更の指示あり）
Rp② B散 1.5 g
C散 0.5 g
D散 1.0 g
分3 14日分

服用時点が同一ですから1剤です。錠剤を粉砕すると散剤になります。同一剤形なので、自家製剤加算、計量混合調剤加算のどちらか一方を算定しますが、この例では

自家製剤加算：20点×2＝40点
計量混合調剤加算：45点

なので、点数の高い計量混合調剤加算が適切です。

■時間外加算、休日加算、深夜加算

保険薬局の開局時間外などに、処方箋を受け付けて調剤をした場合に、所定点数に加算します。

調剤基本料
薬剤調製料 } × 下記の該当する加算料
（小数点以下4捨5入）

CHECK!

時間外・休日・深夜加算の所定点数に加算できるもの

① 調剤基本料
* 地域支援体制加算
* 連携強化加算
* 後発医薬品調剤体制加算
* 在宅薬学総合体制加算1・2
* 医療DX推進体制整備加算
* 分割調剤の5点

② 薬剤調製料
* 無菌製剤処理加算

③ 調剤管理料

●時間外加算

$$所定点数 \times \frac{100}{100}$$

・薬局の開局時間外の時間帯で深夜を除いた時間。およそ、6時～8時までと、18時～22時までをいいます。ただし時間外でも通常どおり開局している薬局では算定できません。

・薬局が定めた休業日。（休日加算の対象となる休日以外の休日）

●休日加算

$$所定点数 \times \frac{140}{100}$$

・日曜日、祝日、振替休日、1月2・3日、12月29・30・31日。ただし、これらの休日でも通常通り開局している薬局では算定できません。

●深夜加算

$$所定点数\times\frac{200}{100}$$

・22時から翌朝6時までの間。ただしこの時間帯でも通常通り開局している薬局では算定できません。

＊上の3つの加算を重複して算定することはできません。

［例1］「調剤基本料1」を算定している保険薬局の休日加算。

$$45点\times\frac{140}{100}=63点が加算点数になります。$$

［例2］日曜日を休日としている保険薬局が、日曜日の午後8時に処方箋を受け付けて調剤をした場合、時間外加算と休日加算の両方を算定することはできません。この場合は加算率の高い休日加算のみを算定します。

［例3］「調剤基本料1」と「地域支援体制加算1」を算定している保険薬局の深夜加算。

$$(45点+32点)\times\frac{200}{100}=154点$$

つまり 地域支援体制加算を伴う場合は、調剤基本料に地域支援体制加算を加えた点数に対して加算率を掛ける ことになります。

［例4］

Rp①｛A錠　3錠
　　　Bカプセル　3個　分3　毎食後　3日分
Rp②　C錠　3錠　頭痛時屯用　3回分

「調剤基本料1」を算定している保険薬局が、上の処方を休日に受け付けて調剤した場合の加算点数は、次のようになります。

調剤基本料：$45点\times\frac{140}{100}=63点$

薬剤調製料：①内服薬 $24点\times\frac{140}{100}=33.6点=34点$（小数点以下4捨5入）

②屯服薬 $21点\times\frac{140}{100}=29.4点=29点$（小数点以下4捨5入）

■夜間・休日等加算

19時（土曜日は13時）から翌朝8時までの間と、休日または深夜に、保険薬局が表示する開局時間内に調剤を行った場合には、夜間・休日等加算として、処方箋受付1回につき加算します。

夜間・休日等加算＝40点　（受付１回につき）

練習問題・・・・・・・・・・・・・・・・解説

□1　同一日に、異なる２つの保険医療機関からの処方箋を同時に受け付けた場合、受付回数のカウントは２回である。

○1　２つ以上の異なる医療機関の場合、受付回数はそれぞれカウントします。

□2　同一日に同一保険医療機関の医科と歯科の処方箋を受け付けた場合、受付回数のカウントは１回である。

×2　同一の保険医療機関からの処方箋でも、医科と歯科の処方箋は別受付になります。

□3　地域支援体制加算の施設基準には、開局時間外に調剤できる体制が整えられていることも含まれる。

○3　設問のとおり。なお、夜間休日対応体制が整備されていることが算定要件となっています。

□4　地域支援体制加算に係る施設基準として、特定の保険医療機関からの処方箋受付回数が85％を超える薬局の場合は、後発医薬品の調剤割合が50％未満でなければならない。

×4　特定の保険医療機関からの処方箋受付回数の割合が85％を超える薬局については、後発医薬品の調剤割合が70％以上でなければならないとされています。

□5　処方箋の受付回数が、１月に2,000回を超え、集中率が85％を超える保険薬局の調剤基本料は29点を算定する。

○5　処方箋の受付回数が１月に2,000回を超える保険薬局では、特定の保険医療機関に係る処方箋による調剤の割合が85％を超えるものは、調剤基本料２のロである29点を算定します。

□6「１日３回　毎食前」「１日３回　毎食後」。この２つの処方は、１日の服用回数が２つの処方とも３回なの

×6　１日に服用する回数が同じだけでは、服用時点が同一とはいえません。

で、服用時点は同一となり、薬剤調製料を算定するときは１剤扱いである。

□7　調剤技術上の理由から別包で個別に調剤した場合であれば、服用時点が同一であっても、薬剤調製料は別剤として算定できる。

○7　配合不適、配合禁忌（きんき）などの調剤技術上の理由から別に調剤する場合が、本問の解釈に該当します。

□8　内服用滴剤の薬剤調製料は、内服薬と同じ24点である。

×8　内服用滴剤の薬剤調製料は、10点です。

□9　処方箋の使用期間は、例外なく交付の日を含めて４日以内に保険薬局で調剤を受けなければならない。

×9　患者が処方箋の交付を受けて直ちに長期の旅行に出発する場合等、調剤を受けるまでに４日以上の日数を要する場合は、４日を超えて処方箋の使用が認められる場合があります。その場合「処方箋の使用期間」の欄に、日付と押印が必要になります。

□10　内服薬21日分と、屯服薬１回分を調剤した場合の薬剤調製料は85点である。

×10　内服薬が24点。屯服薬21点。

□11　Rp①で鎮痛剤を屯服として、Rp②で睡眠薬を屯服として調剤した場合、薬剤調製料は「21点×２剤＝42点」を算定する。

×11　屯服薬の薬剤調製料は１剤につきではなく、処方箋受付１回につきの算定です。

□12　湯薬の薬剤調製料は、調剤した日数に関係なく１調剤につき所定

×12　湯薬の薬剤調製料の算定は、日数が７日分以下の場合、８～28

点数を算定する。

日分の場合、29日分以上の場合によって異なります。

□13 浸煎薬とは2種類以上の生薬を混合調剤して、服用のために患者が煎じる量ごとに分包したものである。

×13 設問は湯薬の説明です。

□14 無菌製剤処理加算は、2種類以上の注射薬を無菌的に混合して、中心静脈栄養法用輸液、抗悪性腫瘍剤または麻薬を製剤した場合、1日分製剤するごとに加算する。

○14 設問のとおり。

□15 外用薬は1回の処方で何日分を投与しても、日数に関係なく、1調剤につき薬剤調製料を算定する。

○15 設問のとおり。

□16 厚生労働大臣の定めた施設基準に適合する旨を届け出た保険薬局において、30歳の患者に5日分の中心静脈栄養法用輸液の注射薬を無菌製剤した場合、345点を薬剤調製料へ加算できる。

○16 中心静脈栄養法用輸液の無菌製剤処理加算は1日につき69点の加算なので、

69点×5日＝345点

となります。

□17 無菌製剤処理加算とは注射薬の薬剤調製料への加算項目であり、点眼薬は加算対象外である。

○17 設問のとおり。

□18 患者ごとの処方内容や調剤、指導事項など患者の情報について記入するものを薬剤服用歴という。

○18 設問のとおり。

□19　患者ごと、医療機関別に調剤内容とその調剤にかかった点数を、1か月分まとめて記載するものを調剤報酬明細書という。

○19　設問のとおり。
保険薬局は、調剤報酬明細書（調剤レセプト）によって保険給付分を保険者に請求します。

□20　労災保険による調剤報酬のレセプトは、労災保険指定薬局の所在地を管轄とする労働局長に提出する。

○20　設問のとおり。

□21　毎週水曜日を定休日としている調剤薬局が、その定休日の午後8時に緊急で受付、調剤を行ったので時間外加算をした。

○21　日曜日でも祝日でもない日を定休日とする場合は、深夜時間帯を除いては時間外加算を算定します。

□22　時間外加算は、時間外でも通常どおり開局している薬局においても算定することができる。

×22　時間外とは、薬局の開局時間外の時間帯で深夜を除いた時間をいいます。したがって通常通り開局している薬局では、算定できません。

□23　22:30に調剤受付した場合は、調剤技術料の所定点数に$\frac{200}{100}$の加算をすることができる。

○23　22:00～翌朝6:00までは、深夜時間帯の扱いとなります。

□24　12月29日に処方箋を受け付けて調剤を行った場合、調剤基本料と薬剤調製料へそれぞれ$\frac{140}{100}$の加算をする。

○24　1月2日、3日と12月29日、30日、31日は休日の扱いとなります。ただし、これらの休日でも通常通り開局している薬局では算定できません。

□25　日曜日を休日としている保険薬局が、日曜の午後8時に処方箋を

×25　時間外加算と休日加算の両方を算定することはできません。この

受け付けて調剤を行った場合、時間外加算と休日加算の両方を算定することができる。

□**26**　内服薬の錠剤を分割した場合の自家製剤加算の点数は、７日分ごとに20点を加算できる。

□**27**　処方箋に指示された用法が「何回分」「何包」「P」と記載されていれば屯服薬と判断する。

□**28**「１日２回　起床時・夕食後　５日分」と「１日１回　就寝前　７日分」の２剤を一包化することはできる。

□**29**　医師の指示に伴う分割調剤は、３回までと決められている。

□**30**　同一保険薬局で長期投薬分割調剤を行った場合は、薬学管理料の算定はできない。

□**31**　薬価基準収載の薬剤で「劇」の表示があった。劇薬は毒薬のことなので、毒薬加算として薬剤調製料へ８点を加算する。

□**32**　内服薬１調剤中に向精神薬が２種類含まれていたため、薬剤調製

場合は、加算率の高い休日加算のみを算定します。

×**26**　錠剤を分割した場合は、所定点数の$\frac{20}{100}$に相当する点数を加算します。この場合、７日分ごとに４点を加算できます。

○**27**　屯服薬は臨時的に服用するものですので、「何日分」「TD」とは記載しません。

×**28**　服用時点の重なる部分がないので、調剤上一包化することは不可能です。

○**29**　設問のとおり。

○**30**　設問のとおり。

×**31**　毒薬加算８点が算定できるのは「毒」の表示のある薬剤のみです。また「劇薬は毒薬のこと」という表現も誤りです。

×**32**　向精神薬加算は１調剤につきの算定です。向精神薬が２種類含ま

料へ16点を加算した。

れていても、点数を２倍にして加算することはできません。

□33　薬剤の成分が麻薬であっても、規制含有量以下のために麻薬として扱われていない場合は、麻薬加算は算定できない。

○33　設問のとおり。

□34　コデインリン酸塩（麻薬）には、コデインリン酸塩散１％（リンコデ100倍散）にも麻薬加算がある。

×34　コデインリン酸塩散１％は100分の1が純成分のものですが、その基剤が100倍に希釈してあるので、麻薬の扱いとはなりません。

□35　自家製剤加算を算定した場合でも、計量混合調剤加算の算定ができる場合がある。

○35　［例］Rp①　A錠　２剤
分２　　14日分
（散剤への剤形変更の指示あり）
Rp②
B液　10mL
C液　10mL
D液　10mL
分３　14日分
この場合２剤となり、①で自家製剤加算を、②で計量混合調剤加算を算定できます。

□36　計量混合調剤加算は、長期投薬の処方箋に対して、薬剤の保存が困難である等の理由により日数を分けて調剤した場合、２回目以降の調剤について算定する。

×36　問題文は、計量混合調剤加算についてではなく、長期投薬分割調剤についての説明です。

□37　２種類以上の錠剤を調剤した

×37　計量混合調剤加算の対象とな

場合においては、計量混合調剤加算の算定が認められる。

るのは、液剤、散剤、顆粒剤、軟・硬膏剤であり、錠剤は該当しません。

□38　液剤を計量、混合して調剤した薬剤と同一規格、同一剤形の医薬品が薬価基準に載っていた場合でも、計量混合調剤加算として35点を算定できる。

×38　薬価基準に収載されている薬剤と同一規格、同一剤形の薬剤を調剤した場合は、計量混合調剤加算を算定することはできません。

□39　シロップ剤にドライシロップ剤を混合したが、特殊な技術工夫は特に伴わないので、自家製剤加算ではなく計量混合調剤加算を算定した。

○39　設問のとおり。

□40　散剤３種類を計量、混合して内服薬を調剤した。その中に麻薬と向精神薬が１種類ずつ含まれていた場合、薬剤調製料へ加算できるのは計量混合調剤加算と麻薬加算である。

○40　麻薬加算と向精神薬加算の重複はできないので、麻薬加算70点を優先して算定します。また計量混合調剤加算も算定できます。

□41　麻薬加算は、浸煎薬薬剤調製料には算定できない。

×41　浸煎薬薬剤調製料に算定できないのは計量混合調剤加算。

まとめ

調剤基本料とその加算

	備考	略称	点数
調剤基本料１	調剤基本料２、３－イ、３－ロ、３－ハ、特別調剤基本料Ａ以外 医療資源の少ない地域に所在する保険薬局	基Ａ	45
調剤基本料２	①・②・③・④のいずれかに該当 ①月 4,000 回超かつ集中率 70％超 ②月 2,000 回超かつ集中率 85％超 ③月 1,800 回超かつ集中率 95％超 ④特定の保健医療機関に係る処方箋が月 4,000 回超	基Ｂ	29
調剤基本料３－イ	同一グループ内で①・②・③・④のいずれかに該当 ①集中率 95％超（同一グループ月 3.5 万回超、４万回以下） ②集中率 85％超（同一グループ月４万回超、40 万回以下） ③特定の保険医療機関と不動産の賃貸借関係あり（月 3.5 万回超、４万回以下） ④特定の保険医療機関と不動産の賃貸借関係あり（月４万回超、40 万回以下）	基Ｃ	24
調剤基本料３－ロ	同一グループ内で月 40 万回超又は、同一グループの保険薬局が 300 以上かつ①・②のいずれかに該当 ①集中率 85％超 ②特定の保険医療機関と不動産賃貸契約	基Ｄ	19
調剤基本料３－ハ	処方箋受付１回につき①・②のいずれにも該当 ①月 40 万回超で、集中率 85％以下 ②同一グループ薬局数 300 以上で、集中率 85％以下	基Ｅ	35
特別調剤基本料Ａ	保険医療機関と不動産取引等その他の特別な関係を有していて、集中率 50% 超	特基Ａ	5
特別調剤基本料Ｂ	調剤基本料に係る届出を行っていない	特基Ｂ	3
調剤基本料注３	異なる医療機関の複数の処方箋の同時受付で、１枚目以外	同	80/100
調剤基本料注４	未妥結減算に該当する	妥減	50/100
調剤基本料の減算で３点未満		基一定	3
後発医薬品減算	後発医薬品の調剤数量が 50％以下	後減	５点減算
分割調剤（長期保存の困難性等）	１分割調剤につき（２回目以降）	分	5
後発医薬品分割調剤	１分割調剤につき（２回目のみ）	試	5
医師の指示に伴う分割調剤	所定点数を回数で分割	医	

	備　　考	略称	点　数
地域支援体制加算１	調剤基本料１算定薬局	地支A	32
地域支援体制加算２	調剤基本料１算定薬局	地支B	40
地域支援体制加算３	調剤基本料１以外算定薬局　特別調剤基本料Bは算定不可	地支C	10
	特別調剤基本料A算定の場合は所定点数の10/100	地敷C	1
地域支援体制加算４	調剤基本料１以外算定薬局　特別調剤基本料Bは算定不可	地支D	32
	特別調剤基本料A算定の場合は所定点数の10/100	地敷D	3
連携強化加算	災害・新興感染症発生時等の対応	連強	5
後発医薬品調剤体制加算１	後発医薬品の調剤数量が80%以上	後A	21
	特別調剤基本料A算定の場合は所定点数の10/100	後敷A	2
後発医薬品調剤体制加算２	後発医薬品の調剤数量が85%以上	後B	28
	特別調剤基本料A算定の場合は所定点数の10/100	後敷B	3
後発医薬品調剤体制加算３	後発医薬品の調剤数量が90%以上	後C	30
	特別調剤基本料A算定の場合は所定点数の10/100	後敷C	3
在宅薬学総合体制加算１	在宅患者訪問薬剤管理指導料等24回以上 緊急時の対応 医療衛生材料等の供給　麻薬小売業者の免許	在総A	15
	特別調剤基本料A算定の場合	在敷A	2
在宅薬学総合体制加算２	在宅薬学総合体制加算１の条件　開局中は常時調剤対応 高度医療機器の販売業の許可　クリーンベンチ等の設備 かかりつけ薬剤師指導料等24回以上 在宅関連の乳幼児加算・小児特定加算の合計６回以上 医療用麻薬で注射剤１品目以上を含む６品目以上の備蓄	在総B	50
	特別調剤基本料A算定の場合	在敷B	5
医療DX推進体制整備加算	オンライン請求　電子薬歴　マイナ保険証利用実績 オンライン資格確認体制を有し、取得した情報を活用 電子処方箋及び電子カルテ情報共有サービスを導入 薬局内掲示及びウェブサイトに掲載	薬DX	4
時間外加算	おおむね６時～８時、18時～22時	時	100/100
休日加算	日曜、祝日、振替休日、年末12/29～31、１／２・３	休	140/100
深夜加算	22時～翌朝６時	深	200/100

薬剤調製料とその加算

	備　考	点　数
内服薬	1剤につき（浸煎薬及び湯薬を除く）3剤までを限度とする	24
内服用滴剤	1調剤につき	10
浸煎薬	1調剤につき（3調剤までを限度とする）	190
湯薬	1調剤につき	
	7日分以下の場合	190
	8日分以上28日分以下の場合	
	7日目以下の部分	190
	8日目以上の部分（1日分につき）	10
	29日分以上の場合	400
屯服薬	処方箋受付1回につき	21
外用薬	1調剤につき（3調剤までを限度とする）	10
注射薬	処方箋受付1回につき	26

<table>
<tr><th></th><th colspan="2">備　考</th><th>略称</th><th>点　数</th></tr>
<tr><td rowspan="3">無菌製剤処理加算
※（　）内は、6歳未満の乳幼児の点数</td><td rowspan="3">1日分につき</td><td>中心静脈栄養法用輸液</td><td rowspan="3">菌</td><td>69
(137)</td></tr>
<tr><td>抗悪性腫瘍剤</td><td>79
(147)</td></tr>
<tr><td>麻薬</td><td>69
(137)</td></tr>
<tr><td>麻薬加算</td><td colspan="2">1調剤につき</td><td>麻</td><td>70</td></tr>
<tr><td>向精神薬･覚醒剤原料･毒薬加算</td><td colspan="2">1調剤につき</td><td>向 毒
覚原</td><td>8</td></tr>
<tr><td rowspan="7">自家製剤加算
（1調剤につき）
※（　）内は、予製剤使用時の点数</td><td colspan="2">内服薬
錠剤、丸剤、カプセル剤、散剤、顆粒剤、エキス剤（7日分につき）</td><td rowspan="6">自
（予）</td><td>20
(4)</td></tr>
<tr><td colspan="2">屯服薬
錠剤、丸剤、カプセル剤、散剤、顆粒剤、エキス剤</td><td>90
(18)</td></tr>
<tr><td colspan="2">液剤</td><td>45
(9)</td></tr>
<tr><td rowspan="3">外用薬</td><td>錠剤、トローチ剤、軟・硬膏剤、パップ剤、リニメント剤、坐剤</td><td>90
(18)</td></tr>
<tr><td>点眼剤、点鼻・点耳剤、浣腸剤</td><td>75
(15)</td></tr>
<tr><td>液剤</td><td>45
(9)</td></tr>
<tr><td colspan="2">錠剤を分割した場合</td><td>分自</td><td>20/100</td></tr>
</table>

	備　考	略称	点　数
計量混合調剤加算（1調剤につき） ※（　）内は、予製剤使用時の点数	液剤	計 （予）	35 （7）
	散剤、顆粒剤		45 （9）
	軟・硬膏剤		80 （16）
時間外加算	（調剤基本料の加算に準ずる）	薬時	100/100 加算
休日加算	（調剤基本料の加算に準ずる）	薬休	140/100 加算
深夜加算	（調剤基本料の加算に準ずる）	薬深	200/100 加算
夜間・休日等加算	処方箋受付1回につき 19時（土曜、13時）～翌朝8時（深夜及び休日除く） 休日又は深夜で当該保険薬局が表示する開局時間内	夜	40

薬学管理料

薬学管理料は、保険薬局が患者に薬の飲み方を指導したり、薬に関する情報を提供した場合に算定するもので、以下の薬学管理料とその加算によって算定します。

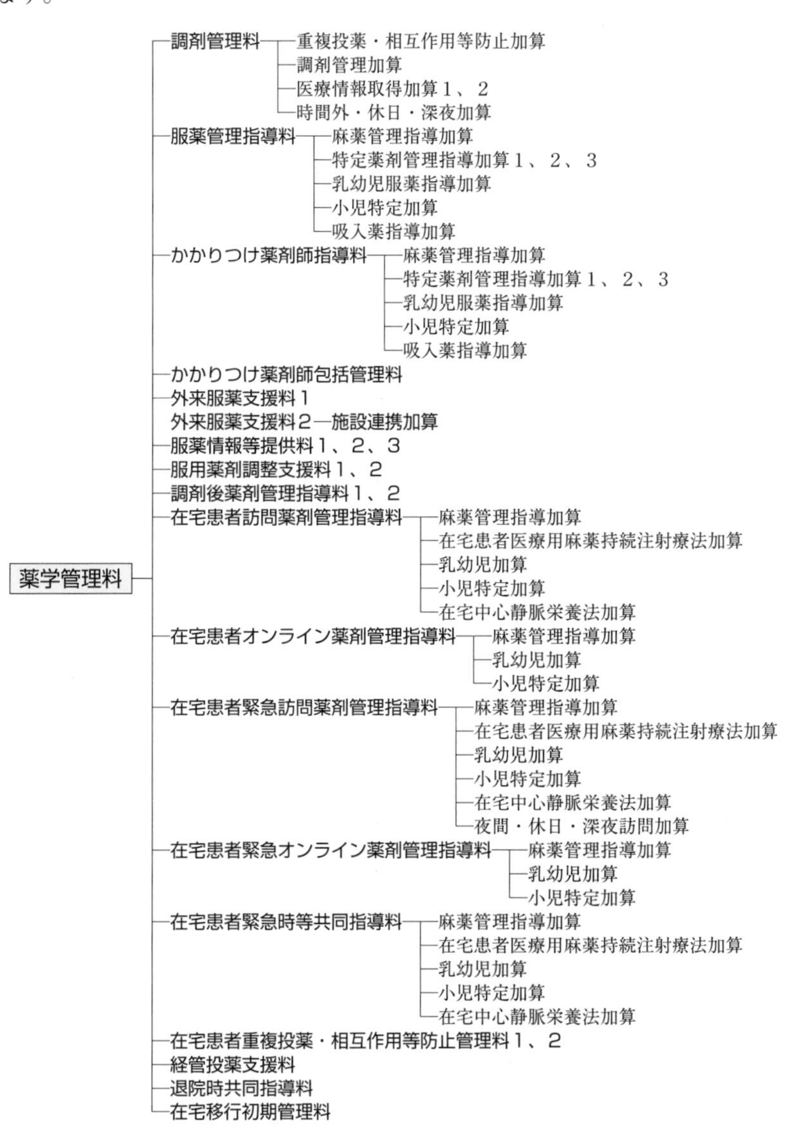

1　調剤管理料

1．内服薬（内服用滴剤、浸煎薬、湯薬及び屯服薬を除く）
　1剤につき
　　イ　7日分以下の場合＝4点
　　ロ　8日分以上14日分以下の場合＝28点
　　ハ　15日分以上28日分以下の場合＝50点
　　ニ　29日分以上の場合＝60点
2．1以外の場合＝4点

［おもな算定要件］

⑴　処方された薬剤について、患者またはその家族等から服薬状況等の情報を収集し、必要な薬学的分析を行った上で、薬剤服用歴への記録その他の管理を行った場合に調剤の内容に応じ、処方箋受付1回につき所定点数を算定する。

⑵　1については、服用時点が同一である内服薬は、投与日数にかかわらず、1剤として算定する。なお、4剤以上の部分については算定しない。

⑶　1を算定した場合、2は算定できない。

［例1］1剤14日分を投与する場合。
　　28点の算定となります。

［例2］1剤18日分を投与する場合。
　　50点の算定となります。

［例3］1剤35日分を投与する場合。
　　60点の算定となります。

［例4］服用時点が同一で、投与日数が異なる場合。

（薬剤名）	（投与単位）	（服用時点）	（投与日数）
A顆粒	2.7g	分3毎食後	2日分
B錠	3錠	分3毎食後	14日分

服用時点が同一ですから、投与日数が異なっても、1剤として扱われます。この場合、調剤管理料は投与日数の長い方で算定します。14日分で、28点

の算定となります。

［例5］服用時点、投与日数は同一でも別剤として算定する場合。

Rp① A錠 3錠 分3毎食後 14日分

Rp② Bシロップ 3mL 分3毎食後 14日分

いずれも毎食後服用の内服薬で服用時点は同一ですが、錠剤（内服用固型剤）とシロップ（内服用液剤）ですから、2剤として算定します。

Rp① 28点

Rp② 28点

(2) 内服薬の調剤管理料は、1回の処方箋受付で4剤以上は算定できません。ただし、内服用滴剤、浸煎薬、湯薬及び屯服薬は、調剤管理料の内服薬に含まれません。

■重複投薬・相互作用等防止加算

薬剤服用歴に基づき、重複投薬、相互作用の防止等の目的で、処方箋を交付した保険医に対して照会を行い、処方に変更が行われた場合に加算する。

イ 残薬調整以外の場合＝40点

ロ 残薬調整の場合＝20点

※ 在宅患者訪問薬剤管理指導料、在宅患者緊急訪問薬剤管理指導料、在宅患者緊急時等共同指導料、居宅療養管理指導費または介護予防居宅療養管理指導費を算定している患者については算定できない。

■調剤管理加算

イ 初めて処方箋を持参した場合＝3点

ロ 2回目以降で処方変更時または処方追加＝3点

［おもな算定要件］

複数の保険医療機関から6種類以上の内服薬（特に規定するものを除く）が処方されている患者またはその家族等に対して、当該患者が服用中の薬剤について、服薬状況等の情報を一元的に把握し、必要な薬学的管理を行った場合に加算する。

［設置基準］

重複投薬等の解消に係る取組の実績（過去１年間に服用薬剤調整支援料を１回以上算定した実績）を有している保険薬局であること。

■医療情報取得加算

医療情報取得加算１＝３点
オンライン資格確認システムを導入している薬局で調剤した場合
医療情報取得加算２＝１点
オンライン資格確認システムを導入し、電子資格確認による薬剤情報等を取得した場合

（６月に１回限り）

［施設基準］

(1)　オンライン請求を行っている。

(2)　マイナンバーカードにより薬剤情報を取得できる体制である。

(3)　ポータルサイトに運用開始日を登録している。

(4)　オンライン資格確認を行う体制にあり、薬剤情報を取得活用して調剤する旨を店内に掲示及びホームページ等に掲示している。

■時間外・休日・深夜加算

調剤基本料と同様の考え方で加算します。時間外加算・休日加算・深夜加算には、基礎額に含まれるものと含まれないものがあります。

時間外加算　（100/100）
休日加算　（140/100）
深夜加算　（200/100）

基礎額に含まれる	基礎額に含まれない
調剤基本料とその加算 薬剤調製料 調剤管理料 無菌製剤処理加算	麻薬・向精神薬・覚醒剤原料・毒薬加算 自家製剤加算　計量混合調剤加算 重複投薬・相互作用等防止加算　調剤管理加算 医療情報取得加算

2　服薬管理指導料

1　3月以内に再来局かつ手帳を持参＝45点
2　3月以内に再来局かつ手帳を持参していない＝59点
　3月以内の来局なしまたは初回の来局＝59点
3　介護老人福祉施設等入所者に対して行った場合＝45点
4　情報通信機器を用いた（オンライン）服薬指導を行った場合
　3月以内に再調剤で手帳の提示あり＝45点
　上記以外＝59点
注13　3月以内に再来局した患者のうち、手帳を持参した患者の割合が5割以下の保険薬局＝13点
注14　かかりつけ薬剤師指導料またはかかりつけ薬剤師包括管理料算定患者に、かかりつけ薬剤師以外が対応＝59点

［服薬管理指導料1・2の場合］

(1)　処方箋受付1回につき算定する。

(2)　特別調剤基本料Bを算定している保険薬局は、算定できない。

［服薬管理指導料3（介護老人福祉施設等入所者）の場合］

(1)　オンライン服薬指導をした場合も算定できる。

(2)　介護老人福祉施設等に入所している患者を訪問し、服薬管理状況を把握したうえで、必要に応じて施設職員と協力し、対面により実施する。

(3)　月4回に限り算定できる。

(4)　交通費は、患家の負担とする。

(5)　ショートステイ等の利用者も対象とする。

(6)　特別調剤基本料Bを算定している保険薬局は、算定できない。

［服薬管理指導料4（オンライン服薬指導）の場合］

(1)　オンライン服薬指導により、服薬管理指導料に係る業務を実施する。

(2)　薬剤服用歴及び服薬中の薬を手帳で確認し、一元的、継続的に確認できるよう、服薬指導の内容を手帳に添付または記載する。

(3)　医薬品郵送の際は、受領を確認する。郵送費は患者に請求可。

(4)　医薬品医療機器等法施行規則及び関連通知に沿って実行すること。

(5)　特別調剤基本料Bを算定している保険薬局は、算定できない。

[手帳とは]

この場合、経時的に薬剤の記入ができ、下記の事項を記録する欄がある薬剤の記録用の手帳をいう。

◦患者の氏名、生年月日、連絡先等患者に関する記録
◦患者の薬物療法の基礎となる記録（アレルギー歴等）
◦患者の疾患に関する記録（既往歴等）
◦日常的に利用する保険薬局の名称・連絡先・薬剤師氏名等

[留意事項]

※ 在宅患者訪問薬剤管理指導料を算定している患者については算定できません（ただし、薬学的管理指導計画に関する疾病と別の疾病または負傷に関する臨時の投薬が行われた場合を除きます)。

※ 感染症の予防及び感染症の患者に対する医療に関する法律（感染症法）による結核患者の適正医療に基づいて調剤し請求する場合は、服薬管理指導料及びこれに対する加算は算定できません。

※ 薬剤服用歴は、最終記入日から起算して3年間保存しなければなりません。

CHECK!

≪薬剤服用歴に記載しなければならない項目≫

▷患者についての記録
氏名、生年月日、性別、被保険者証の記号番号、住所　など

▷処方及び調剤についての記録
処方した医療機関名、保険医氏名、処方日、調剤日、調剤した薬剤、疑義照会の内容　など

▷患者の体質についての情報の記録
アレルギー歴・副作用歴等、薬学的管理に必要な患者の生活像、後発医薬品の使用に関する患者の意向

▷疾患に関する情報（既往歴、合併症の情報、他科受診の有無等）
▷併用薬（要指導医薬品、一般用医薬品、医薬部外品、健康食品を含む）の状況、服用薬と相互作用が認められる飲食物摂取状況
▷服薬状況（残薬の状況を含む）
▷服薬中の体調変化、副作用が疑われる症状の有無及び患者または家族等からの相談事項の要点
▷手帳活用の有無（手帳を活用しなかった場合はその理由と患者への指導の有無）
▷今後の継続的な薬学的管理及び指導の留意点
▷指導した保険薬剤師の氏名（姓名）
▷臨床検査値等

■麻薬管理指導加算

麻薬の投薬が行われている患者に、麻薬の服用や保管の状況、副作用の有無などについて患者に確認し、必要な薬学的管理や指導を行った場合に加算します。

麻薬管理指導加算＝22点

■特定薬剤管理指導加算１

特に安全管理が必要な医薬品として別に厚生労働大臣が定めるものを調剤した場合であって、当該医薬品の服用に関し、その服用状況、副作用の有無等について患者に確認し、必要な薬学的管理及び指導を行ったときに加算します。特に安全管理が必要な医薬品が複数処方されていても、当該加算は処方箋の受付１回につき１回に限り算定します。なお、下記「イ」及び「ロ」のいずれにも該当する場合であっても、重複して算定することはできません。

> CHECK!
> 「特に安全管理が必要な医薬品」として厚生労働大臣が定めた医薬品
> 抗悪性腫瘍剤、免疫抑制剤、不整脈用剤、抗てんかん剤、血液凝固阻止剤（内服薬に限る）、ジギタリス製剤、テオフィリン製剤、カリウム製剤（注射薬に限る）、精神神経用剤、糖尿病用剤、膵臓ホルモン剤及び抗HIV薬

イ　新たに処方された場合＝10点（受付１回につき）

※特に安全管理が必要な医薬品が新たに処方された患者に対して必要な指導を行った場合

ロ　薬剤師が必要と認めた場合＝5点（受付１回につき）

※特に安全管理が必要な医薬品に係る用法または用量の変更、患者の副作用の発現状況等に基づき薬剤師が必要と認めて指導を行った場合

■特定薬剤管理指導加算２

悪性腫瘍患者のレジメン（治療内容）等を把握した上で、副作用対策の説明や支持療法に係る薬剤の服薬指導を実施するとともに、調剤後に電話等による服薬状況、抗悪性腫瘍剤による副作用の有無を確認、その情報を文書に

より医療機関に情報提供した際に加算します。

特定薬剤管理指導加算２＝100点 （月１回限り）

［特定薬剤管理指導加算２の算定要件］

(1) 連携充実加算*を届け出ている医療機関で悪性腫瘍に抗悪性腫瘍剤が注射され、化学療法及び必要な指導が行われている悪性腫瘍の患者が対象。

(2) 医療機関のホームページ等でレジメンを閲覧、薬学的管理に必要な情報を把握しておく。

(3) 患者の同意を得た上で実施。

(4) 特別調剤基本料Ａを算定している保険薬局は、不動産取引等の特別な関係を有している保険医療機関へ情報提供を行った場合は算定できない。

(5) 調剤後に電話等により服用状況、副作用の有無等について患者に確認。

(6) 服薬情報等提供料は算定不可。

＊連携充実加算…外来での抗がん剤治療の質を向上させるため、患者にレジメン（治療内容）を提供し、患者の状態を踏まえた必要な指導を行い、地域の薬局に勤務する薬剤師等を対象とした研修会の実施等の連携体制を整備している場合に算定。

■特定薬剤管理指導加算３

調剤を行う医薬品を患者が選択するために必要な説明及び指導を行ったイまたはロに掲げる場合には、患者１人につき当該品目に関して最初に処方された１回に限り加算します。

イ　特に安全性に関する説明が必要な場合＝5点 （初回処方時１回限り）

※特に安全性に関する説明が必要な場合として当該医薬品の医薬品リスク管理計画に基づき製造販売業者が作成した当該医薬品に係る安全管理等に関する資料を当該患者に対して最初に用いた場合

ロ　医薬品の選択に係る情報が必要な場合＝5点 （初回処方時１回限り）

※調剤前に医薬品の選択に係る情報が特に必要な患者に説明及び指導を行った場合

■乳幼児服薬指導加算

6歳未満の乳幼児に係る調剤に関して必要な情報を、直接患者またはその家族等に確認した上で、患者またはその家族等に対し、服用に関して必要な指導を行い、かつ当該指導の内容等を手帳に記載した場合に加算します。

乳幼児服薬指導加算＝12点

■小児特定加算

児童福祉法第56条の6第2項に規定する障害児である18歳未満の患者に係る調剤において、患者またはその家族等に患者の服薬状況等を確認した上で、患者またはその家族等に対し、当該患者の状態に合わせた必要な薬学的管理及び指導を行い、かつ当該指導の内容等を手帳に記載した場合に加算します。

小児特定加算＝350点

［おもな算定要件］

⑴ 患者の服薬状況及び服薬管理を行う際の希望等について、患者またはその家族等から聞き取り、当該患者の薬学的管理に必要な情報を収集する。
⑵ 収集した情報を踏まえ、薬学的知見に基づき調剤方法を検討し調剤を行うとともに、服用上の注意点や適切な服用方法等について服薬指導を行う。
⑶ 小児特定加算を算定した処方箋中の薬剤の服用期間中に、患者の家族等から電話等により当該処方薬剤に係る問い合わせがあった場合には、適切な対応及び指導等を行う。
⑷ 乳幼児服薬指導加算との算定不可。

■吸入薬指導加算

喘息または慢性閉塞性肺疾患（COPD）の患者であって吸入薬の投薬が行われているものに対して、患者もしくはその家族等または保険医療機関の求めに応じて、患者の同意を得た上で、文書及び練習用吸入機器等を用いて必要な薬学的管理及び実技指導を行うとともに、保険医療機関に必要な情報を文書により提供した場合に加算します。

吸入薬指導加算＝30点　（3月に1回限り）

※　医療機関への情報提供は、手帳による情報提供でも差し支えない。

※　服薬情報等提供料は算定不可。

※　かかりつけ薬剤師包括管理料を算定している患者は算定不可。

※　特別調剤基本料Aを算定している保険薬局は、不動産取引等の特別な関係を有している保険医療機関へ情報提供を行った場合は算定できない。

3　かかりつけ薬剤師指導料

あらかじめかかりつけ薬剤師指導料を行う旨を届け出た保険薬局において、その施設基準の要件を満たした保険薬剤師が保険医と連携して患者の服薬状況を一元的・継続的に把握した上で患者に対して服薬指導等を行った場合に算定します。この場合、患者が選択したかかりつけ薬剤師が患者の同意（同意書に署名）を得た後の次回の処方箋受付時から必要な指導等を行った場合に算定できます。

かかりつけ薬剤師指導料＝ 76点　（2回目以降の受付1回につき）

[かかりつけ薬剤師指導料の施設基準]

下記の要件をすべて満たす保険薬剤師を配置していることを条件とする。

(1)　保険薬剤師の条件

◦薬局勤務経験が3年以上

◦同一薬局で週32時間以上勤務している（育児・介護者の場合の期間は週24時間以上かつ週4日以上）

◦同一薬局に1年以上在籍している

(2)　薬剤師認定制度認証機構の研修認定を取得していること

(3)　医療に係る地域活動の取組に参画していること

(4)　パーテーション等で患者のプライバシーに配慮していること

[おもな算定要件]

(1)　患者にかかりつけ薬剤師の業務内容、かかりつけ薬剤師を持つことによる意義・役割・費用、かかりつけ薬剤師を必要とする理由などを説明し、同意を得ること。その際は、同意書を作成し、患者から署名をもらう。

⑵　かかりつけ薬剤師に関する情報を文書で提供する。

⑶　かかりつけ薬剤師の同意取得は、複数回来局している患者に行う。

⑷　かかりつけ薬剤師の同意を取得した次の来局時以降から算定することができる。

⑸　他の保険薬局、医療機関などでも確認できるよう、手帳等にかかりつけ薬剤師の名前、勤務している薬局名を記載する。

⑹　かかりつけ薬剤師は、担当患者に下記の業務を行う。

◦服薬管理指導料に係る業務

◦患者の意向を確認したうえで、手帳に指導の内容を記載する。

◦他科の受診やその際の処方薬・要指導医薬品及び一般用医薬品、健康食品など、すべてについて把握し、その内容を薬剤服用歴に記載する。

⑺　他の病院の受診や他の薬局で調剤を受ける場合は、かかりつけ薬剤師を有している旨を明示するように説明する。

⑻　患者からの相談には、24時間対応する。そのために、開局時間外の連絡先を伝え、勤務表を渡す。また、やむを得ない場合は、別の薬剤師が対応することがある旨も説明する。

⑼　他の薬局で調剤を受けた場合は、その服用薬などの情報を入手し薬剤服用歴に記載する。

⑽　調剤後も服薬状況を把握、指導などを行い、薬剤を処方した保険医に指導などの内容の情報提供や必要に応じて処方提案する。また、重要な医薬品情報を入手した場合は患者に情報提供し、指導、情報提供の内容を薬剤服用歴に記載する。

⑾　患者の服用薬の整理など、下記のような継続的な薬学管理を行う。

◦薬剤などを持参する動機付けのために薬剤を入れる袋を提供する

◦ブラウンバック運動の意義などを患者などに説明する

◦必要に応じて訪問し服薬の整理を行う（交通費は患家の負担）

⑿　患者に対する服薬指導等の業務は、かかりつけ薬剤師が行うことを原則とする。ただし、やむを得ない事由により、かかりつけ薬剤師が業務を行えない場合は、当該保険薬局に勤務する他の保険薬剤師が服薬指導等を行っても差し支えないが、かかりつけ薬剤師指導料は算定できない（要件

を満たす場合は、服薬管理指導料を算定できる)。この場合、他の保険薬剤師が服薬指導等で得た情報については、薬剤服用歴の記録に記載するとともに、かかりつけ薬剤師と情報を共有すること。

⒀ かかりつけ薬剤師指導料を算定する患者以外の患者への服薬指導等または地域住民からの要指導医薬品等の使用に関する相談及び健康の維持増進に関する相談に対しても、丁寧に対応した上で、必要に応じて保険医療機関へ受診勧奨を行うよう努める。

⒁ 必要に応じて、患者からの血液検査などの結果の提供があれば、それを参考に薬学的管理及び指導を行う。

⒂ 育児、介護で短時間勤務の薬剤師が算定する場合は、下記のようにする。

◦短時間勤務であることを説明する

◦その旨を勤務表に記載する

◦不在時に患者から問い合わせがあった場合は、他の薬剤師と連絡が取れる体制を整える

⒃ 麻薬管理指導加算、特定薬剤管理指導加算１～３、乳幼児服薬指導加算、小児特定加算、吸入薬指導加算を算定できる。

⒄ かかりつけ薬剤師指導料と同時算定できないものは、服薬管理指導料、かかりつけ薬剤師包括管理料、服薬情報等提供料、在宅患者訪問薬剤管理指導料（臨時の投薬が行われた場合を除く)。

⒅ 特別調剤基本料Ｂを算定している保険薬局は、算定できない。

麻薬管理指導加算＝22点

特定薬剤管理指導加算１＝イ／10点・ロ／５点

特定薬剤管理指導加算２＝100点

特定薬剤管理指導加算３＝イ／５点・ロ／５点

乳幼児服薬指導加算＝12点

小児特定加算＝350点

吸入薬指導加算＝30点

※　上記７つの加算内容については、「服薬管理指導料」の加算に準じます（P.107～110参照のこと）。

4　かかりつけ薬剤師包括管理料

あらかじめかかりつけ薬剤師包括管理料を行う旨を届け出た薬局において、その施設基準の要件を満たした保険薬剤師が保険医と連携して患者の服薬状況を一元的・継続的に把握した上で対象患者に対して服薬指導等を行った場合に算定します。この場合、患者が選択したかかりつけ薬剤師が患者の同意（同意書に署名）を得た後の次回の処方箋受付時から必要な指導等を行った場合に算定できます。ただし、下記の⑷以外のものは、かかりつけ薬剤師包括管理料の点数に含まれます。

かかりつけ薬剤師包括管理料＝291点　（2回目以降の受付１回につき）

［おもな算定要件］

⑴　対象患者は、診療報酬点数表の再診料の地域包括診療加算もしくは認知症地域包括診療加算、または医学管理料の地域包括診療料もしくは認知症地域包括診療料を算定している患者。

⑵　患者の服薬状況について薬学的知見に基づいて随時把握し、薬剤を処方した保険医にそのつど服薬状況等を情報提供し、必要に応じて減薬などの処方提案を実施する。なお、情報提供は保険医との合意に基づいた方法等で実施すること。

⑶　かかりつけ薬剤師指導料の施設基準を満たすこと。

⑷　以下の①～⑨以外は包括となる。

①時間外・休日・深夜加算　　②夜間・休日等加算
③薬剤料
④在宅患者訪問薬剤管理指導料（臨時の投薬が行われた場合に限る）
⑤在宅患者緊急訪問薬剤管理指導料
⑥在宅患者緊急時等共同指導料

⑦退院時共同指導料　　　⑧経管投薬支援料

⑨特定保険医療材料料

(5) かかりつけ薬剤師包括管理料と同時に算定できないものは、服薬管理指導料、かかりつけ薬剤師指導料。

(6) 特別調剤基本料Bを算定している保険薬局は、算定できない。

5　外来服薬支援料

外来服薬支援料1＝185点　（月1回限り）

自分で服薬管理が困難な患者やその家族等または医療機関の求めに応じて、患者が服薬中の薬剤（調剤済みの薬剤）について、薬剤を処方した保険医に薬剤の治療上の必要性や服薬管理についての支援の必要性の了解を得た上で、薬局の薬剤師が患者の服薬管理を支援した場合（患者及びその家族等が持参または薬剤師が患家を訪問して薬剤の整理、薬剤の一包化、服薬カレンダーの活用など)、もしくは持参した服用薬の服薬支援を行い、その結果を保険医療機関に情報提供した場合に算定します。

在宅患者訪問薬剤管理指導料を算定している患者については、算定不可です。

特別調剤基本料Bを算定している保険薬局においては、算定できません。

外来服薬支援料2

イ　42日分以下の場合＝投与日数が7またはその端数を増すごとに34点を加算

ロ　43日分以上の場合＝240点

多種類の薬剤を投与されている患者または自ら被包を開いて薬剤を服用することが困難な患者に対して、薬剤を処方した保険医に治療上の必要性及び服薬管理に係る支援の必要性の了解を得た上で、2剤以上の内服薬または1剤で3種類以上の内服薬の服用時点ごとの一包化及び必要な服薬指導を行い、かつ患者の服薬管理を支援した場合、投与日数に応じて算定します。

［例１］

Rp① 分２ 朝・夕食後の服用
Rp② 分２ 朝食後・就寝前の服用
｝これらを一包化する場合

	朝食後	昼食後	夕食後	就寝前
Rp①	○		○	
Rp②	○			○

１～７日分… 34点
８～14日分… 68点
15～21日分… 102点
22～28日分… 136点
29～35日分… 170点
36～42日分… 204点
43日分以上… 240点

→服用時点の重なる朝食後の薬剤を一包化します。

［例２］

Rp① 分３ 毎食後の服用
Rp② 分１ 就寝前の服用
｝これらを一包化する場合

	朝食後	昼食後	夕食後	就寝前
Rp①	○	○	○	
Rp②				○

→服用時点の重なる部分がないので、一包化できません。

［例３］

Rp① A錠３T 毎食後服用
B錠３T 毎食後服用
C錠３T 毎食後服用
｝これらを一包化する場合

	朝食後	昼食後	夕食後
A錠	○	○	○
B錠	○	○	○
C錠	○	○	○

→３種類の薬剤が同時服用、同時回数ですから、一包化できます。

■施設連携加算

外来服薬支援料２の要件を満たしていて、特別養護老人ホームに訪問し入所中の患者に対し、施設職員と協働し、服薬管理及び支援を実施した場合に算定します。

施設連携加算＝50点 （月１回限り）

6　服薬情報等提供料

服薬情報等提供料は、保険薬局において調剤後も患者の服薬についての情報等を患者もしくはその家族等または保険医療機関に提供することで、医師の処方設計や患者の服薬の継続・中断の判断の参考とするなど、保険医療機関と保険薬局の連携により医薬品の適正使用を推進することを目的としています。

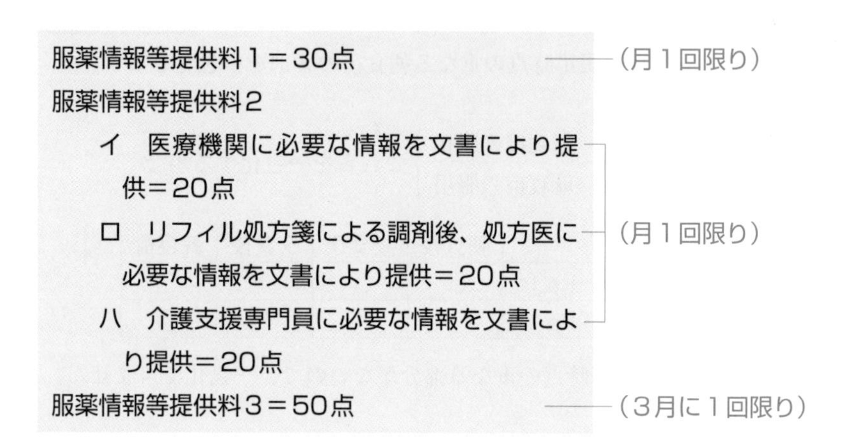
服薬情報等提供料1＝30点　（月1回限り）
服薬情報等提供料2
　イ　医療機関に必要な情報を文書により提供＝20点
　ロ　リフィル処方箋による調剤後、処方医に必要な情報を文書により提供＝20点
　ハ　介護支援専門員に必要な情報を文書により提供＝20点
　（イ～ハ：月1回限り）
服薬情報等提供料3＝50点　（3月に1回限り）

［服薬情報等提供料1の算定要件］

保険医療機関の求めがあった場合において、患者の同意を得た上で、薬剤の使用が適切に行われるよう、調剤後も当該患者の服用薬の情報等について把握し、保険医療機関に必要な情報を文書により提供等した場合に月1回に限り算定します。複数の保険医療機関の医師または歯科医師に対して服薬情報等の提供を行った場合は、当該保険医療機関の医師または歯科医師ごとに算定できます。

［服薬情報等提供料2イ・ロ・ハの算定要件］

保険薬剤師がその必要性を認めた場合において、当該患者の同意を得た上で、薬剤の使用が適切に行われるよう、調剤後も患者の服用薬の情報等について把握し、保険医療機関または介護支援専門員に必要な情報を文書により提供した場合に月1回に限り算定します。

［服薬情報等提供料３の算定要件］

入院前の患者に係る保険医療機関の求めがあった場合において、当該患者の同意を得た上で、当該患者の服用薬の情報等について一元的に把握し、必要に応じて当該患者が保険薬局に持参した服用薬の整理を行うとともに、保険医療機関に必要な情報を文書により提供等した場合に３月に１回に限り算定します。

7　服用薬剤調整支援料

服用薬剤調整支援料１＝125点　（月１回限り）

※６種類以上の内服薬が２種類以上減少し、４週間以上継続

服用薬剤調整支援料２
＝110点（重複投薬等の解消提案の実績）
＝90点（上記実績なし）
（３月に１回限り）

［算定要件］

⑴　服用薬剤調整支援料１は、６種類以上の内服薬（特に規定するものを除く）が処方されていたものについて患者の意向を踏まえたうえで、処方医に対して保険薬剤師が文書を用いて提案し、当該患者に調剤する内服薬が２種類以上減少した場合に、月１回に限り算定する。

⑵　服用薬剤調整支援料２は、複数の保険医療機関から６種類以上の内服薬（特に規定するものを除く）が処方されていたものについて、患者またはその家族等の求めに応じ当該患者が服用中の薬剤について一元的に把握し、処方医に対して保険薬剤師が当該重複投薬等の解消に係る提案を文書を用いて行った場合に、３月に１回に限り算定する。

8　調剤後薬剤管理指導料

調剤後薬剤管理指導料1
（糖尿病患者に対して行った場合）＝60点　（月1回限り）

※糖尿病患者で、新たに糖尿病薬剤を処方または糖尿病薬剤に係る投薬内容の変更があった場合。

調剤後薬剤管理指導料2
（慢性心不全患者に対して行った場合）＝60点　（月1回限り）

※心疾患による入院経験があり、作用機序が異なる循環器官用薬等の複数の治療薬の処方を受けている慢性心不全のものに対して行った場合。

［おもな算定要件］

⑴　①医師の指示等及び患者等の求めに応じて、②調剤後に電話等により、その使用状況・副作用の有無等について患者に確認するなど必要な薬学的管理指導をし、③その結果等を保険医療機関に文書により情報提供、を行った場合に算定。

⑵　地域支援体制加算の届出をしている。

⑶　処方箋の受付によらず、月1回に限り算定可能。

⑷　特別調剤基本料Aを算定している保険薬局は、不動産取引等の特別な関係を有している保険医療機関へ情報提供を行った場合は算定できない。

⑸　特別調剤基本料Bを算定している保険薬局は、算定できない。

9　在宅患者訪問薬剤管理指導料

在宅患者訪問薬剤管理指導を行う旨を届け出た保険薬局において、在宅で療養を行っている患者で通院が困難なものに対して医師の指示に基づき保険薬剤師が薬学的管理指導計画を策定し指導を行った場合に算定します。また、算定制限は、

CHECK!
① 訪問の実施日、訪問した薬剤師の氏名
② 処方医から提供された情報の要点
③ 訪問に際して実施した薬学的管理指導の内容（薬剤の保管状況、服薬状況、残薬の状況、投薬後の併用薬剤、投薬後の併診、副作用、重複服用、相互作用の確認など）

患者１人につき月４回限り（末期の悪性腫瘍患者、注射による麻薬投与が必要な患者及び中心静脈栄養法の対象患者については、週２回かつ月８回）及び保険薬剤師１人につき週40回（１・２・３と在宅患者オンライン薬剤管理指導料を含む）まで算定できます。

④　処方医に対して提供した訪問結果に関する情報の要点
⑤　処方医以外の当該医療関係職種との間で提供された・提供した情報の要点
⑥　サポート薬局が実施した場合には、サポート薬局が記載した薬剤服用歴の記録

在宅患者訪問薬剤管理指導料
　１．単一建物診療患者１人＝650点
　２．単一建物診療患者２～９人＝320点
　３．単一建物診療患者10人以上＝290点
在宅患者オンライン薬剤管理指導料
（情報通信機器を用いた場合）＝59点

［在宅患者オンライン薬剤管理指導料］

在宅で療養を行っている患者であって通院が困難なものに対して、情報通信機器を用いて薬学的管理及び指導（訪問薬剤管理指導と同日に行った場合を除く）を行った場合、患者１人につき在宅患者訪問薬剤管理指導料１・２・３と合わせて月４回（末期の悪性腫瘍患者、注射による麻薬投与が必要な患者及び中心静脈栄養法の対象患者にあっては週２回かつ月８回）まで算定できます。また、保険薬剤師１人につき１・２・３と合わせて週40回に限り算定できます。

■麻薬管理指導加算

麻薬の投薬が行われている患者に対して、麻薬の使用に関し、その服用及び保管の状況、副作用の有無等について患者に確認し、必要な薬学的管理及び指導を行った場合に加算します。

麻薬管理指導加算＝100点
麻薬管理指導加算＝22点（情報通信機器を用いた場合）
（１回につき）

■在宅患者医療用麻薬持続注射療法加算

届け出をした保険薬局において、在宅で医療用麻薬持続注射療法を行って

いる患者に対して、その投与及び保管の状況、副作用の有無等について患者またはその家族等に確認し、必要な薬学的管理及び指導を行った場合に加算します。

在宅患者医療用麻薬持続注射療法加算＝250点　（1回につき）

［留意事項］
※情報通信機器を用いての場合は、算定不可。
※麻薬管理指導加算を算定している患者には算定不可。

■乳幼児加算

在宅で療養を行っている6歳未満の乳幼児であって、通院が困難なものに対して、直接患者またはその家族等に対して薬学的管理及び指導を行った場合に加算します。

乳幼児加算＝100点
乳幼児加算＝12点（情報通信機器を用いた場合）
（1回につき）

※薬学的管理及び指導
・体重、適切な剤形その他必要な事項等の確認
・適切な服薬方法、誤飲防止等の必要な服薬指導

■小児特定加算

児童福祉法第56条の6第2項に規定する障害児である18歳未満の患者またはその家族等に患者の服薬状況等を確認した上で、当該患者またはその家族等に対し、当該患者の状態に合わせた必要な薬学的管理及び指導を行った場合に加算します。ただし、乳幼児加算との併算定は不可です。

小児特定加算＝450点
小児特定加算＝350点（情報通信機器を用いた場合）
（1回につき）

■在宅中心静脈栄養法加算

届け出をした保険薬局において、在宅中心静脈栄養法を行っている患者に対して、その投与及び保管の状況、配合変化の有無について確認し、必要な

薬学的管理及び指導を行った場合に加算します。

在宅中心静脈栄養法加算＝150点　（1回につき）

10　在宅患者緊急訪問薬剤管理指導料

在宅患者緊急訪問薬剤管理指導料1＝500点
（計画的な訪問薬剤指導に係る疾患の病変の場合）
在宅患者緊急訪問薬剤管理指導料2＝200点
（1以外の場合）
在宅患者緊急オンライン薬剤管理指導料＝59点
（情報機器を用いた場合）
注10　在宅患者緊急訪問薬剤管理指導料1＝500点
（新興感染症等の発生時や蔓延時における訪問・服薬指導時）
在宅患者緊急オンライン薬剤管理指導料＝59点
（新興感染症等の発生時や蔓延時におけるオンライン服薬指導時）

（1・2合わせて月4回）
（末期の悪性腫瘍患者・注射麻薬投与が必要な患者は原則月8回）

訪問薬剤管理指導を実施している保険薬局の保険薬剤師が、在宅での療養を行っている患者であって通院が困難なものの状態の急変等に伴い、当該患者の在宅療養を担う保険医療機関の保険医または当該保険医療機関と連携する他の保険医療機関の保険医の求めにより、当該患者に係る計画的な訪問薬剤管理指導とは別に、緊急に患家を訪問して必要な薬学的管理及び指導を行った場合に、在宅患者緊急訪問薬剤管理指導料１・２を合わせて月４回（末期の悪性腫瘍患者及び注射による麻薬の投与が必要な患者は原則月８回）に限り算定します。情報機器を用いた場合は在宅患者緊急オンライン薬剤管理指導料を算定します。

また、新興感染症等の発生時や蔓延時に自宅や宿泊施設で療養している患者や施設入所の患者に対して、医師の処方箋に基づき、緊急に訪問して服薬指導などの薬学的管理及び指導、薬剤交付をした場合は、在宅患者緊急訪問薬剤管理指導料1として算定し、オンラインで服薬指導を行った場合は、在宅患者緊急オンライン薬剤管理指導料として算定します。

[留意事項]
・訪問の際の交通費は、患家の負担とする。
・保険薬局の所在地と患家の所在地との距離は16km以内とする。16kmを超えた場合にあっては、特殊の事情があった場合を除き算定できない。
・特別調剤基本料Bを算定している保険薬局は、算定できない。

■麻薬管理指導加算

麻薬の投薬が行われている患者に対して、麻薬の使用に関し、その服用及び保管の状況、副作用の有無等について患者に確認し、必要な薬学的管理及び指導を行った場合に加算します。

麻薬管理指導加算＝100点
麻薬管理指導加算＝22点（情報通信機器を用いた場合）
（1回につき）

■在宅患者医療用麻薬持続注射療法加算

届け出をした保険薬局において、在宅で医療用麻薬持続注射療法を行っている患者に対して、その投与及び保管の状況、副作用の有無等について患者またはその家族等に確認し、必要な薬学的管理及び指導を行った場合に加算します。

在宅患者医療用麻薬持続注射療法加算＝250点　（1回につき）

[留意事項]
・情報通信機器を用いての場合は、加算は算定できない。
・麻薬管理指導加算を算定している患者には算定不可。

■乳幼児加算

在宅で療養を行っている6歳未満の乳幼児であって、通院が困難なものに対して、直接患者またはその家族等に対して薬学的管理及び指導を行った場合に加算します。

乳幼児加算＝100点
乳幼児加算＝12点（情報通信機器を用いた場合）
（1回につき）

※薬学的管理及び指導
・体重、適切な剤形その他必要な事項等の確認
・適切な服薬方法、誤飲防止等の必要な服薬指導

■小児特定加算

児童福祉法第56条の6第2項に規定する障害児である18歳未満の患者またはその家族等に患者の服薬状況等を確認した上で、当該患者またはその家族等に対し、当該患者の状態に合わせた必要な薬学的管理及び指導を行った場合に加算します。ただし、乳幼児加算との併算定は不可です。

小児特定加算＝450点
小児特定加算＝350点（情報通信機器を用いた場合）
（1回につき）

■在宅中心静脈栄養法加算

届け出をした保険薬局において、在宅中心静脈栄養法を行っている患者に対して、その投与及び保管の状況、配合変化の有無について確認し、必要な薬学的管理及び指導を行った場合に加算します。

在宅中心静脈栄養法加算＝150点　（1回につき）

■夜間・休日・深夜訪問加算

在宅患者緊急訪問薬剤管理指導料1について、末期の悪性腫瘍の患者及び注射による麻薬の投与が必要な患者に対して、保険医の求めにより開局時間以外の夜間、休日または深夜に、緊急に患家を訪問して必要な薬学的管理及び指導を行った場合に加算します。

夜間訪問加算＝400点
休日訪問加算＝600点
深夜訪問加算＝1,000点

11　在宅患者緊急時等共同指導料

訪問薬剤管理指導を実施している保険薬局の保険薬剤師が、在宅での療養を行っている患者であって通院が困難なものの状態の急変等に伴い、当該患者の在宅療養を担う保険医療機関の保険医の求めにより、当該保険医療機関の保険医等、歯科訪問診療を実施している保険医療機関の保険医である歯科医師等、訪問看護ステーションの保健師、助産師、看護師、理学療法士、作業療法士もしくは言語聴覚士、介護支援専門員または相談支援専門員と共同で患家に赴き、カンファレンスに参加し、それらの者と共同で療養上必要な指導を行った場合に、月２回に限り算定します。

在宅患者緊急時等共同指導料＝700点　（月２回限り）

※在宅患者緊急訪問薬剤管理指導料は別に算定不可。

※情報通信機器を用いての場合は、在宅患者オンライン薬剤管理指導料を算定し、在宅患者緊急時等共同指導料は算定不可。

※特別調剤基本料Ｂを算定している保険薬局は、算定できない。

麻薬管理指導加算＝100点

在宅患者医療用麻薬持続注射療法加算＝250点

乳幼児加算＝100点

小児特定加算＝450点

在宅中心静脈栄養法加算＝150点

※　上記５つの加算内容については、「在宅患者訪問薬剤管理指導料」の加算に準じます（P.119～121参照のこと）。

12　在宅患者重複投薬・相互作用等防止管理料

在宅患者重複投薬・相互作用等防止管理料１
（処方箋に基づき処方医に処方内容を照会し、処方内容が変更された場合）
イ　残薬調整に係るもの以外の場合＝40点
ロ　残薬調整に係るものの場合　　＝20点
在宅患者重複投薬・相互作用等防止管理料２
（患者へ処方箋を交付する前に処方医と処方内容を相談し、処方に係る提案が反映された処方箋を受け付けた場合）
イ　残薬調整に係るもの以外の場合＝40点
ロ　残薬調整に係るものの場合　　＝20点

（受付１回につき）

［留意事項］

・重複投薬・相互作用等防止加算、服薬管理指導料、かかりつけ薬剤師指導料またはかかりつけ薬剤師包括管理料を算定している患者については算定しない。

13　経管投薬支援料

経管投薬が行われている患者が簡易懸濁法を行うに当たり、医師の求め等に応じて薬剤師が必要な支援（適した薬剤の選択の支援、家族等が簡易懸濁法での経管投薬を行うための指導、必要に応じて医療機関へ患者の服薬状況や家族等の理解度を情報提供）を行ったときに算定します。

経管投薬支援料＝100点　（初回のみ）

［算定要件］

・胃瘻（いろう）もしくは腸瘻（ちょうろう）による経管投薬または経鼻経管投薬を行っている患者もしくはその家族等の求めがあった場合等、服薬支援の必要性が認められ、処方医の了解を得たとき、または保険医療機関からの求めがあった場合に、当該患者の同意を得た上で、簡易懸濁法による薬剤の服用に関して必要な支援を行った場合に、初回に限り算定。

14　退院時共同指導料

保険医療機関に入院中の患者について、当該患者の退院後の訪問薬剤管理指導を担う保険薬局として当該患者が指定する保険薬局の保険薬剤師が、当該患者の同意を得て、退院後の在宅での療養上必要な薬剤に関する説明及び指導を、入院中の保険医療機関の保険医または保健師、助産師、看護師、准看護師、薬剤師、管理栄養士、理学療法士、作業療法士、言語聴覚士もしくは社会福祉士と共同して行った上で、文書により情報提供した場合に算定します。

退院時共同指導料＝600点　（入院中１回限り･末期の悪性腫瘍患者等は２回）

［留意事項］

⑴　退院後在宅での療養を行う患者が算定対象のため、死亡退院や他の保険医療機関、社会福祉施設、介護老人保健施設、介護老人福祉施設に入院もしくは入所の場合は、対象外。

⑵　保険薬局の保険薬剤師が、ビデオ通話が可能な機器を用いて共同指導した場合でも算定可能。

⑶　特別調剤基本料Ｂを算定している保険薬局は、算定できない。

15　在宅移行初期管理料

在宅療養へ移行が予定されている患者であって通院が困難なもののうち、服薬管理に係る支援が必要なものに対して、当該患者の訪問薬剤管理指導を担う保険薬局として当該患者が指定する保険薬局の保険薬剤師が、当該患者の同意を得て、当該患者の在宅療養を担う保険医療機関等と連携して、在宅療養を開始するに当たり必要な薬学的管理及び指導を行った場合に、当該患者において在宅患者訪問薬剤管理指導料の１その他厚生労働大臣が定める費用を算定した初回算定日の属する月に１回に限り算定します。

在宅移行初期管理料＝230点

［算定要件］

・在宅移行初期管理料を算定した日には､外来服薬支援料１は算定できない。

・特別調剤基本料Ｂを算定している保険薬局においては、算定できない。

・在宅移行初期管理に要した交通費は、患家の負担とする。

練習問題・・・・・・・・・・・・・・・解説

□1　服薬管理指導料は、患者ごとに作成した薬剤服用歴の記録に基づいて、薬剤師が薬剤の服用などについて、基本的な説明・指導を行った場合に算定する。

○1　患者が服用する薬剤のおもな情報を文書などで患者に提供します。

□2　薬剤服用歴の記録は、最終の記入の日から起算して1年間保存する。

×2　3年間保存します。

□3　服薬管理指導料は、今日初めて調剤を行った患者に対しても算定することができる。

○3　設問のとおり。第1回目の処方箋受付時から算定できます。

□4　服薬管理指導料は、薬剤師が患者に対して指導等のすべてを行った場合に算定する。

○4　設問のとおり。

□5　異なる保険医療機関で発行された処方箋に対して、重複投薬または相互作用防止の目的で両名の医師に照会を行っても、重複投薬・相互作用等防止加算の算定はできない。

×5　複数の保険医療機関・診療科から交付された場合で受付時点が異なっていても、条件を満たしていれば算定できます。

□6　重複投薬・相互作用防止の目的で、処方箋を交付した医師に連絡・確認を行った場合、処方内容の変更の有無に関係なく加算点数を算定することができる。

×6　処方医の同意を得て処方の変更がされた場合に加算します。

□7　重複投薬・相互作用等防止加算

×7　算定できます。

は、院内投薬と院外処方箋による投薬に係る処方変更については算定できない。

□8　保険調剤を行うために都道府県に申請をして指定を受けた保険調剤薬局は、6年ごとに再指定（更新）を受けなければならない。

×8　保険調剤薬局として保険調剤を行うには、厚生労働大臣に申請して指定を受けなければなりません。

□9　調剤録は、最終の記入日から3年間の保存期間が定められている。

○9　設問のとおり。なお、処方箋は調剤が完了した日から3年間です。

□10　在宅患者訪問薬剤管理指導料を算定した月は、外来服薬支援料1や服薬情報等提供料は算定できない。

○10　服薬管理指導料、かかりつけ薬剤師指導料及びかかりつけ薬剤師包括管理料についても、臨時投薬以外は同一月に算定できません。

□11　厚生労働大臣が定める薬剤は一度に投与する単位数に限度があり、限度は14日、30日、または60日である。

×11　投薬量は、予見可能な必要期間に従ったものでなければならず、厚生労働大臣が定める内服薬及び外用薬については、厚生労働大臣が定める内服薬及び外用薬ごとに1回14日分、30日分または90日分を限度とします。

□12　喘息の患者に吸入薬が処方され、文書を用いて指導した場合、吸入薬指導加算を算定できる。

×12　吸入薬指導加算の算定要件は、下記の4つが必要です。

- 医療機関または患者、家族の求めがある
- 患者の同意を得る
- 文書及び練習用吸入器を用いて実技指導

・医療機関へ文書で情報提供

□13　重複投薬・相互作用等防止加算は、薬剤服用歴に基づき併用薬や飲食物等との飲み合わせを防ぐために処方医に連絡確認を行った場合、算定できる。

×13　処方医に連絡確認の結果、処方内容に変更がされなければ算定できません。

□14　かかりつけ薬剤師指導料は、患者の同意を得たときから算定できる。

×14　患者の同意を得た後の次回の処方箋受付時以降に、かかりつけ薬剤師が服薬指導等を行った場合に算定します。

□15　かかりつけ薬剤師は1人の患者に対して、1か所の保険薬局の1人の保険薬剤師のみがその患者のかかりつけ薬剤師となれる。

○15　設問のとおり。

□16　薬剤服用に関する指導などを行う対象である「患者または家族など」とは、介護老人福祉施設等の場合、直接看護や介護にあたっている者も該当する。

○16　設問のとおり。薬剤を直接管理している者が該当します。

□17　オンライン服薬指導を行う場合、緊急な場合であれば、当該薬局外で行ってもさしつかえない。

○17　設問のとおり。

□18　医療機関において抗悪性腫瘍剤を注射していない患者でも、抗悪性腫瘍剤を調剤した場合は、特定薬剤管理指導加算2を算定する。

×18　特定薬剤管理指導加算2の算定には、下記のすべてを満たしている必要があります。患者が「医療機関において抗悪性腫瘍剤の注射を受けている」「化学療法に必要なレジメンの交付を受けている」。薬局は「副作用の発現状況や治療計画を確認する」「患者の同意を得て、抗悪性腫瘍剤に関する副作用等を確認し、医療機関に文書により情報提供する」。抗悪性腫瘍剤を調剤しただけでは、特定薬剤管理指導加算2は算定できません。

□**19**　外来服薬支援料1は、在宅患者訪問薬剤管理指導料を算定している患者、もしくは、他の保険医療機関または保険薬局の薬剤師が訪問薬剤管理指導を行っている患者には算定できない。

○**19**　設問のとおり。

□**20**　外来服薬支援1を行うにあたっては、ほかの保険薬局で調剤された薬剤の服用状況を確認する必要はない。

×**20**　ほかの保険薬局または保険医療機関で調剤された薬剤や、服用中の要指導医薬品等も含めて服用状況を確認し、整理等も行います。

□**21**　8日分の内服薬に一包化を行った場合の薬剤調製料と外来服薬支援料2の合計は、71点である。

×**21**　薬剤調製料は、内服薬なので24点。外来服薬支援料2は、7日目まで34点、7日または端数を増すごとに34点で合計24＋68＝92点です。

□**22**　外来服薬支援料2は、内服薬を服用時点ごとに一包化した場合に算定する。

○**22**　設問のとおり。

□**23**　特定薬剤管理指導加算1は、

○**23**　設問のとおり。

特に安全管理が必要な医薬品（ハイリスク薬）を調剤した場合で、副作用の有無等を確認し、必要な管理・指導を行った場合に算定する。

□**24**　在宅患者訪問薬剤管理指導料は、1（単一建物診療患者が1人の場合）と2（単一建物診療患者が2人以上9人以下の場合）を合わせて、保険薬剤師1人につき週に40回に限り算定する。

×**24**　在宅患者訪問薬剤管理指導料1、2、3及び在宅患者オンライン薬剤管理指導料を合わせて、保険薬剤師1人につき週40回に限り算定します。

□**25**　在宅患者訪問薬剤管理指導料は、あらかじめ地方厚生局長等に届け出ていない保険薬局においても、算定することができる。

×**25**　あらかじめ、在宅患者訪問薬剤管理指導を行う旨を地方厚生局長等に届け出た保険薬局において、算定することができます。

□**26**　在宅患者訪問薬剤管理指導料を算定している場合は、どのような場合も服薬管理指導料は算定できない。

×**26**　別の疾病・負傷に臨時の投薬が行われた場合は算定できます。

□**27**　在宅患者訪問薬剤管理指導料を算定する患者への処方薬に麻薬が含まれており、麻薬に関する必要な薬学的管理・指導を行ったため、麻薬管理指導加算として22点を加算した。

×**27**　在宅患者訪問薬剤管理指導料に対する麻薬管理指導加算の点数は100点です。服薬管理指導料または在宅患者オンライン薬剤管理指導料へ加算する場合が22点です。

□**28**　在宅患者訪問薬剤管理指導に要した交通費は、点数に換算してレセプトにて請求する。

×**28**　訪問指導に要した交通費は実費で患者の負担となります。

□29　在宅患者緊急時等共同指導料は、在宅療養を行っている患者の状態の急変などに際して、医療関係者が集まり、診療方針等についてカンファレンスを行い、患者に指導を行った場合に算定する。

○29　設問のとおり。カンファレンスを行うことで、より適切な治療方針を立てることが可能になります。

□30　退院時共同指導料は、退院後の在宅での療養上必要な薬剤についての説明・指導を、入院中の患者に同意を得て情報提供した場合に、算定する。ただし文書による情報提供の必要はない。

×30　文書による情報提供をした場合に算定します。なお、医師・看護師等と共同して、患者に説明と指導を行った上で文書を提供します。

□31　かかりつけ薬剤師指導料及びかかりつけ薬剤師包括管理料は、介護老人福祉施設等に入所している患者に対しても、患者の同意を得た後の次回の処方箋受付時以降に算定できる。

×31　介護老人福祉施設等に入所している患者に対して、かかりつけ薬剤師指導料及びかかりつけ薬剤師包括管理料は算定できません。施設での適切な服薬管理等を支援するための「服薬管理指導料３」を算定します。

□32　かかりつけ薬剤師包括管理料は、患者の同意を得た後の次回の処方箋受付時以降に保険薬剤師が服薬指導等を行った場合に算定する。

×32　かかりつけ薬剤師が行うのが原則です。ただし、やむをえず対応する場合には、要件を満たせば服薬管理指導料が算定できます。

□33　かかりつけ薬剤師指導料やかかりつけ薬剤師包括管理料を算定している患者には服薬情報等提供料は算定できない。

○33　在宅患者訪問薬剤管理指導料を算定している患者についても服薬情報等提供料は算定できません。

まとめ

薬学管理料とその加算

	名　　称	備　　考	略称	点数
1	調剤管理料	1．内服薬（内服用滴剤、浸煎薬、湯薬、屯服薬を除く） 7日分以下 8日～14日分 15日～28日分 29日分以上		 4 28 50 60
		2．1以外の場合（1を算定した場合は、2の算定は不可）		4
	重複投薬・相互作用等防止加算 ※処方変更が行われた場合	イ．残薬調整に係るもの以外	防A	40
		ロ．残薬調整に係るものの場合	防B	20
	調剤管理加算	複数医療機関から6種類以上内服薬処方の処方患者 イ．初回	調管A	3
		ロ．2回目以降で処方変更時又は処方追加	調管B	3
	医療情報取得加算1	オンライン資格確認を導入している（6月に1回）	医情A	3
	医療情報取得加算2	電子資格確認による薬剤情報等を取得（6月に1回）	医情B	1
	時間外加算	おおむね6時～8時、18時～22時（100/100加算）	調時	
	休日加算	日曜、祝祭日、年末12/29～31、1/2・3（140/100加算）	調休	
	深夜加算	22時～翌朝6時（200/100加算）	調深	
2	服薬管理指導料1	3月以内の再来局　手帳を持参（1回につき）	薬A	45
	服薬管理指導料2	3月以内の再来局　手帳を持参していない（1回につき）	薬B	59
		3月以内の再来局なし（1回につき）	薬C	59
	服薬管理指導料3 ※介護老人福祉施設等入所者	3月以内の再来局　手帳を持参（月4回）	薬3A	45
		3月以内の再来局　手帳を持参していない（月4回）	薬3B	45
		3月以内の再来局なし（月4回）	薬3C	45
	服薬管理指導料4 ※情報通信機器を用いた服薬指導	3月以内の再来局　手帳を提示（1回につき）	薬オA	45
		3月以内の再来局　手帳を提示していない（1回につき）	薬オB	59
		3月以内の再来局なし（1回につき）	薬オC	59
	服薬管理指導料（注13特例） ※手帳を持参した患者5割以下 ※加算の算定不可	3月以内の再来局　手帳を持参（1回につき）	特1A	13
		3月以内の再来局　手帳を持参していない（1回につき）	特1B	13
		3月以内の再来局なし（1回につき）	特1C	13
		情報機器を用いた服薬指導　3月以内手帳提示（1回につき）	特1オA	13

	名称	備考	略称	点数
2	服薬管理指導料（注13特例） ※手帳を持参した患者5割以下 ※加算の算定不可	情報機器を用いた服薬指導　3月以内手帳提示なし（1回につき）	特1オB	13
		情報機器を用いた服薬指導　3月以内来局なし（1回につき）	特1オC	13
	服薬管理指導料（注14特例） ※かかりつけ薬剤師指導料算定患者に別の薬剤師が対応	3月以内の再来局　手帳を持参（1回につき）	特2A	59
		3月以内の再来局　手帳を持参していない（1回につき）	特2B	59
		3月以内の再来局なし（1回につき）	特2C	59
		情報機器を用いた服薬指導　3月以内手帳提示（1回につき）	特2オA	59
		情報機器を用いた服薬指導　3月以内手帳提示なし（1回につき）	特2オB	59
		情報機器を用いた服薬指導　3月以内来局なし（1回につき）	特2オC	59
	麻薬管理指導加算	1回につき	麻	22
	特定薬剤管理指導加算1	イ　特に安全管理が必要な医薬品を新たに処方（1回につき） ロ　特に安全管理が必要な医薬品の指導を認めた場合（1回につき）	特管Aイ 特管Aロ	10 5
	特定薬剤管理指導加算2	抗悪性腫瘍剤の投薬又は注射に関する情報を医療機関に文書で提供（月1回限り）	特管B	100
	特定薬剤管理指導加算3	イ　医薬品リスク管理計画に基づく指導、対象医薬品の最初の処方時1回 ロ　選定療養（長期収載品の選択）等の説明及び指導、対象薬の最初の処方時1回	特管Cイ 特管Cロ	5 5
	乳幼児服薬指導加算	6歳未満（1回につき）	乳	12
	小児特定加算	医療的ケア児（18歳未満）（1回につき）	小特	350
	吸入薬指導加算	喘息又は慢性閉塞性肺疾患の患者（3月に1回限り）	吸	30
3	かかりつけ薬剤師指導料 ※同意を得た次の来局時から	かかりつけ薬剤師が服薬指導を行った場合（1回につき）	薬指	76
		かかりつけ薬剤師が情報通信機器を用いた場合（1回につき）	薬指オ	76
	麻薬管理指導加算	1回につき	麻	22
	特定薬剤管理指導加算1	特に安全管理が必要な医薬品（1回につき） イ　新たな処方 ロ　指導の必要	特管Aイ 特管Aロ	10 5
	特定薬剤管理指導加算2	抗悪性腫瘍剤の投薬又は注射に関する情報を医療機関に文書で提供（月1回限り）	特管B	100
	特定薬剤管理指導加算3	イ　医薬品リスク管理計画に基づく指導、対象医薬品の最初の処方時1回 ロ　選定療養（長期収載品の選択）等の説明、対象薬の最初の処方時1回	特管Cイ 特管Cロ	5 5
	乳幼児服薬指導加算	6歳未満（1回につき）	乳	12

	名称	備考	略称	点数
3	小児特定加算	医療的ケア児（18歳未満）（1回につき）	小特	350
	吸入薬指導加算	喘息又は慢性閉塞性肺疾患の患者（3月に1回限り）	吸	30
4	かかりつけ薬剤師包括管理料	かかりつけ薬剤師が服薬指導を行った場合（1回につき）	薬包	291
		かかりつけ薬剤師が情報通信機器を用いた場合（1回につき）	薬包オ	291
5	外来服薬支援料1	月1回限り	支A	185
	外来服薬支援料2	一包化支援　イ　42日以下の場合（7日ごと加算） ロ　43日以上	支B	34 240
	施設連携加算	入所中の患者を訪問し、施設職員と協働した服薬管理・支援をした場合（月1回限り）	施連	50
6	服薬情報等提供料1	保険医療機関の求めがあった場合（月1回限り）	服A	30
	服薬情報等提供料2	薬剤師が必要と判断し、文書による情報提供をした場合（月1回限り） イ）保険医療機関 ロ）リフィル処方箋の調剤後 ハ）介護支援専門員	服Bイ 服Bロ 服Bハ	20 20 20
	服薬情報等提供料3	入院前の持参薬の管理、医療機関からの求めがあり、患者の同意を得た場合　（3月に1回）	服C	50
7	服用薬剤調整支援料1	内服薬6種類以上→2種類以上減少（月1回限り）	剤調A	125
	服用薬剤調整支援料2	処方医への重複投薬等の解消提案（3月に1回） イ　取り組み実績のある薬局 ロ　イ以外の薬局	剤調B 剤調C	110 90
8	調剤後薬剤管理指導料 ※地域支援体制加算算定薬局	1）糖尿病患者、糖尿病用剤の新たな処方または投薬内容の変更（月1回） 2）慢性心不全患者、心疾患による入院経験あり（月1回）	調後A 調後B	60 60
9	在宅患者訪問薬剤管理指導料 ※患者1人につき1～3及びオンラインを合わせて月4回（末期の悪性腫瘍患者等対象患者は週2回かつ月8回）。1～3合わせて保険薬剤師1人につき週40回限り	1．単一建物診療患者が1人の場合	訪A	650
		2．単一建物診療患者が2人以上9人以下の場合	訪B	320
		3．単一建物診療患者が10人以上	訪C	290
	麻薬管理指導加算	1回につき	麻	100
	在宅患者医療用麻薬持続注射療法加算	医療用麻薬持続注射療法を行っている在宅患者（1回につき）	医麻	250
	乳幼児加算	6歳未満（1回につき）	乳	100
	小児特定加算	医療的ケア児（18歳未満）（1回につき）	小特	450

	名　　称	備　　考	略称	点数
9	在宅中心静脈栄養法加算	在宅中心静脈栄養法を行っている患者（1回につき）	中静	150
	在宅患者オンライン薬剤管理指導料	患者1人につき1～3及びオンラインを合わせて月4回（末期の悪性腫瘍患者等対象患者は週2回かつ月8回）。1～3合わせて保険薬剤師1人につき週40回限り	在オ	59
	麻薬管理指導加算(オンライン)	1回につき	麻オ	22
	乳幼児加算（オンライン）	6歳未満（1回につき）	乳オ	12
	小児特定加算（オンライン）	医療的ケア児（18歳未満）（1回につき）	小特オ	350
10	在宅患者緊急訪問薬剤管理指導料1	計画的な訪問薬剤指導に係る疾患の急変 1・2、オンラインを合わせて月4回。末期の悪性腫瘍患者等対象患者は原則月8回	緊訪A	500
	在宅患者緊急訪問薬剤管理指導料2	1以外 1・2、オンラインを合わせて月4回。末期の悪性腫瘍患者等対象患者は原則月8回	緊訪B	200
	在宅患者緊急訪問薬剤管理指導料（注10）	新感染症等の発生時や蔓延時の対応	感訪	500
	麻薬管理指導加算	1回につき	麻	100
	在宅患者医療用麻薬持続注射療法加算	医療用麻薬持続注射療法を行っている在宅患者（1回につき）	医麻	250
	乳幼児加算	6歳未満（1回につき）	乳	100
	小児特定加算	医療的ケア児（18歳未満）（1回につき）	小特	450
	在宅中心静脈栄養法加算	在宅中心静脈栄養法を行っている患者	中静	150
	夜間訪問加算	末期の悪性腫瘍の患者 注射による麻薬投与が必要な患者	夜訪	400
	休日訪問加算		休訪	600
	深夜訪問加算		深訪	1000
	在宅患者緊急オンライン薬剤管理指導料	計画的な訪問薬剤指導に係る疾患の急変 1・2、オンラインを合わせて月4回。末期の悪性腫瘍患者等対象患者は原則月8回	緊在オ	59
	在宅患者緊急オンライン薬剤管理指導料（注10）	新感染症等の発生時や蔓延時の対応	感オ	59
	麻薬管理指導加算(オンライン)	1回につき	麻オ	22
	乳幼児加算（オンライン）	6歳未満（1回につき）	乳オ	12
	小児特定加算（オンライン）	医療的ケア児（18歳未満）（1回につき）	小特オ	350
11	在宅患者緊急時等共同指導料	月2回限り	緊共	700
	麻薬管理指導加算	1回につき	麻	100
	在宅患者医療用麻薬持続注射療法加算	医療用麻薬持続注射療法を行っている在宅患者（1回につき）	医麻	250
	乳幼児加算	6歳未満（1回につき）	乳	100
	小児特定加算	医療的ケア児（18歳未満）（1回につき）	小特	450

	名　称	備　考	略称	点数
11	在宅中心静脈栄養法加算	在宅中心静脈栄養法を行っている患者（1回につき）	中静	150
12	在宅患者重複投薬・相互作用等防止管理料1	疑義照会に伴う処方変更（1回につき） イ　残薬調整に係るもの以外の場合 ロ　残薬調整に係るものの場合	在防Aイ 在防Aロ	40 20
	在宅患者重複投薬・相互作用等防止管理料2	処方箋交付前の処方提案に伴う処方箋（1回につき） イ　残薬調整に係るもの以外の場合 ロ　残薬調整に係るものの場合	在防Bイ 在防Bロ	40 20
13	経管投薬支援料	初回限り	経	100
14	退院時共同指導料	入院中1回限り (別に厚生労働大臣が定める疾病等の患者は入院中2回まで)	退共	600
15	在宅移行初期管理料	在宅療養開始前の管理・指導及び在宅患者訪問薬剤管理指導料等の初回に算定	在初	230

薬剤料、特定保険医療材料料

1　薬剤料

処方された薬剤の価格を一定の計算式にあてはめ、金額の点数に換算したものを「薬剤料」といいます。

■薬剤料の所定単位

薬剤料は「所定単位×投与単位」で算定しますが、所定単位は各区分により異なります。

区分	所定単位		投与単位
内服薬	1剤1日分	×	日数
内服用滴剤	1調剤分	×	調剤数
浸煎薬	1調剤分	×	調剤数
湯薬	1剤1日分	×	日数
屯服薬	1調剤分		
外用薬	1調剤分	×	調剤数
注射薬	1調剤分	×	調剤数

1剤とは同区分で同時に配合され、服用・使用が同一のものです。1種類の薬剤で「1剤」という場合と、2種類以上の薬剤を合わせて「1剤」という場合とがあります。(P.81参照のこと)

内服薬は1日分を所定単位としますが、屯服薬、外用薬などは患者に一度に手渡した薬剤の総量を所定単位とします。

例をあげて説明すると、内服薬の場合は次のようになります。

［例1］

(処方)	(薬剤名)	(投与単位)	(服用時点)	(投与日数)
Rp	ラシックス錠20mg	3T	分3毎食後	7日分

この場合は、1種類の内服薬3錠を単独に投与していますから、1薬で1剤ということになります。

［例２］　Rp　マドパー配合錠　　　6T
　　　　　　シンメトレル錠50mg　3T　　分３毎食後　　７日分

この場合は内服薬２種類を服用時点を同一にして、同時に服用するものと考えます。したがって、この２薬を合わせて１剤とします。

また、外用薬を例にあげると、

［例］Rp　ベトネベートクリーム　0.12%　　10g　　２本

この場合は　10 g × 2 = 20 g　が総量です。つまり、何回分・何日分を投与したに関係なく、そのとき一度に投与した総量が１単位となりますから、それが１調剤分となります。

■薬剤料の計算方法

〈計算式〉

・所定単位分の合計薬価が15円以下の場合は１点を算定。

・所定単位分の合計薬価が15円を超える場合は、

$$\left(\frac{\text{合計薬価} - 15}{10}\right)\text{点} + 1\text{点}$$

＊小数点以下切り上げ

［例］　（処方）　（薬剤名）　（投与単位）　（服用時点）　（投与日数）
　　　　Rp　プレドニゾロン錠５mg「NP」　2T　　分２朝夕食後　　７日分

プレドニゾロン錠5mg「NP」の単価を、薬価表から引くと１錠が9.80円です。内服薬ですから所定単位は１剤１日分で、２錠が１日分の服用量ですから、

9.80円×2T＝19.60円

これは15円を超えていますので、計算式にあてはめて点数に換算します。

$$\left(\frac{19.6 - 15}{10}\right) + 1 = \frac{4.6}{10} + 1 = \frac{14.6}{10} = 1.46\ (\text{点})$$

小数点以下を切り上げて２点となり、

薬剤料は　２点×７日分＝14点　となります。

薬剤料の計算は以上のような方法で行いますが、普通はもっと簡単な次のような方法で計算します。

〈速算法〉

・所定単位分の合計薬価が15円以下の場合は１点を算定。

・所定単位分の合計薬価が15円を超える場合は、

$$\frac{\text{合計薬価}}{10}\text{点}$$ ＊小数点以下５捨５超入

この計算方法は「５捨５超入」といいます。つまり所定単位分の薬価が15円を超えるときは、薬価を10で割って小数点以下が「５」以下は切り捨てて、「５」を超えれば切り上げるわけです。

具体的に例をあげると右のようになります。

> ５捨５超入……「５」までは切り捨て、「５」を超えたら切り上げ。
> ・13.5→13
> （「５」ちょうどは切り捨てる。）
> ・34.7→35
> （「５」を超えているので切り上げる。）
> ・23.51→24
> （「５」を少しでも超えていれば切り上げる。）

この５捨５超入の方法で、先の例をもう一度計算してみましょう。

Rp　プレドニゾロン錠５mg「NP」　2T　分２朝夕食後　７日分

２錠で19.60円ですから、

$$\frac{19.6}{10}=1.96$$

小数点以下は0.96で「５」を超えていますから切り上げて２点となり、

薬剤料は　２点×７日分＝14点　となります。

「５捨５超入」は薬剤料算定の基本です。しっかり理解しておきましょう。

■内服薬の薬剤料

「薬剤料の所定単位」で簡単に説明しましたが、内服薬の「１剤」の考え方には理解しにくい点があります。ここではいくつかの例をあげて、５捨５超入の計算方法と共に理解を深めておきましょう。

［例１］ Rp　インデラル錠10mg　3T　(1T＝10.10円)
分3毎食後　3日分

３日分とありますから、これは内服薬になります。所定単位は１剤１日分

です。この場合は、インデラル錠３錠が１日分ですから、

10.10円×3T＝30.30円　が１日分の薬価になります。

５捨５超入の方法で点数に換算すると、

$$\frac{30.30}{10}=3.03$$

小数点以下が「５」以下なので切り捨て３点になります。内服薬の薬剤料は「１剤１日分×日数」ですから、

３点×３日分＝９点　が薬剤料になります。

［例2］ Rp カルボシステイン錠250㎎「トーワ」 3T （1Ｔ＝ 6.70円）
ケフレックスカプセル250㎎ 3C （1Ｃ＝31.50円）
M・M配合散 3.0 （1ｇ＝ 6.30円）
分３毎食後　　４日分

［例1］はインデラル錠１種類で１剤でしたが、この例では３種類を同時に服用するので、３種類で１剤です。このような場合、薬価はすべて合算します。

(6.70円×3T)＋(31.50円×3C)＋(6.30円×３ｇ)＝133.50円

$$\frac{133.5円}{10}=13.35点\rightarrow 13点$$

小数点以下は「５」以下なので切り捨てます。

薬剤料は　13点×４日分＝52点　となります。

［例３］ Rp①
タンナルビン 2.0 (1g＝7.00円)
次硝酸ビスマス「シオエ」 0.8 (1g＝8.30円)
アドソルビン原末 2.0 (10g＝7.50円)
分３毎食後　　５日分

Rp②
アスベリンシロップ0.5％ 4㎖ (10㎖＝19.70円)
ムコダインシロップ５％ 4㎖ (1㎖＝6.10円)
ポンタールシロップ3.25％ 10㎖ (1㎖＝6.50円)
分３毎食後　　５日分

この例では処方の①が内服用固型剤（錠剤、カプセル剤、散剤など)、処方の②が内服用液剤です。このように服用時点は同じでも、内服用固型剤と

内服用液剤では別剤としてそれぞれ計算します。

Rp①は

$$(7.00円\times 2\,g)+(8.30円\times 0.8\,g)+\left(\frac{7.50円}{10}\times 2\,g\right)=22.14円$$

$$\frac{22.14円}{10}\rightarrow 2点$$

薬剤料は　2点×5日分＝10点　となります。

なお粉薬の場合、処方箋の記載には服用量の「g」が省略されることがあります。「タンナルビン2.0」は「タンナルビン2g」と読みとります。「g」を省略する場合は、「タンナルビン2.0」のように小数点第1位まで記載します。

Rp②は

$$\left(\frac{19.70円}{10}\times 4\,mL\right)+(6.10円\times 4\,mL)+(6.50円\times 10\,mL)=97.28円$$

$$\frac{97.28円}{10}\rightarrow 10点$$

薬剤料は　10点×5日分＝50点　となります。

■浸煎薬の薬剤料

浸煎薬の所定単位は1調剤分 です。処方箋には「1日分の量×何日分」と、内服薬のように記載される場合がありますので注意しましょう。

［例］	Rp	ダイオウ	0.5 g	（10 g ＝20.00円）
		サイコ	2.5 g	（10 g ＝46.10円）
		オウゴン	1.5 g	（10 g ＝20.00円）

分3　毎食前×14日分（浸煎薬として）

次のように、まず1調剤分を計算します。

ダイオウ	0.5 g × 14 = 7 g
サイコ	2.5 g × 14 = 35 g
オウゴン	1.5 g × 14 = 21 g

生薬は10gあたりでの薬価収載がほとんど なので、10で割って、1gあたりに直してから計算しましょう。

(20.00 × 0.7) + (46.10 × 3.5) + (20.00 × 2.1) = 217.35→22点

薬剤料は　22点×1調剤分＝22点　となります。

■湯薬の薬剤料

湯薬の所定単位は1剤1日分 です。

［例］	Rp	ダイオウ	0.5 g	（10 g ＝ 20.00円）
		サイコ	2.5 g	（10 g ＝ 46.10円）
		オウゴン	1.5 g	（10 g ＝ 20.00円）

分3　毎食前×14日分（湯薬として）

計算では、まず1日分を計算します。

ダイオウ	2.00円 × 0.5 g ＝ 1→1円
サイコ	4.61円 × 2.5 g ＝ 11.525→11.525円
オウゴン	2.00円 × 1.5 g ＝ 3→3円

1 + 11.525 + 3 ＝ 15.525円→1.5525点なので2点となります。

薬剤料は　2点×14日分＝28点　となります。

■屯服薬の薬剤料

内服薬が定期的に服用する薬なのに対して、屯服薬は熱や痛みなどの症状があるときにだけ、臨時的に服用する薬ですから、処方箋に「何日分」などとは記載されません。

［例］Rp　ボルタレン錠25mg　1錠　疼痛時服用3回分（1錠＝7.90円）

屯服薬はこのように「何回分」などと記載されます。

屯服薬は1調剤分が所定単位 です。「1錠」が1回分の服用量ですから、3回分の投与で　1錠× 3 ＝ 3錠　が1調剤分です。

合計薬価は　7.90円× 3錠＝23.70円です。

$$\frac{23.70円}{10} = 2.37 \rightarrow 2点$$

薬剤料は　2点×1調剤分＝2点　となります。

■外用薬の薬剤料

外用薬の所定単位は１調剤分 です。

［例１］ Rp　コンベック軟膏５％　５g２本　(1g＝14.30円)

軟膏の投与ですから外用薬です。投与量全部の合計薬価を求めます。

５g×２本＝10g　14.30円×10g＝143円

$$\frac{143円}{10}\rightarrow 14点$$

薬剤料は　14点×１調剤分＝14点　となります。

総投与量が点数となるため、外用薬はいつも１調剤分 です。

［例２］ Rp　アクロマイシントローチ15mg　4T　(1T＝7.90円)
１日４回適時使用　５日分

トローチは飲みこまずに口の中に含んで、喉の粘膜から吸収させる薬剤で、外用薬です。１日４錠で５日分の20錠が１調剤の全量になります。

7.90円×20錠＝158.0円

$$\frac{158.0円}{10}\rightarrow 16点$$　が薬剤料です。

［例3］ Rp
(リンデロン－Ｖ軟膏0.12％　５g　(1g＝18.60円)
アズノール軟膏0.033％　20g　(10g＝53.00円))
混合　１日２～３回塗布

２種類の外用薬を混合していますので、合わせて１調剤となります。

$$(18.60円\times 5g)+\left(\frac{53.00円}{10}\times 20g\right)=199円$$

$$\frac{199円}{10}\rightarrow 20点$$　が薬剤料です。

■注射薬の薬剤料

注射薬の薬剤料も１調剤分が所定単位 です。

［例］ Rp　ヒューマリンＮ注100単位/mL　100単位1mLバイアル　20mL
(1mL＝278円)

20mLが1調剤分です。

$$278円 \times 20mL = 5,560円$$

$$\frac{5,560円}{10} = 556点$$ が薬剤料です。

2　特定保険医療材料料

保険薬局で交付できる特定保険医療材料は、自己注射のために調剤した注射薬に用いる、ディスポーザブル注射器（針を含む）、在宅で寝たきりの患者に用いるディスポーザブルカテーテルや在宅中心静脈栄養法などに用いる器材のセットなどです。注射器、注射針のみを処方箋により投与することはできません。

■算定方法

特定保険医療材料料の算定方法は次のとおりです。

$$特定保険医療材料料 = \frac{材料価格}{10円}点$$ （小数点以下４捨５入）

＊材料価格は点数表で定められています。

［例］Rp① ヒューマリンN注100単位/mL　100単位1mLバイアル　20mL
Rp② ディスポーザブル注射器テルモマイジェクター　30本（1本＝17円）

Rp②のディスポーザブル注射器テルモマイジェクターが特定保険医療材料で、その価格が1本17円のものを30本処方されているわけですから、

$$17円 \times 30本 = 510円$$

$$\frac{510円}{10} = 51点$$ となります。

練習問題・・・・・・・・・・・・・・・・・・解説

□1　使い捨てではない薬剤の容器代金も、点数に換算してレセプトで請求できる。

×1　容器代金をレセプトで支払基金などに請求することはできません。

□2　薬剤の容器代を徴収・請求することはできないが、薬包紙については例外である。

×2　薬包紙（やくほうし）や薬袋（やくたい）について、その費用を徴収・請求することはできません。

□3　患者から実費を徴収して、薬剤の容器を交付できる。

○3　設問のとおり。

□4　患者が、保険薬局から交付された薬剤を、持ち帰る途中や自宅で紛失したため、再交付された処方箋に基づいて保険薬局が調剤した場合の費用は患者が負担する。

○4　ただし、天変地異そのほかやむを得ない場合を除きます。

□5　後発医薬品調剤体制加算は、後発医薬品の調剤数量により３段階に分かれる。体制加算２は調剤数量が80％以上の場合である。

×5　後発医薬品の調剤数量が80％以上の場合、後発医薬品体制加算１。後発医薬品の調剤数量が85％以上の場合、後発医薬品体制加算２。後発医薬品の調剤数量が90％以上の場合、後発医薬品調剤体制加算３です。

□6　内服用滴剤の薬剤料を算定する場合は、全量である１調剤分を計算単位とする。

○6　設問のとおり。

□7　Ａ錠を６錠とＢ錠を３錠、分３

×7　内服薬２種類の服用時点を同一

毎食後服用の処方の場合、内服薬が２種類なので２剤とする。

にして、同時服用するものと考え、2種類の薬剤を合わせて１剤とします。

□8　１剤とは服用時点・服用回数が同一の薬剤のことだが、投与日数の異なる薬剤同士を合算して薬剤料を算定することはできない。

○8　内服用固型剤（錠剤、カプセル剤、散剤など）と内服用液剤のように剤形が異なる場合や、内服錠とチュアブル錠のように服用方法が異なる場合も、１剤として薬剤料を合算することはできません。

□9　屯服薬としてブスコパン錠10㎎を１回１錠×３回分調剤した。薬価が１錠＝5.90円とすると、薬剤料の算定は5.90円×３錠＝17.7円。「２点×１」と表すのが正しい。

○9　設問のとおり。屯服薬の所定単位は１調剤分です。

□10　薬剤料を算定するときの５捨５超入の処理は、単位を点数に換算する前の薬価の小数点以下に対して行う。

×10　５捨５超入は、点数に換算した後の小数点以下に対して行います。

□11　特定保険医療材料料の算定方法は、点数表に定められた価格を10で除し、小数点以下を５捨５超入することで求められる。

×11　特定保険医療材料料は、小数点以下を４捨５入で処理します。

□12　特定保険医療材料料は保険薬局の購入価格により算定するが、点数表で価格が規定されているものもある。

×12　すべて点数表に価格が定められています。

□13　注射薬の処方がなくても、処

×13　注射薬の処方なしで、注射器・

方箋があれば、注射器・注射針のみを給付することができる。

注射針のみを処方箋により給付することはできません。ただし、膀胱用のカテーテルなどの薬剤を必要としない材料は、薬剤の処方がない場合でも給付できます。

□14　処方箋を２枚持参し、異なる医師が処方した処方箋の場合、服用時点・投薬日数が同じなら、薬剤料は一緒に算定する。

×14　処方した医師が異なる場合は、服用時点・投与日数が同じでも、薬剤料は別々に算定します。

まとめ

薬剤料の要点

●薬剤料の計算		
	内服薬	1剤1日分 × 日数
	内服用滴剤	1調剤分 × 調剤数
	浸煎薬	1調剤分 × 調剤数
	湯薬	1剤1日分 × 日数
	屯服薬	1調剤分
	外用薬	1調剤分 × 調剤数
	注射薬	1調剤分 × 調剤数

●5捨5超入

① 12.30円 ……薬価は15円以下。

1点

② 144.90円 ……薬価は15円を超えているので、10で割って計算。

14.|490円……小数点以下は「5」以下なので、切り捨て。

14点

③ 265.00円

26.|500円……10で割って小数点以下が「5」ちょうどは、切り捨て。

↓

26点

④ 145.01円

14.|501円……10で割って小数点以下は「5」を超えているので、切り上げ。

15点

調剤報酬明細書の様式です。
第Ⅱ部の練習問題を解く際に、170%程度に拡大コピーしてご活用ください

様式第五

調剤報酬明細書　令和　年　月分

都道府県番号　薬局コード

4 調剤　1社・国　2公費　3後期　4退職　1単独　2 2併　3 3併　2本外　4六外　6家外　8高外一　0高外7

公費負担者番号①
公費負担医療の受給者番号①
公費負担者番号②
公費負担医療の受給者番号②

保険者番号　給付割合 10 9 8 7（　）

被保険者証・被保険者手帳等の記号・番号　（枝番）

氏名　1男 2女　1明 2大 3昭 4平 5令　・　・　生

職務上の事由　1職務上　2下船後3月以内　3通勤災害

特記事項

保険薬局の所在地及び名称

保険医療機関の所在地及び名称

都道府県番号　点数表番号　医療機関コード

保険医氏名　1.　2.　3.　4.　5.　6.　7.　8.　9.　10.

受付回数　保険　回　公費①　回　公費②　回

医師番号	処方月日	調剤月日	処方 医薬品名・規格・用量・剤形・用法	単位薬剤料	調剤数量	調剤報酬点数 薬剤調製料 調剤管理料	薬剤料	加算料	公費分点数
	・	・		点		点	点	点	点

摘要　※高額療養費　円　※公費負担点数　点　※公費負担点数　点

	請求 点	※決定 点	一部負担金額 円	調剤基本料 点	時間外等加算 点	薬学管理料 点
保険			減額　割(円)免除・支払猶予			
公費①	点	※ 点	円	点	点	点
公費②	点	※ 点	円	点	点	点

※印欄は記入しないで下さい。

memo

第 Ⅱ 部
レセプトの作成

調剤報酬請求事務

薬局が調剤などにかかった費用を保険点数に基づいて換算し、調剤レセプトを作成することを、調剤報酬請求事務といいます。

調剤レセプトは、保険者に請求するための用紙で、だれが、どのような調剤を、いつ受けたのか、その薬剤調製料や薬剤料の当月の額と、保険の種類が一目でわかるようになっています。

調剤録への記載

調剤事務では処方箋を受け付けるごとに、毎回調剤の点数算定を行い、調剤録に記載します。調剤録は毎月の調剤レセプトを作成するための、そのもとになる記録です。

調剤録の様式(ようしき)には、特に規定はありませんが、一般には処方箋の下の部分、または裏面に、必要事項が記載できるようになっています。

［調剤録の例］

<table>
<tr><td rowspan="6">薬局記載事項</td><td>薬剤料</td><td>調剤数量</td><td>薬剤料計</td><td>薬剤調製料
調剤管理料</td><td>加　算</td><td>小　計</td><td>調剤基本料</td><td>薬学管理料</td></tr>
<tr><td></td><td></td><td></td><td></td><td></td><td></td><td rowspan="2"></td><td rowspan="2"></td></tr>
<tr><td></td><td></td><td></td><td></td><td></td><td></td></tr>
<tr><td></td><td></td><td></td><td></td><td></td><td></td><td>合計点数</td><td>患者負担金額</td></tr>
<tr><td></td><td></td><td></td><td></td><td></td><td></td><td rowspan="2"></td><td rowspan="2"></td></tr>
<tr><td></td><td></td><td></td><td></td><td></td><td></td></tr>
</table>

では、例をあげて調剤録への記載を次に示します。

［例］

(1)　調剤基本料1：45点
(2)　服薬管理指導を実施（初回の来局）　｝という薬局の条件で、

ペルサンチン錠25㎎　3T　(1T＝5.90円)
クロフィブラートカプセル 250㎎「ツルハラ」3C　(1C＝8.70円)
分3毎食後　5日分

という処方を調剤録に記載します。

1単位あたりの薬剤料は、5.90×3T、8.70×3C　43.80→4点 → ❶

調剤数は、5日分ですから5 → ❷

薬剤料は❶×❷ですから　4（点）×5（日）＝20点 → ❸

内服薬の薬剤調製料　24点
調剤管理料は7日分以下なので　4点 → ❹

小計（薬剤料＋薬剤調製料＋調剤管理料＋加算）→ ❺

上の(2)から服薬管理指導料 薬C　59点 → ❻

上の(1)から調剤基本料　45点 → ❼

合計点数(❺＋❻＋❼)　152点 → ❽

薬局記載事項	薬剤料	調剤数量	薬剤料計	薬剤調製料 調剤管理料	加　算	小　計	調剤基本料	薬学管理料
	❶　4	❷　5	❸　20	❹　24 4		❺　48	❼　45	❻　59
							合計点数	患者負担金額
							❽　152	

調剤レセプトの作成

処方箋を受け付けた日ごとに記載した調剤録をもとに、月ごとに調剤レセプト（調剤報酬明細書）を作成して、保険者に提出します。保険者は処方箋に基づいて正しく調剤されているかどうかを、医科・歯科レセプトと調剤レセプトをつきあわせて点検します。また、調剤レセプトの算定に誤りがないかどうかもチェックします。そして内容に不備のあるレセプトは返戻（へんれい）されます。調剤レセプトは、薬局にとって金券（きんけん）と同じように大切なものです。したがってレセプトを作成するに当たっては、慎重にのぞまなければなりません。

■調剤レセプトの記入方法

162ページの用紙が、調剤報酬のレセプト用紙です。用紙の中の❶～㉗の番号ごとに、161ページの〈処方箋の例〉とつきあわせながら説明を読んでください。

❶ 「令和　年　月分」欄について

調剤した年月を記入します。請求する月ではなく、調剤した年月 です。

❷ 「保険種別」欄

・保険の種別に応じて左の番号を○で囲みます。たとえば社保または国保は１を○で囲みます。

・公費負担医療は２を、後期高齢者医療は３を○で囲みます。

・さらに単独の１を○で囲みます。

・２併、３併は公費負担医療との併用の場合に番号を○で囲みます。

	保険種別１		保険種別２	本人・家族	
4	1　社・国	3　後　期	1　単　独	2　本　外	8　高外一
調			2　2　併	4　六　外	
剤	2　公　費		3　3　併	6　家　外	0　高外7

❸ 「本人・家族」欄

・社保――本人は２、義務教育就学前の乳幼児は４、家族は６を○で囲みます。

・国保——本人（世帯主、組合員）は２、義務教育就学前の乳幼児は４、家族・その他は６を○で囲みます。
・「８　高外一」→高齢受給者・後期高齢者医療一般・低所得者外来の場合、○で囲みます。
・「０　高外７」→高齢受給者・後期高齢者医療７割給付外来の場合、○で囲みます。

❹「保険者番号」欄

処方箋のとおりに保険者番号を正確に転記します。なお保険者番号は163ページのように構成されていますので参考にしてください。

❺「被保険者証・被保険者手帳等の記号・番号」欄

・処方箋のとおりに、正確に転記します。
・枝番の記載があれば、枝番も記載します。

❻「氏名」欄

・患者の氏名を記入します。　→○○一郎
・性別、年号の数字を○で囲み、生年月日を記入します。

❼「特記事項」欄

2018年８月より70歳以上の患者については、「特記事項」欄に該当する略号または略称を必ず記載することになっています。

※　54難病・51特疾の場合以外で、70歳以上の患者

一部負担金の割合	限度額適用認定証　適用区分	特記事項欄
３割	限度額適用認定証 提示なし	26区ア
	現役並みⅡ	27区イ
	現役並みⅠ	28区ウ
２割又は１割	限度額適用認定証 提示なし	29区エ
	（低所得）Ⅱ・Ⅰ	30区オ

[75歳以上の適用区分]

所得区分	適用区分	特記事項欄
３割	現役並Ⅲ	26区ア
	現役並Ⅱ	27区イ
	現役並Ⅰ	28区ウ
２割	一般Ⅱ	41区カ
１割	一般Ⅰ	42区キ
	低所得者Ⅱ	30区オ
	低所得者Ⅰ	

また、「54難病」「51特疾」の場合も、特定医療費受給者証の適用区分に該当する略号または略称を記載します。

※　54難病・51特疾の患者の場合（適用区分欄が空白の場合「特記事項」欄の記載不要）

[70歳未満の適用区分]

公費　適用区分	特記事項欄
ア	26区ア
イ	27区イ
ウ	28区ウ
エ	29区エ
オ	30区オ

[70歳以上の適用区分]

公費　適用区分	特記事項欄
Ⅵ	26区ア
Ⅴ	27区イ
Ⅳ	28区ウ
Ⅲ	29区エ
Ⅱ・Ⅰ	30区オ

[75歳以上の適用区分]

公費　適用区分	特記事項欄
Ⅵ	26区ア
Ⅴ	27区イ
Ⅳ	28区ウ
Ⅲ	41区カ
	42区キ
Ⅱ	30区オ
Ⅰ	

❽ 「職務上の事由」欄

船員保険の被保険者については、職務上の取り扱いとなる場合のみ、該当するものを○で囲みます。

❾ 「保険医療機関」欄

保険医療機関の所在地と名称を記入します。　→○○病院

❿ 「医療機関コード」欄

都道府県番号・点数表番号・医療機関コードを、処方箋のとおりに、正確に転記します。

⓫ 「保険医氏名」欄

処方箋を発行した医師名を記入します。　→○○太郎

⓬ 「受付回数」欄

１か月に処方箋を受け付けた回数を記入します。　→１回

⓭ 「医師番号」欄

処方箋を発行した医師が、１枚の明細書に１名の場合は省略できます。この例の場合、発行医は「○○太郎」１名なので省略します。

⓮ 「処方月日」欄

処方箋の交付年月日欄から転記します。　→10月４日

⓯ 「調剤月日」欄

処方箋の調剤済年月日欄から転記します。患者の都合などで処方日と調剤日が違う場合があります（処方箋は４日間有効）。この場合は10月４日が交付日ですが、調剤日は６日です。　→10月６日

⑯「処方」欄

処方された医薬品名、剤形、用量、用法などを記載します。

→「内服」A錠　3T

B錠　3T

分3毎食後

⑰「単位薬剤料」欄

所定単位当たりの薬剤料を記載します。　→21点

⑱「調剤数量」欄

調剤の単位数を記載します。内服薬は日数が調剤数量になります。

→14

⑲「薬剤調製料　調剤管理料」欄

薬剤調製料・調剤管理料を記載します。この例では内服薬の薬剤調製料と14日分の調剤管理料です。　→24点・28点

⑳「薬剤料」欄

単位薬剤料と調剤数量を乗算します。　→21(点)×14(日分)＝294点

㉑「加算料」欄

調剤に加算があったときに記載します。

→ 向 8点（B錠が向精神薬だったので）

㉒「公費分点数」欄

公費の場合に記載します。

㉓「摘要」欄

時間外加算などを算定した場合は、調剤を行った月日、時間などを記載します。また、そのほかにも請求内容について特記する必要があれば、その事項を記載します。

㉔「調剤基本料」欄

薬局の算定する調剤基本料を記載します。　→ 基A 45点

処方箋の欄外に、調剤基本料1とあります。

㉕「時間外等加算」欄

時間外・休日・深夜加算、夜間・休日等加算があるときに記載します。

㉖「薬学管理料」欄

薬学管理料の算定があるときに記載します。

服薬管理指導料１（３か月以内の来局、手帳持参）

45点 …１回　→ 薬A １

計　45点

㉗「請求点」欄

すべての点数を合計して記載します。　→444点

レセプトの提出（総括・請求）

作成したレセプトのとりまとめ作業として「総括（または編綴（へんてつ））」というものがあります。作成したレセプトは、保険者の代行機関である支払基金や国保連合会へ提出します。提出するにあたり、支払基金、国保連合会ごとに定められた、一定の順序に綴（つづ）り合わせます。そして綴ったレセプトの一番上に「調剤報酬請求書」を付けて代行機関へ提出することになります。（総括の方法は、都道府県、各地域により若干の違いがあります。）

〈処方箋の例〉

調剤基本料１
服薬管理指導の実施

※2024年10月１日改正の処方箋様式。

処　方　箋

（この処方箋は、どの保険薬局でも有効です。）

公費負担者番号		保険者番号	0 6 1 2 0 1 0 9
公費負担医療の受給者番号		被保険者証・被保険者手帳の記号・番号	100・176153（枝番）00

患者		
氏名	○○　一郎	
生年月日	明大昭平令 50年 4月 2日	男・女
区分	被保険者	被扶養者

保険医療機関の所在地及び名称　○○県○○市○○町△△-△
○○病院

電話番号

保険医氏名　○○　太郎　㊞

都道府県番号	15	点数表番号	1	医療機関コード	1500003

交付年月日	令和○○年 10月 4日	処方箋の使用期間	令和　年　月　日	特に記載のある場合を除き、交付の日を含めて４日以内に保険薬局に提出すること。

処方

変更不可（医療上必要）	患者希望	個々の処方薬について、医療上の必要性があるため、後発医薬品（ジェネリック医薬品）への変更に差し支えがあると判断した場合には、「変更不可」欄に「✓」又は「×」を記載し、「保険医署名」欄に署名又は記名・押印すること。また、患者の希望を踏まえ、先発医薬品を処方した場合には、「患者希望」欄に「✓」又は「×」を記載すること。

Rp A錠　3T
B錠（向）3T　分3毎食後×14日分

【以下余白】

リフィル可 □（　回）

備考

保険医署名 〔「変更不可」欄に「✓」又は「×」を記載した場合は、署名又は記名・押印すること。〕

先月来局している　手帳持参

保険薬局が調剤時に残薬を確認した場合の対応（特に指示がある場合は「✓」又は「×」を記載すること。）
□保険医療機関へ疑義照会した上で調剤　□保険医療機関へ情報提供

調剤実施回数（調剤回数に応じて、□に「✓」又は「×」を記載するとともに、調剤日及び次回調剤予定日を記載すること。）
□１回目調剤日（　年　月　日）　□２回目調剤日（　年　月　日）　□３回目調剤日（　年　月　日）
次回調剤予定日（　年　月　日）　次回調剤予定日（　年　月　日）

調剤済年月日	令和○○年 10月 6日	公費負担者番号	
保険薬局の所在地及び名称 保険薬剤師氏名	㊞	公費負担医療の受給者番号	

備考　1．「処方」欄には、薬名、分量、用法及び用量を記載すること。
2．この用紙は、A列５番を標準とすること。
3．療養の給付及び公費負担医療に関する費用の請求に関する命令（昭和51年厚生省令第36号）第１条の公費負担医療については、「保険医療機関」とあるのは「公費負担医療の担当医療機関」と、「保険医氏名」とあるのは「公費負担医療の担当医氏名」と読み替えるものとすること。

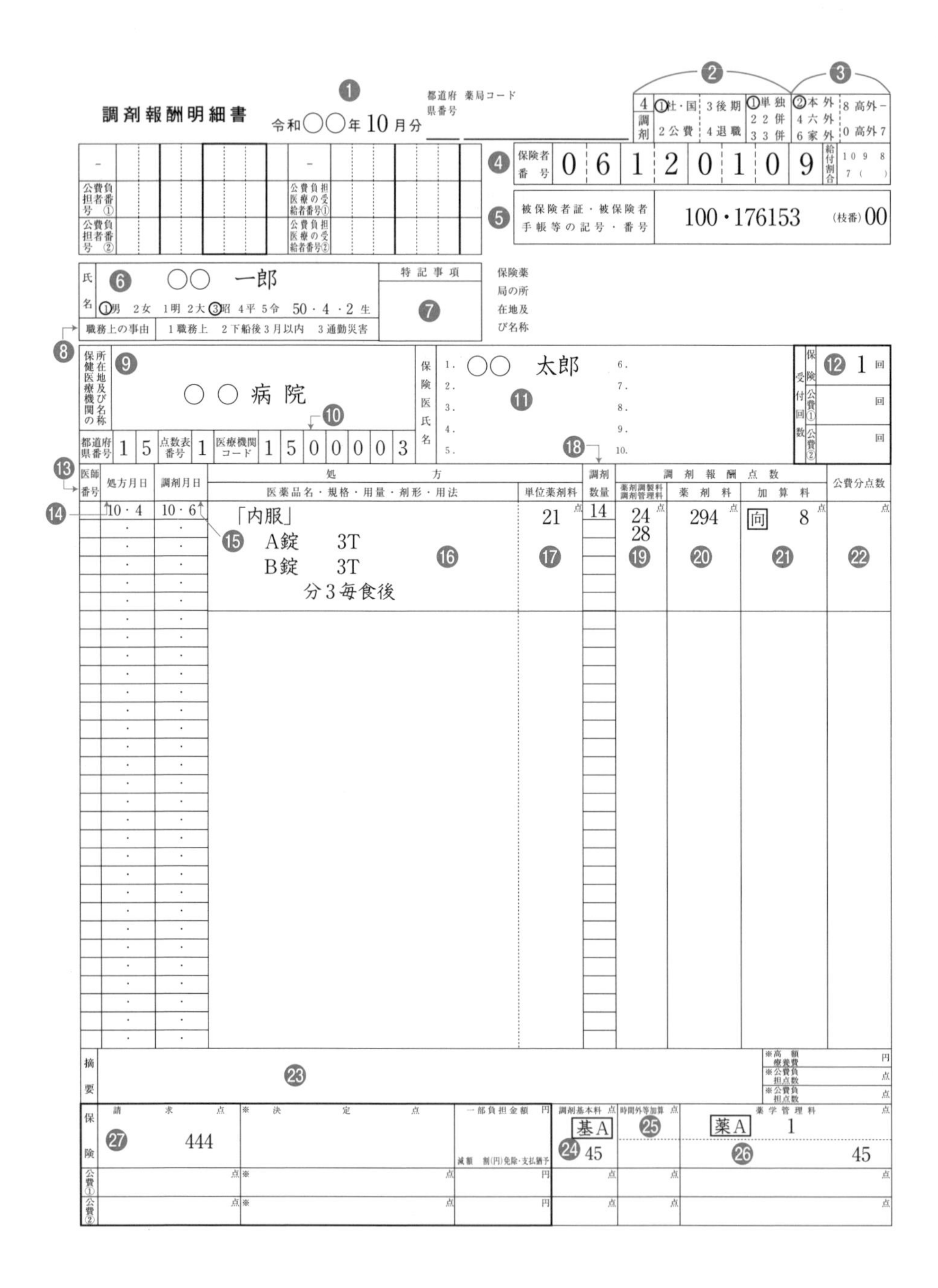

調剤報酬明細書　令和◯◯年10月分　❶

都道府県番号　薬局コード

❷ 4調剤　①社・国　2公費　3後期　4退職　①単独　2２併　3３併

❸ ②本外　4六外　6家外　8高外一　0高外7

公費負担者番号①　公費負担医療の受給者番号①

公費負担者番号②　公費負担医療の受給者番号②

❹ 保険者番号　0 6 1 2 0 1 0 9　給付割合　10 9 8 7（　）

❺ 被保険者証・被保険者手帳等の記号・番号　100・176153　（枝番）00

氏名 ❻ ◯◯　一郎

①男　2女　1明　2大　③昭　4平　5令　50・4・2生

特記事項 ❼

保険薬局の所在地及び名称

❽ 職務上の事由　1職務上　2下船後3月以内　3通勤災害

保険医療機関の所在地及び名称 ❾ ◯◯病院

❿

都道府県番号 1 5　点数表番号 1　医療機関コード 1 5 0 0 0 0 3

保険医氏名　1. ◯◯　太郎 ⓫　2.　3.　4.　5.　6.　7.　8.　9.　10.

受付回数　保険 ⓬ 1回　公費① 回　公費② 回

⓭

医師番号	処方月日	調剤月日	処方 医薬品名・規格・用量・剤形・用法	単位薬剤料	調剤数量	薬剤調製料 調剤管理料	薬剤料	加算料	公費分点数
	⓮ 10・4	10・6 ⓯	「内服」 A錠　3T B錠　3T 分3毎食後 ⓰	21点 ⓱	14 ⓲	24 28 ⓳	294点 ⓴	向　8点 ㉑	点 ㉒

摘要 ㉓

※高額療養費 円　※公費負担点数 点　※公費負担点数 点

	請求 点	※決定 点	一部負担金額 円	調剤基本料 点	時間外等加算 点	薬学管理料 点
保険	㉗ 444		減額 割(円)免除・支払猶予	基A ㉔ 45	㉕	薬A 1 ㉖ 45
公費①	点	※ 点	円	点	点	点
公費②	点	※ 点	円	点	点	点

保険者番号の構成

［被用者保険の場合］

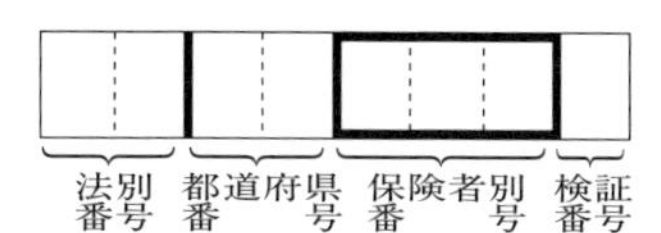

［国民健康保険の場合］

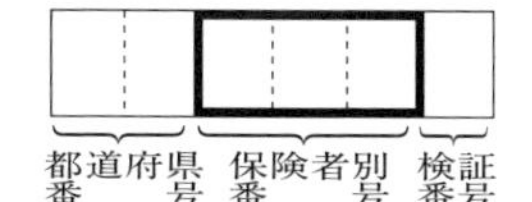

保険者番号は、法別番号２桁、都道府県番号２桁、保険者別番号３桁、検証番号１桁、計８桁の番号です。ただし、国民健康保険（退職者医療を除く）の保険者番号については、都道府県番号２桁、保険者別番号３桁、検証番号１桁、計６桁の番号です。

▶法別番号

最初の２桁の数字は保険の種類を示します。

種　　類	法別番号
全国健康保険協会管掌健康保険（協会けんぽ）	０１
船員保険	０２
日雇特例被保険者の保険　一般	０３
日雇特例被保険者の保険　特別	０４
組合健保	０６
自衛官等	０７
国家公務員共済組合	３１
地方公務員共済組合	３２
警察共済組合	３３
公立学校共済組合 日本私立学校振興・共済事業団	３４

▶都道府県番号

３桁と４桁は、保険者が所在している都道府県を示します。

都道府県名	コード	都道府県名	コード	都道府県名	コード	都道府県名	コード
北海道	０１	東　京	１３	滋　賀	２５	香　川	３７
青　森	０２	神奈川	１４	京　都	２６	愛　媛	３８
岩　手	０３	新　潟	１５	大　阪	２７	高　知	３９
宮　城	０４	富　山	１６	兵　庫	２８	福　岡	４０
秋　田	０５	石　川	１７	奈　良	２９	佐　賀	４１
山　形	０６	福　井	１８	和歌山	３０	長　崎	４２
福　島	０７	山　梨	１９	鳥　取	３１	熊　本	４３
茨　城	０８	長　野	２０	島　根	３２	大　分	４４
栃　木	０９	岐　阜	２１	岡　山	３３	宮　崎	４５
群　馬	１０	静　岡	２２	広　島	３４	鹿児島	４６
埼　玉	１１	愛　知	２３	山　口	３５	沖　縄	４７
千　葉	１２	三　重	２４	徳　島	３６		

▶保険者別番号

5·6·7桁は、保険者別に各都道府県内での一連番号です。

調剤報酬請求事務練習問題の構成について

次のページから、調剤報酬請求事務の練習問題になります。それぞれの問題は、次のような構成になっています。

1　問題は、患者１人について１枚～数枚の処方箋からなっています。

処方箋は、読者の皆様の便宜（べんぎ）を図ってわかりやすく作成したものであり、処方内容についてもそれが適切な処方であるかどうかは別問題ですので、この点ご理解ください。また医療機関名、個人名は、実在する医療機関名、個人名とはいっさいかかわりがありません。

2　保険薬局の設定として、必要な届出はすべて行っているものとします。また、備考欄に特に記載がない場合は手帳を持参しているものとします。

3　問題の次に、処方箋から作成したレセプトを掲載して、解答例としました。

4　解答例の次には解説のページをもうけました。

5　練習問題では、オンライン資格確認システムの活用体制は整備されていて、薬局内にもその旨掲示しているが、電子資格確認による薬剤情報等の取得はできなかったものとします。

6　３月以内の来局の患者は、前回の来局時に医療情報取得加算は算定しているものとします。

P.151に、調剤報酬明細書（レセプト）の様式を掲載してありますので、実際に書き込まれる方は、170％程度に拡大コピーしてお使いください。

また練習問題の処方箋にある薬剤の薬価を抜粋して、巻末に掲載しましたのでご利用ください。（薬価は改定されますが、薬剤料の計算方法自体は同じです。）薬剤料を計算される際にはコピーしてご利用になるのが便利です。

●練習問題 1　次の処方箋からレセプトを作成しなさい。

○保険薬局の設定
・調剤基本料1
・服薬管理指導の実施

○その他、処方箋備考欄も留意すること。
○開局時間　月曜～金曜　9時～18時
土曜日　9時～13時
日曜・祝日　定休日

※練習問題1～9は、2024年10月改正前の処方箋様式となっています。

処　方　箋

（この処方箋は、どの保険薬局でも有効です。）

公費負担者番号		保険者番号	31130552
公費負担医療の受給者番号		被保険者証・被保険者手帳の記号・番号	33-1156　(枝番)00

患者			保険医療機関の所在地及び名称	東京都文京区小石川○-○-○ 矢上駅前クリニック
氏名	山形　隆太		電話番号	03-3816-****
生年月日	明・大・㊧昭・平・令 60年 9月 11日	㊚・女	保険医氏名	矢上　雅子　㊞
区分	(被保険者)	被扶養者	都道府県番号 13 / 点数表番号 1 / 医療機関コード 1300001	

交付年月日	令和　6年　6月　17日	処方箋の使用期間	令和　年　月　日	特に記載のある場合を除き、交付の日を含めて4日以内に保険薬局に提出すること。

処方

変更不可　（個々の処方薬について、後発医薬品（ジェネリック医薬品）への変更に差し支えがあると判断した場合には、「変更不可」欄に「✓」又は「×」を記載し、「保険医署名欄」に署名又は記名・押印すること。）

Rp ①メバロチン錠5　2T
　ガスター錠10mg　2T　1日2回　朝・夕　n.d.E. 14TD
②アムロジン錠2.5mg　2T　1日2回　朝・夕　n.d.E. 14TD
③セレスタミン配合錠　1T　1日1回　朝食後　7TD(隔日)
④カロナール錠300　1T　1回1錠　（頭痛時）　5回分
⑤フルティフォーム125　エアゾール56吸入用　1瓶
　1日2回吸入、1回2吸入

【以下余白】

リフィル可　☐　（　　回）

備考

保険医署名　（「変更不可」欄に「✓」又は「×」を記載した場合は、署名又は記名・押印すること。）

初回の来局

・Rp.⑤は、患者の同意を得て、文書と練習用吸入器を用いて指導を行い、医療機関に文書で情報提供した

保険薬局が調剤時に残薬を確認した場合の対応（特に指示がある場合は「✓」又は「×」を記載すること。）
☐保険医療機関へ疑義照会した上で調剤　☐保険医療機関へ情報提供

調剤実施回数（調剤回数に応じて、☐に「✓」又は「×」を記載するとともに、調剤日及び次回調剤予定日を記載すること）
☐1回目調剤日（　年　月　日）　☐2回目調剤日（　年　月　日）　☐3回目調剤日（　年　月　日）
次回調剤予定日（　年　月　日）　次回調剤予定日（　年　月　日）

調剤済年月日	令和　6年　6月　17日	公費負担者番号	
保険薬局の所在地及び名称 保険薬剤師氏名	㊞	公費負担医療の受給者番号	

備考1．「処方」欄には、薬名、分量、用法及び用量を記載すること。
2．この用紙は、A列5番を標準とすること。
3．療養の給付及び公費負担医療に関する費用の請求に関する省令（昭和51年厚生省令第36号）第1条の公費負担医療については、「保険医療機関」とあるのは「公費負担医療の担当医療機関」と、「保険医氏名」とあるのは「公費負担医療の担当医氏名」と読み替えるものとすること。

調剤報酬明細書

令和 6 年 6 月分

都道府県番号　薬局コード

4 調剤	①社・国	3 後期	①単独	②本外	8 高外一
	2 公費	4 退職	2 2併	4 六外	0 高外7
			3 3併	6 家外	

保険者番号	3 1 1 3 0 5 5 2	給付割合	10 9 8 7 ( )

被保険者証・被保険者手帳等の記号・番号	33-1156	(枝番) 00

公費負担者番号①		公費負担医療の受給者番号①	
公費負担者番号②		公費負担医療の受給者番号②	

氏名	山形　隆太
	①男 2女 1明 2大 ③昭 4平 5令 60・9・11生
職務上の事由	1職務上 2下船後3月以内 3通勤災害

特記事項

保険薬局の所在地及び名称

保険医療機関の所在地及び名称	東京都文京区小石川○-○-○ 矢上駅前クリニック
都道府県番号	1 3
点数表番号	1
医療機関コード	1 3 0 0 0 0 1

保険医氏名: 1. 矢上　雅子　2.　3.　4.　5.　6.　7.　8.　9.　10.

受付回数	
保険	1 回
公費①	回
公費②	回

医師番号	処方月日	調剤月日	処方 医薬品名・規格・用量・剤形・用法	単位薬剤料	調剤数量	薬剤調製料・調剤管理料	薬剤料	加算料	公費分点数
1	6・17	6・17	「内服」メバロチン錠5　2T ガスター錠10mg　2T アムロジン錠2.5mg　2T 分2　朝・夕食後	8 点	14	24 点 28	112 点	点	点
1	6・17	6・17	「内服」セレスタミン配合錠　1T 分1　朝食後(隔日)	1	7	24 4	7		
1	6・17	6・17	「屯服」カロナール錠300　5T 1回1T（頭痛時）	3	1	21	3		
1	6・17	6・17	「外用」フルティフォーム125　1瓶 エアゾール56吸入用 1回2吸入 1日2回吸入	229	1	10	229		

摘要

※高額療養費	円
※公費負担点数	点
※公費負担点数	点

	請求 点	※決定 点	一部負担金額 円	調剤基本料 点	時間外等加算 点	薬学管理料 点
保険	599		減額 割(円)免除・支払猶予	基A 45		薬C 1　吸 1　医情A 1 92
公費①	点	※ 点	円	点	点	点
公費②	点	※ 点	円	点	点	点

解説 1

ポイント 本問は吸入薬指導加算を算定する例です。また、服用法の異なる薬剤が処方されているので、内服薬の「1剤」の考え方に注意しましょう。

- □ 保険者番号が「３１１３０５５２」です。法別番号が「３１」ですから、国家公務員共済組合です。4月8日に処方箋1枚を受け付けていますので、受付回数は1回です。
- □ 医師番号は、処方箋を発行した医師が1枚の明細書に1名の場合は省略できますが、本書では学習のためにあえて記載しています。
- □ 調剤管理料は、内服薬（内服用滴剤・浸煎薬・湯薬・屯服薬は除く）とそれ以外に分かれており、内服薬で算定した場合、それ以外は算定できません。

Rp①・Rp②	Rp①と②は　服用時点と服用日数が同一ですので、1剤扱いとします。処方欄のn.d.E.は「食後に」を意味します。
単位薬剤料：	メバロチン錠5　15.20円×2T ガスター錠10mg　13.70円×2T アムロジン錠2.5mg　13.10円×2T （計）84.00円→8.4点→**8点**
調剤数量：	14日分ですから　**14**
薬剤調製料：	内服薬なので　**24点**
調剤管理料：	内服薬は、 8日分以上14日分以下なので、28点です
薬剤料：	内服薬の薬剤料は、 単位薬剤料（1剤1日分の点数）×日数　ですから、 8点×14日分＝**112点**
Rp③	Rp①②は朝・夕食後、Rp③は朝食後というように服用時点が異なるので、別剤として算定します。セレスタミン配合錠7日分を「1日おきに服用」です。実際の服用期間は14日間ですが、薬剤調製料は7日分として算定します。
単位薬剤料：	セレスタミン配合錠　8.00円×1T＝8.00円→**1点**（15円以下は1点）
調剤数量：	7日分ですから　**7**

薬剤調製料：	内服薬なので　**24点**
調剤管理料：	7日以下ですから　**4点**
薬　剤　料：	1点×7日分＝**7点**

Rp④	「5回分」「(頭痛時)」と処方箋に記載されているので、頓服薬と判断できます。
単位薬剤料：	頓服薬は1調剤分（1回に投与した総量）が所定単位です。 カロナール錠300を1回1Tが5回分ですから5Tが1調剤分になります。 カロナール錠300　7.00円×5T＝35.00円→3.5点→**3点**
調剤数量：	頓服薬なので　**1**
薬剤調製料：	頓服薬は受付1回につき**21点**を算定します。
調剤管理料：	内服薬で算定しているので算定できません。
薬　剤　料：	頓服薬や外用薬などの調剤数量は「1」ですので単位薬剤料と薬剤料の点数は同じになります。 3点×1＝**3点**

Rp⑤	吸入薬です。
単位薬剤料：	フルティフォーム125エアゾール56吸入用　1瓶 2290.90円×1瓶＝2290.90円→229.09点→**229点**
調剤数量：	外用薬なので　**1**
薬剤調製料：	外用薬は、1調剤につき**10点**を算定します。
調剤管理料：	内服薬で算定しているので算定できません。
薬　剤　料：	229点×1調剤＝**229点**

[薬学管理料]　処方箋の欄外「保険薬局の設定」の記載があります。また、備考欄に「初回の来局」とあるので、服薬管理指導料2 薬C の**59点**を、患者の同意を得て、練習用吸入器を使用して指導し、医療機関へ情報提供しているので、吸入薬指導加算の**30点**を算定します。

オンライン資格確認を行う体制にある薬局で調剤し、電子資格確認による薬剤情報等の取得をしていないので、医療情報取得

解説

加算1の 医情A 3点を算定します。

[調剤基本料] 保険薬局の設定として「調剤基本料1」とあるので 基A 45点を算定します。

●練習問題 2　次の処方箋からレセプトを作成しなさい。

○保険薬局の設定
- ・調剤基本料1
- ・服薬管理指導の実施
- ・後発医薬品調剤体制加算1

○その他、処方箋備考欄も留意すること。

○開局時間
- 月曜～金曜　9時～18時
- 土曜日　9時～13時
- 日曜・祝日　定休日

処 方 箋

（この処方箋は、どの保険薬局でも有効です。）

公費負担者番号		保険者番号	01132158
公費負担医療の受給者番号		被保険者証・被保険者手帳の記号・番号	13215678　（枝番）00

患者		保険医療機関の所在地及び名称	東京都葛飾区新小岩○-○-○ 新小岩クリニック
氏名	本田　博	電話番号	03-3653-****
生年月日	明・大・昭（○）・平・令 49年 11月 5日　男（○）・女	保険医氏名	上野　昭　㊞
区分	被保険者（○）・被扶養者	都道府県番号 13　点数表番号 1　医療機関コード 1300002	

交付年月日	令和　6年　6月　12日	処方箋の使用期間	令和　年　月　日（特に記載のある場合を除き、交付の日を含めて4日以内に保険薬局に提出すること。）

処方

変更不可　（個々の処方薬について、後発医薬品（ジェネリック医薬品）への変更に差し支えがあると判断した場合には、「変更不可」欄に「✓」又は「×」を記載し、「保険医署名」欄に署名又は記名・押印すること。）

Rp	①シグマート錠5mg	3T	1日3回	毎食後	30日分
	②ムコスタ錠100mg	3T	1日3回	毎食後	30日分
	③プレタールOD錠100mg	2T	1日2回	朝・夕食後	30日分

【以下余白】

リフィル可 □（　　回）

備考

保険医署名（「変更不可」欄に「✓」又は「×」を記載した場合は、署名又は記名・押印すること。）

3月以内の再来局

・手帳を持参していない

・診療を受けている医療機関からの求めにより患者の同意を得て服薬状況を文書にして情報提供

保険薬局が調剤時に残薬を確認した場合の対応（特に指示がある場合は「✓」又は「×」を記載すること。）
□保険医療機関へ疑義照会した上で調剤　□保険医療機関へ情報提供

調剤実施回数（調剤回数に応じて、□に「✓」又は「×」を記載するとともに、調剤日及び次回調剤予定日を記載すること）
□1回目調剤日（　年　月　日）　□2回目調剤日（　年　月　日）　□3回目調剤日（　年　月　日）
次回調剤予定日（　年　月　日）　次回調剤予定日（　年　月　日）

調剤済年月日	令和　6年　6月　13日	公費負担者番号	
保険薬局の所在地及び名称 保険薬剤師氏名	㊞	公費負担医療の受給者番号	

備考 1．「処方」欄には、薬名、分量、用法及び用量を記載すること。
2．この用紙は、A列5番を標準とすること。
3．療養の給付及び公費負担医療に関する費用の請求に関する省令（昭和51年厚生省令第36号）第1条の公費負担医療については、「保険医療機関」とあるのは「公費負担医療の担当医療機関」と、「保険医氏名」とあるのは「公費負担医療の担当医氏名」と読み替えるものとすること。

処方箋

●解答例 2

調剤報酬明細書　令和 6 年 6 月分

都道府県番号　薬局コード

4 調剤	①社・国	3 後期	①単独	②本外	8 高外一
	2 公費	4 退職	2 2併	4 六外	0 高外7
			3 3併	6 家外	

保険者番号	0	1	1	3	2	1	5	8	給付割合 10 9 8 7（ ）

被保険者証・被保険者手帳等の記号・番号	13215678　(枝番) 00

公費負担者番号①		公費負担医療の受給者番号①	
公費負担者番号②		公費負担医療の受給者番号②	

氏名	本田　博	特記事項
	①男 2女 1明 2大 ③昭 4平 5令 49・11・5 生	
職務上の事由	1 職務上　2 下船後3月以内　3 通勤災害	

保険薬局の所在地及び名称

保険医療機関の所在地及び名称	東京都葛飾区新小岩○－○－○ 新小岩クリニック
都道府県番号	1 3
点数表番号	1
医療機関コード	1 3 0 0 0 0 2

保険医氏名：1. 上野　昭　2.　3.　4.　5.　6.　7.　8.　9.　10.

受付回数：保険 1 回　公費① 回　公費② 回

医師番号	処方月日	調剤月日	医薬品名・規格・用量・剤形・用法	単位薬剤料	調剤数量	薬剤調製料・調剤管理料	薬剤料	加算料	公費分点数
1	6・12	6・13	「内服」シグマート錠5mg　3T	6点	30	24点	180点	点	点
	・	・	ムコスタ錠100mg　3T			60			
	・	・	分3　毎食後						
1	6・12	6・13	「内服」プレタールOD錠100mg　2T	7	30	24	210		
	・	・	分2　朝・夕食後			60			

摘要		※高額療養費 円 / ※公費負担点数 点 / ※公費負担点数 点

	請求 点	※決定 点	一部負担金額 円	調剤基本料 点	時間外等加算 点	薬学管理料 点
保険	713		減額 割(円)免除・支払猶予	基A 後A 66		薬B 1　服A 1　89
公費①	点	※ 点	円	点	点	点
公費②	点	※ 点	円	点	点	点

●解説 2

ポイント この問題は内服薬の1剤についての復習問題です。なお、処方箋交付年月日は「6月12日」ですが、調剤済年月日は「6月13日」です。レセプトの「処方月日」と「調剤月日」の記入に注意しましょう。

Rp①・Rp② Rp①と②は「1日3回毎食後　30日分」と、服用時点と服用日数が同じなので1剤として算定します。

単位薬剤料：シグマート錠5mg　8.90円×3T
ムコスタ錠100mg　10.10円×3T　} 57.00円→5.7点→**6点**

調剤数量：30日分なので　**30**

薬剤調製料：内服薬なので　**24点**

調剤管理料：内服薬の「29日分以上」で算定します。**60点**

薬剤料：内服薬の薬剤料は単位薬剤料×日数ですから
6点×30日分＝**180点**

Rp③ Rp③は服用時点が「1日2回朝・夕食後」であり、Rp①・②とは異なるので、別剤として算定します。

単位薬剤料：プレタールOD錠100mg　34.40円×2T＝68.80円→6.88点
→**7点**

調剤数量：30日分なので　**30**

薬剤調製料：内服薬なので　**24点**

調剤管理料：30日分なので　**60点**

薬剤料：7点×30日分＝**210点**

[薬学管理料] 処方箋の欄外の保険薬局の設定に「服薬管理指導の実施」とあります。また、備考欄に「手帳を持参していない」「3月以内の再来局」「医療機関の求めにより文書で服薬状況を情報提供」とあるので、服薬管理指導料2の[薬B] **59**点と、服薬情報等提供料1の[服A] **30**点を算定します。

[調剤基本料] 調剤基本料1　[基A]　**45**点
後発医薬品調剤体制加算1　[後A]　**21**点

●練習問題 3　次の処方箋からレセプトを作成しなさい。

○保険薬局の設定
- 調剤基本料1
- 服薬管理指導の実施
- 後発医薬品調剤体制加算2

○その他、処方箋備考欄も留意すること。

○開局時間　月曜～金曜　9時～18時
土曜日　9時～13時
日曜・祝日　定休日

処　方　箋

（この処方箋は、どの保険薬局でも有効です。）

公費負担者番号		保険者番号	0 6 1 5 8 3 7 7
公費負担医療の受給者番号		被保険者証・被保険者手帳の記号・番号	324156・187534 （枝番）00

患者		
氏名	大分　あゆみ	
生年月日	明・大・㊗昭・平・令 58年 11月 20日	男・㊛女
区分	(被保険者)	被扶養者

保険医療機関の所在地及び名称	東京都足立区一ツ家○-○-○ 慈生会常楽診療所
電話番号	03-3859-****
保険医氏名	宮本　隆　㊞

都道府県番号	1 3	点数表番号	1	医療機関コード	1 3 1 3 1 8 5

交付年月日	令和　6年　7月　10日	処方箋の使用期間	令和　年　月　日	特に記載のある場合を除き、交付の日を含めて4日以内に保険薬局に提出すること。

処方

変更不可

（個々の処方薬について、後発医薬品（ジェネリック医薬品）への変更に差し支えがあると判断した場合には、「変更不可」欄に「✓」又は「×」を記載し、「保険医署名欄」に署名又は記名・押印すること。）

Rp　①[般]エナラプリルマレイン酸塩錠5mg
　　　1T　分1　朝食後服用　30日分

②[般]バルサルタン錠80mg　0.5T　分1　朝食後服用　30日分

【以下余白】

リフィル可 □（　　回）

備考

保険医署名（「変更不可」欄に「✓」又は「×」を記載した場合は、署名又は記名・押印すること。）

3月以内の再来局

Rp.①・②とも、患者が先発医薬品を選択
①レニベース錠5　②ディオバン錠80mg

Rp.②ディオバン錠40mgで調剤
（AM9:30 医師に照会、確認済み）

保険薬局が調剤時に残薬を確認した場合の対応（特に指示がある場合は「✓」又は「×」を記載すること。）
□保険医療機関へ疑義照会した上で調剤　□保険医療機関へ情報提供

調剤実施回数（調剤回数に応じて、□に「✓」又は「×」を記載するとともに、調剤日及び次回調剤予定日を記載すること）
□1回目調剤日（　年　月　日）　□2回目調剤日（　年　月　日）　□3回目調剤日（　年　月　日）
次回調剤予定日（　年　月　日）　次回調剤予定日（　年　月　日）

調剤済年月日	令和　6年　7月　10日	公費負担者番号	
保険薬局の所在地及び名称保険薬剤師氏名	㊞	公費負担医療の受給者番号	

備考1．「処方」欄には、薬名、分量、用法及び用量を記載すること。
2．この用紙は、A列5番を標準とすること。
3．療養の給付及び公費負担医療に関する費用の請求に関する省令（昭和51年厚生省令第36号）第1条の公費負担医療については、「保険医療機関」とあるのは「公費負担医療の担当医療機関」と、「保険医氏名」とあるのは「公費負担医療の担当医氏名」と読み替えるものとすること。

調剤報酬明細書　令和 6 年 7 月分

都道府県番号　薬局コード

4 調剤　①社・国　2公費　3後期　4退職　①単独　2 2併　3 3併　②本外　4六外　6家外　8高外一　0高外7

保険者番号	0	6	1	5	8	3	7	7	給付割合 10 9 8 7 ( )

公費負担者番号①　公費負担医療の受給者番号①
公費負担者番号②　公費負担医療の受給者番号②

被保険者証・被保険者手帳等の記号・番号　324156・187534　(枝番)00

氏名	大分　あゆみ
	1男 ②女　1明 2大 ③昭 4平 5令　58・11・20生
職務上の事由	1職務上　2下船後3月以内　3通勤災害

特記事項

保険薬局の所在地及び名称

保険医療機関の所在地及び名称	東京都足立区一ツ家○-○-○ 慈生会常楽診療所
都道府県番号	1 3
点数表番号	1
医療機関コード	1 3 1 3 1 8 5

保険医氏名　1. 宮本　隆　2.　3.　4.　5.　6.　7.　8.　9.　10.

受付回数　保険 1 回　公費① 回　公費② 回

医師番号	処方月日	調剤月日	医薬品名・規格・用量・剤形・用法	単位薬剤料	調剤数量	薬剤調製料・調剤管理料	薬剤料	加算料	公費分点数
1	7・10	7・10	「内服」	3点	30	24点	90点	点	点
			レニベース錠5　1T			60			
			ディオバン錠40mg　1T						
			1日1回　朝食後						

摘要　後発医薬品を選択しなかった理由：患者の意向

※高額療養費 円　※公費負担点数 点　※公費負担点数 点

	請求 点	※決定 点	一部負担金額 円	調剤基本料 点	時間外等加算 点	薬学管理料 点
保険	292		減額 割(円)免除・支払猶予	基A 後B 73		薬A 1 45
公費①	点	※ 点	円	点	点	点
公費②	点	※ 点	円	点	点	点

解説 3

ポイント　一般名での処方や、自家製剤の指示がある場合の例です。処方箋の備考欄に注意しましょう。一般名で処方されている場合は、患者の希望で、先発品・後発品どちらでも調剤できるので、どちらを希望するか受付の際に必ず聞くようにしましょう。自家製剤の指示がある場合は、調剤した医薬品と同一剤形・同一規格の医薬品が薬価基準に収載されているかどうか確認しましょう。

- □ Rp①の［般］エナラプリルマレイン酸塩錠5mg、②の［般］バルサルタン錠80mgは一般名による処方です。一般名で処方された場合は、先発品・後発品どちらで調剤してもよいので、患者に選択してもらいます。処方箋の備考欄に①・②とも、患者が先発医薬品を選択とあり、①レニベース錠5、②ディオバン錠80mgで調剤します。薬剤料の算定や、レセプトへの記載は、実際に調剤を行った医薬品の名称　で行います。
- □ Rp②ではディオバン錠80mgを半錠にする指示がでていますが、薬局で40mg錠を備蓄していたため、医師の了解を得て　40mgの錠剤で調剤していますので、自家製剤加算の算定はできません。また、ディオバン錠80mgを半錠にした場合でも、同一規格が薬価基準に収載されているので、自家製剤加算の算定はできません。
- □ 一般名で処方されている場合、後発医薬品を選択しなかった理由を備考欄に記載します。理由は、「患者の意向」「保険薬局の備蓄」「後発品なし」「その他」から選択します。この場合は、患者の希望により先発医薬品を選択しているので、「患者の意向」と記載します。

Rp①・Rp②	服用時点、投与日数が同一ですので同一調剤とします。
単位薬剤料：	レニベース錠5　15.20円×1T ｝34.90円 →3.49点 ディオバン錠40mg　19.70円×1T ｝→**3点**
調剤数量：	30日分なので　**30**
薬剤調製料：	内服薬なので　**24点**
調剤管理料：	内服薬の「29日分以上」で算定します。**60点**
薬剤料：	3点×30日分＝**90点**

[薬学管理料]　処方箋の備考欄に「３月以内の再来局」とあるので、服薬管理指導料１の薬A 45点を算定します。

[調剤基本料]　調剤基本料１　基A　45点

後発医薬品調剤体制加算２　後B　28点

薬剤選択の方法

○一般名で処方された場合

…先発品・後発品どちらでも選択可能。

○先発医薬品名で処方された場合

…処方箋の変更不可に✔がついていなければ、先発品・後発品どちらでも選択可能。

○後発医薬品名で処方された場合

…先発品を選択することはできない。

…他メーカーの後発品に変更することは可能（患者の同意が必要）。

○処方箋の変更不可に✔がついていたら、処方箋に記載されたとおり調剤する。

○長期収載品の選定療養（2024年10月以降）

長期収載品を患者が希望した場合、薬価の一部が保険給付の対象外となります。

…変更不可（医療上必要）欄に✔がついていたら、処方箋に記載されたとおり調剤する。この場合、先発・後発医薬品のどちらでも保険給付の対象となる。

…患者希望欄に✔がついていたら、薬価の一部が保険給付の対象外で選定療養の対象となり、自己負担が発生することを説明する。説明後、先発医薬品から後発医薬品に変更された場合は、選定療養とはならず、保険給付の対象となる。

●練習問題 4　次の処方箋からレセプトを作成しなさい。

○保険薬局の設定
- 調剤基本料1
- 服薬管理指導の実施
- 地域支援体制加算1
- 後発医薬品調剤体制加算1

○その他、処方箋備考欄も留意すること。

○開局時間　月曜～金曜　9時～18時
土曜日　9時～13時
日曜・祝日　定休日

処方箋

（この処方箋は、どの保険薬局でも有効です。）

公費負担者番号		保険者番号	1 4 4 0 1 3
公費負担医療の受給者番号		被保険者証・被保険者手帳の記号・番号	40・0001234　（枝番）01

患者		
氏名	熊本　静	
生年月日	明大㊪平令 25年 3月 9日	男・㊛
区分	被保険者	㊀被扶養者

保険医療機関の所在地及び名称　神奈川県横須賀市〇-〇-〇グリーンハイツ　湘南長崎医院
電話番号　046-849-****
保険医氏名　遠藤　秀明　㊞

都道府県番号	1 4	点数表番号	1	医療機関コード	1 4 0 0 0 0 4

交付年月日	令和　6年　7月　18日	処方箋の使用期間	令和　年　月　日	特に記載のある場合を除き、交付の日を含めて4日以内に保険薬局に提出すること。

処方

変更不可　（個々の処方薬について、後発医薬品（ジェネリック医薬品）への変更に差し支えがあると判断した場合には、「変更不可」欄に「✓」又は「×」を記載し、「保険医署名欄」に署名又は記名・押印すること。）

Rp			
①グリベンクラミド錠2.5mg「トーワ」	2T	分1	朝食直前14日分
②コニール錠4	1T	分1	朝食後　14日分
③ボナロン錠5mg	1T	分1	朝食前　14日分
④キネダック錠50mg	3T	分3	毎食後　14日分
⑤ラキソベロン内用液0.75%	10mL（1日1回 5～10滴）		

【以下余白】

リフィル可 □（　　回）

備考

保険医署名　（「変更不可」欄に「✓」又は「×」を記載した場合は、署名又は記名・押印すること。）

初回の来局

・①～④一包化
・高一　・限度額適用認定証 提示なし　・2割

保険薬局が調剤時に残薬を確認した場合の対応（特に指示がある場合は「✓」又は「×」を記載すること。）
□保険医療機関へ疑義照会した上で調剤　□保険医療機関へ情報提供

調剤実施回数（調剤回数に応じて、□に「✓」又は「×」を記載するとともに、調剤日及び次回調剤予定日を記載すること）
□1回目調剤日（　年　月　日）　□2回目調剤日（　年　月　日）　□3回目調剤日（　年　月　日）
次回調剤予定日（　年　月　日）　次回調剤予定日（　年　月　日）

調剤済年月日	令和　6年　7月　18日	公費負担者番号	
保険薬局の所在地及び名称 保険薬剤師氏名	㊞	公費負担医療の受給者番号	

備考1．「処方」欄には、薬名、分量、用法及び用量を記載すること。
2．この用紙は、A列5番を標準とすること。
3．療養の給付及び公費負担医療に関する費用の請求に関する省令（昭和51年厚生省令第36号）第1条の公費負担医療については、「保険医療機関」とあるのは「公費負担医療の担当医療機関」と、「保険医氏名」とあるのは「公費負担医療の担当医氏名」と読み替えるものとすること。

●解答例 4

調剤報酬明細書

令和 6 年 7 月分　都道府県番号　薬局コード

4 調剤	①社・国　2 公費	3 後期　4 退職	①単独　2 2併　3 3併	2 本外　4 六外　6 家外	⑧高外一　0 高外7

保険者番号	1 4 4 0 1 3	給付割合	10 9 ⑧ 7 ( )

公費負担者番号①　公費負担医療の受給者番号①

公費負担者番号②　公費負担医療の受給者番号②

被保険者証・被保険者手帳等の記号・番号	40・0001234 (枝番) 01

氏名	熊本　静
	1男 ②女　1明 2大 ③昭 4平 5令　25・3・9 生
職務上の事由	1 職務上　2 下船後3月以内　3 通勤災害
特記事項	29区エ

保険薬局の所在地及び名称

保険医療機関の所在地及び名称	神奈川県横須賀市〇-〇-〇グリーンハイツ　湘南長崎医院
都道府県番号	1 4
点数表番号	1
医療機関コード	1 4 0 0 0 0 4
保険医氏名	1. 遠藤　秀明　2.　3.　4.　5.　6.　7.　8.　9.　10.
受付回数	保険 1 回　公費① 回　公費② 回

医師番号	処方月日	調剤月日	処方 医薬品名・規格・用量・剤形・用法	単位薬剤料	調剤数量	薬剤調製料 調剤管理料	薬剤料	加算料	公費分点数
1	7・18	7・18	「内服」グリベンクラミド錠2.5mg「トーワ」 2T 1日1回　朝食直前	1点	14	24点 28	14点	支B 点	点
1	7・18	7・18	「内服」コニール錠4 1T 1日1回　朝食後	2	14	24 28	28	支B 68	
1	7・18	7・18	「内服」ボナロン錠5mg 1T 1日1回　朝食前	4	14	0	56	支B	
1	7・18	7・18	「内服」キネダック錠50mg 3T 1日3回　毎食後	10	14	24 28	140	支B	
1	7・18	7・18	「内滴」ラキソベロン内用液0.75% 10mL 1日1回　5～10滴	16	1	10	16		

摘要　※高額療養費 円　※公費負担点数 点　※公費負担点数 点

	請求 点	※決定 点	一部負担金額 円	調剤基本料 点	時間外等加算 点	薬学管理料 点
保険	648		減額 割(円)免除・支払猶予	基A 後A 地支A 98		薬C 1　医情A 1　62
公費①	点	※ 点	円	点	点	点
公費②	点	※ 点	円	点	点	点

解説 4

ポイント　内服用滴剤が処方されている例です。処方箋に記載された用法・用量から滴剤と判断できます。

- ☐ 熊本さんは生年月日が昭和25年3月9日で、70歳以上ですから、高齢受給者証を持っています。高齢受給者証には、自己負担割合1割から3割までのいずれかが明示されています。処方箋備考欄に、負担割合が記載されていますが、記載がない場合には受給者証を確認させてもらいます。70歳以上の方は、レセプトの特記事項欄に区分を記入します。この場合、「限度額適用認定証 提示なし」なので「29区エ」になります。備考欄に高一と記載があるので、本人・家族欄の「8　高外一」に○をします。
- ☐ Rp①、③の服用時点に注意しましょう。①の「朝食直前」は、薬剤調製料・調剤管理料の算定の上では③と同じ「朝食前」とみなされます。ただし、薬剤料はそれぞれ算定します。
- ☐ 外来服薬支援料2は、Rp②の「朝食後」と④の「毎食後」が服用時点の異なる2剤以上となりますので算定できます。
  また、薬剤の飲み誤りや錠剤などを直接の被包から取り出して服用することが困難な患者への補助を目的として行った場合にも算定でき、今回は、医師の指示によりRp①の「朝食直前」と③「朝食前」も一包化を行います。

Rp①

単位薬剤料：	グリベンクラミド錠2.5mg「トーワ」　5.70円×2T＝11.40円 →15円以下は　1点
調剤数量：	14日分なので　**14**
薬剤調製料：	内服薬1剤目として**24**点を算定します。
調剤管理料：	8日分以上14日分以下なので　**28**点
薬剤料：	1点×14日分＝**14**点

Rp②

単位薬剤料：	コニール錠4　　19.40円×1T＝19.40円→1.94点→**2**点

調剤数量：	14日分なので　**14**
薬剤調製料：	内服薬２剤目として**24**点を算定します。
調剤管理料：	８日分以上14日分以下なので　**28**点
薬剤料：	2点×14日分＝**28**点
加算料：	外来服薬支援料２は処方箋受付１回につき１回の算定です。レセプトには、一包化を行ったすべての薬剤の加算料欄に略称の［支B］を記載し、いずれか１か所に加算点を記載します。①～④一包化（14日分）なので34×2＝**68**点

Rp③

単位薬剤料：	ボナロン錠５㎎　43.10円×1T＝43.10円→4.31点→**4**点
調剤数量：	14日分なので　**14**
薬剤調製料と調剤管理料：	Rp①と１剤扱いです。「朝食直前」も薬剤調製料と調剤管理料の算定にあたっては「朝食前」とみなします。**0**点
薬剤料：	4点×14日分＝**56**点

Rp④

単位薬剤料：	キネダック錠50㎎　32.80円×3T＝98.40円→9.84点→**10**点
調剤数量：	14日分なので　**14**
薬剤調製料：	内服薬3剤目として**24**点を算定します。
調剤管理料：	８日分以上14日分以下なので　**28**点
薬剤料：	10点×14日分＝**140**点

Rp⑤　内服用滴剤は，１調剤分が薬剤料算定の所定単位です。

単位薬剤料：	ラキソベロン内用液0.75％　16.00円×10mL＝160.00円→16.00点→**16**点
調剤数量：	1調剤なので　**1**
薬剤調製料：	内服用滴剤は1調剤につき**10**点の算定です。
調剤管理料：	内服薬で算定しているので算定不可
薬剤料：	16点×1調剤＝**16**点

解説

［薬学管理料］　服薬管理指導料２　薬C　59点

オンライン資格確認を行う体制にある薬局で調剤し、電子資格確認による薬剤情報等の取得をしていないので、医療情報取得加算１の 医情A 3点を算定します。

［調剤基本料］　調剤基本料１　基A　45点

地域支援体制加算１　地支A　32点

後発医薬品調剤体制加算１　後A　21点

●練習問題 5　次の処方箋からレセプトを作成しなさい。

○保険薬局の設定
- 調剤基本料1
- 服薬管理指導の実施
- 地域支援体制加算1
- 後発医薬品調剤体制加算1

○その他、処方箋備考欄も留意すること。
○開局時間　月曜～金曜　9時～18時
土曜日　9時～13時
日曜・祝日　定休日

処方箋

（この処方箋は、どの保険薬局でも有効です。）

公費負担者番号		保険者番号	39112149
公費負担医療の受給者番号		被保険者証・被保険者手帳の記号・番号	02398048　（枝番）00

患者		
氏名	富山　歩	
生年月日	明大㊪平令 14年 8月 21日	男・㊛
区分	㊂被保険者	被扶養者

保険医療機関の所在地及び名称	神奈川県川崎市麻生区多摩美○-○-○ 多摩美内科医院
電話番号	044-966-****
保険医氏名	込田　正和　㊞
都道府県番号	14
点数表番号	1
医療機関コード	1400014

交付年月日	令和　6年　8月　1日	処方箋の使用期間	令和　年　月　日	特に記載のある場合を除き、交付の日を含めて4日以内に保険薬局に提出すること。

処方

変更不可　（個々の処方薬について、後発医薬品（ジェネリック医薬品）への変更に差し支えがあると判断した場合には、「変更不可」欄に「✓」又は「×」を記載し、「保険医署名」欄に署名又は記名・押印すること。）

Rp				
①リピトール錠5mg	1T	分1	夕食後	14日分
②テノーミン錠25	1T			
バイアスピリン錠100mg	1T	分1	朝食後	14日分
③ブロチゾラム錠0.25mg「サワイ」	0.5T	分1	就寝前	14日分
④スルピリド錠50mg「CH」	2T	分2	朝・夕食後	14日分

【以下余白】

リフィル可　□（　　回）

備考

保険医署名（「変更不可」欄に「✓」又は「×」を記載した場合は、署名又は記名・押印すること。）　3月以内の再来局

・高一　・限度額適用認定証 提示なし
・ブロチゾラム錠0.25mg「サワイ」の半錠の規格は薬価収載ナシ

保険薬局が調剤時に残薬を確認した場合の対応（特に指示がある場合は「✓」又は「×」を記載すること。）
□保険医療機関へ疑義照会した上で調剤　□保険医療機関へ情報提供

調剤実施回数（調剤回数に応じて、□に「✓」又は「×」を記載するとともに、調剤日及び次回調剤予定日を記載すること）
□1回目調剤日（　年　月　日）　□2回目調剤日（　年　月　日）　□3回目調剤日（　年　月　日）
次回調剤予定日（　年　月　日）　次回調剤予定日（　年　月　日）

調剤済年月日	令和　6年　8月　1日	公費負担者番号	
保険薬局の所在地及び名称 保険薬剤師氏名	㊞	公費負担医療の受給者番号	

備考1．「処方」欄には、薬名、分量、用法及び用量を記載すること。
2．この用紙は、A列5番を標準とすること。
3．療養の給付及び公費負担医療に関する費用の請求に関する省令（昭和51年厚生省令第36号）第1条の公費負担医療については、「保険医療機関」とあるのは「公費負担医療の担当医療機関」と、「保険医氏名」とあるのは「公費負担医療の担当医氏名」と読み替えるものとすること。

●解答例 5

調剤報酬明細書

令和 6 年 8 月分

都道府県番号　薬局コード

4 調剤 | 1社・国 2公費 | ③後期 4退職 | ①単独 2 2併 3 3併 | 2本外 4六外 6家外 | ⑧高外一 0高外7

保険者番号 3 9 1 1 2 1 4 9　給付割合 10 9 8 7 ( )

公費負担者番号①　公費負担医療の受給者番号①

公費負担者番号②　公費負担医療の受給者番号②

被保険者証・被保険者手帳等の記号・番号　02398048　(枝番)00

氏名　富山　歩　1男 ②女　1明 2大 ③昭 4平 5令　14・8・21生

特記事項　29区エ

職務上の事由　1職務上　2下船後3月以内　3通勤災害

保険薬局の所在地及び名称

保険医療機関の所在地及び名称　神奈川県川崎市麻生区多摩美○-○-○　多摩美内科医院

都道府県番号 1 4　点数表番号 1　医療機関コード 1 4 0 0 0 1 4

保険医氏名　1. 込田　正和　2.　3.　4.　5.　6.　7.　8.　9.　10.

受付回数　保険 1 回　公費① 回　公費② 回

医師番号	処方月日	調剤月日	医薬品名・規格・用量・剤形・用法	単位薬剤料	調剤数量	薬剤調製料・調剤管理料	薬剤料	加算料	公費分点数
1	8・1	8・1	「内服」リピトール錠5mg　1T 1日1回　夕食後	2点	14	0点	28点	点	点
1	8・1	8・1	「内服」テノーミン錠25　1T バイアスピリン錠100mg　1T 1日1回　朝食後	2	14	24 28	28		
1	8・1	8・1	「内服」ブロチゾラム錠0.25mg「サワイ」0.5T 1日1回　就寝前	1	14	24 28	14	分自 向16	
1	8・1	8・1	「内服」スルピリド錠50mg「CH」　2T 1日2回　朝・夕食後	1	14	24 28	14		

摘要　算定理由（自家製剤加算）：規格なしのため、医師の指示のもと割錠器を使い均等に割錠した。

※高額療養費 円　※公費負担点数 点　※公費負担点数 点

	請求 点	※決定 点	一部負担金額 円	調剤基本料 点	時間外等加算 点	薬学管理料 点
保険	399		減額 割(円)免除・支払猶予	基A 後A 地支A 98		薬A 1　45
公費①	点	※ 点	円	点	点	点
公費②	点	※ 点	円	点	点	点

解説 5

ポイント　内服薬が3剤以上処方されており、自家製剤を行っている例です。

- □ 富山さんは生年月日が昭和14年8月21日なので、後期高齢者医療の対象です。保険者番号の最初の二桁「39」は、後期高齢者医療の法別番号です。
- □ 患者は、後期高齢者です。備考欄に「限度額適用認定証 提示なし」とあるので、特記事項欄に「29区エ」と記載します。
- □ 内服薬4剤はすべて14日分です。
- □ 内服薬の薬剤調製料と調剤管理料は4剤以上には算定できず、このような場合は投与日数の多い順に算定します。3剤までの選択のしかたは下記のとおり。
  ①投与日数が多い順に選択。
  ②投与日数が同じ場合は、加算がある方を選択。
  ③投与日数が同じで加算がない場合は、どちらを選択してもよい。

Rp①

単位薬剤料：	リピトール錠5mg　20.20円×1T＝20.20円→2.02点→2点
調剤数量：	14日分なので　**14**
薬剤調製料：と調剤管理料	上で説明したように、ここでは薬剤調製料と調剤管理料を算定しません。**0**点とします。
薬剤料：	2点×14日分＝**28**点

Rp②

単位薬剤料：	テノーミン錠25　9.80円×1T バイアスピリン錠100mg　5.70円×1T }15.50円→1.55点→**2**点
調剤数量：	14日分なので　**14**
薬剤調製料：	内服薬1剤目として**24**点を算定します。
調剤管理料：	8日分以上14日分以下なので　**28**点
薬剤料：	2点×14日分＝**28**点

Rp③

単位薬剤料：ブロチゾラム錠0.25㎎「サワイ」 10.10円×0.5T＝5.05円
→15円以下は 1点

調剤数量：14日分なので **14**

薬剤調製料：内服薬2剤目として**24**点を算定します。

調剤管理料：８日分以上14日分以下なので **28**点

薬剤料：1点×14日分＝**14**点

加算料：ブロチゾラム錠0.25㎎「サワイ」を半錠にする指示が、医師からでています。薬価基準に半錠の規格（0.125㎎）は収載されていないので、自家製剤加算を算定できます。錠剤を分割する自家製剤加算は所定点数の$\frac{20}{100}$に相当する4点を算定します。なおこの場合14日分なので、8点の算定になります（投与日数が7またはその端数を増すごとに4点を加算）。
また、ブロチゾラム錠は向精神薬なので、加算します。
[分自]8点＋[向]8点＝**16**点

Rp④

単位薬剤料：スルピリド錠50㎎「CH」 6.40円×2T＝12.80円
→15円以下は 1点

調剤数量：14日分なので **14**

薬剤調製料：内服薬3剤目として**24**点を算定します。

調剤管理料：８日分以上14日分以下なので **28**点

薬剤料：1点×14日分＝**14**点

[薬学管理料] 服薬管理指導料１ [薬A] **45**点

[調剤基本料] 調剤基本料１ [基A] **45**点
地域支援体制加算１ [地支A] **32**点
後発医薬品調剤体制加算１ [後A] **21**点

●練習問題 6　次の処方箋からレセプトを作成しなさい。

○保険薬局の設定
- 調剤基本料2
- 服薬管理指導の実施

○その他、処方箋備考欄も留意すること。

○開局時間　月曜～金曜　9時～18時
土曜日　9時～13時
日曜・祝日　定休日

処方箋

（この処方箋は、どの保険薬局でも有効です。）

公費負担者番号		保険者番号	0 1 1 3 2 1 3 5
公費負担医療の受給者番号		被保険者証・被保険者手帳の記号・番号	10063020　（枝番）02

患者		
氏名	石川　涼	
生年月日	明大昭㊥令 22年 12月 25日	㊚・女
区分	被保険者	㊀被扶養者

保険医療機関の所在地及び名称　東京都墨田区緑○-○-○　両国内科医院
電話番号　03-3631-****
保険医氏名　小島　道夫　㊞

都道府県番号	1 3	点数表番号	1	医療機関コード	1 3 1 3 0 8 4

交付年月日	令和　6年　6月　4日	処方箋の使用期間	令和　年　月　日	特に記載のある場合を除き、交付の日を含めて4日以内に保険薬局に提出すること。

処方

変更不可　（個々の処方薬について、後発医薬品（ジェネリック医薬品）への変更に差し支えがあると判断した場合には、「変更不可」欄に「✓」又は「×」を記載し、「保険医署名欄」に署名又は記名・押印すること。）

Rp ①フェロベリン配合錠　3T
　ビオフェルミンR散　1.0
　ミヤBM細粒　1.5
　ブスコパン錠10mg　3T　1日3回　毎食後　7TD
②ケフラール細粒小児用100mg　4.0
　エピナスチン塩酸塩錠20mg「トーワ」4T　1日4回　毎食後・就寝前　5TD

【以下余白】

リフィル可　□　（　　回）

備考

保険医署名　（「変更不可」欄に「✓」又は「×」を記載した場合は、署名又は記名・押印すること。）

3月以内の再来局

保険薬局が調剤時に残薬を確認した場合の対応（特に指示がある場合は「✓」又は「×」を記載すること。）
□保険医療機関へ疑義照会した上で調剤　□保険医療機関へ情報提供

調剤実施回数（調剤回数に応じて、□に「✓」又は「×」を記載するとともに、調剤日及び次回調剤予定日を記載すること）
□1回目調剤日（　年　月　日）　□2回目調剤日（　年　月　日）　□3回目調剤日（　年　月　日）
次回調剤予定日（　年　月　日）　次回調剤予定日（　年　月　日）

調剤済年月日	令和　6年　6月　4日	公費負担者番号	
保険薬局の所在地及び名称 保険薬剤師氏名	㊞	公費負担医療の受給者番号	

備考1．「処方」欄には、薬名、分量、用法及び用量を記載すること。
2．この用紙は、A列5番を標準とすること。
3．療養の給付及び公費負担医療に関する費用の請求に関する省令（昭和51年厚生省令第36号）第1条の公費負担医療については、「保険医療機関」とあるのは「公費負担医療の担当医療機関」と、「保険医氏名」とあるのは「公費負担医療の担当医氏名」と読み替えるものとすること。

●解答例 6

調剤報酬明細書　令和 6 年 6 月分

都道府県番号　薬局コード

4 調剤　①社・国　3後期　2公費　4退職　①単独　2 2併　3 3併　2本外　4六外　⑥家外　8高外一　0高外7

保険者番号	0	1	1	3	2	1	3	5	給付割合 10 9 8 7 ( )

被保険者証・被保険者手帳等の記号・番号　10063020　(枝番) 02

公費負担者番号①　公費負担医療の受給者番号①
公費負担者番号②　公費負担医療の受給者番号②

氏名　石川　涼
①男　2女　1明　2大　3昭　④平　5令　22・12・25生

職務上の事由　1 職務上　2 下船後3月以内　3 通勤災害

特記事項

保険薬局の所在地及び名称

保険医療機関の所在地及び名称：東京都墨田区緑○-○-○　両国内科医院

都道府県番号 1 3　点数表番号 1　医療機関コード 1 3 1 3 0 8 4

保険医氏名　1. 小島　道夫　2.　3.　4.　5.　6.　7.　8.　9.　10.

受付回数　保険 1 回　公費① 回　公費② 回

医師番号	処方月日	調剤月日	医薬品名・規格・用量・剤形・用法	単位薬剤料	調剤数量	薬剤調製料・調剤管理料	薬剤料	加算料	公費分点数
1	6・4	6・4	「内服」フェロベリン配合錠　3T	6	7	24	42		
			ビオフェルミンR散　1.0			4			
			ミヤBM細粒　1.5						
			ブスコパン錠10mg　3T						
			分3　毎食後						
1	6・4	6・4	「内服」ケフラール細粒小児用100mg 4.0	25	5	24	125		
			エピナスチン塩酸塩錠20mg「トーワ」4T			4			
			分4　毎食後・就寝前						

摘要　※高額療養費　円　※公費負担点数　点　※公費負担点数　点

	請求 点	※決定 点	一部負担金額 円	調剤基本料 点	時間外等加算 点	薬学管理料 点
保険	297		減額 割(円)免除・支払猶予	基B 29		薬A 1　45
公費①						
公費②						

●解説 6

ポイント 錠剤と散剤が一緒に処方されていますが、一包化等の指示がない場合は、通常どおりに算定します。

□ 保険者番号が「０１１３２１３５」の８桁(けた)ですから、全国健康保険協会管掌健康保険（協会けんぽ）です。６月４日に発行の処方箋１枚を受け付けていますので、受付回数は1回です。

Rp① 処方箋の処方欄からもわかるように、散剤などの粉薬では剤形表示のｇは省略されることが多い のです。

単位薬剤料：
フェロベリン配合錠 8.90円 ×3T
ビオフェルミンR散 6.30円 ×1.0g
ミヤBM細粒 6.30円 ×1.5g
ブスコパン錠10mg 5.90円 ×3T
} 60.15円 →6.015点 →**6**点

調剤数量：7日分ですから **7**
薬剤調製料：内服薬なので **24**点
調剤管理料：内服薬が７日分以下ですから **4**点
薬剤料：6点×７日分＝**42**点

Rp② Rp①は「1日3回　毎食後」ですが、Rp②は「1日4回　毎食後・就寝前」というように、服用法が異なるので、別剤として算定します。

単位薬剤料：
ケフラール細粒小児用100mg 44.30円×4.0g
エピナスチン塩酸塩錠20mg「トーワ」19.30円×４T
} 254.40円→25.44点→**25**点

調剤数量：5日分ですから **5**
薬剤調製料：内服薬なので **24**点
調剤管理料：内服薬が７日分以下ですから **4**点
薬剤料：25点×５日分＝**125**点

[薬学管理料] 服薬管理指導料１ 薬A **45**点
[調剤基本料] 調剤基本料２ 基B **29**点

●練習問題 7　次の処方箋からレセプトを作成しなさい。

○保険薬局の設定
- 調剤基本料2
- 服薬管理指導の実施
- 後発医薬品調剤体制加算2

○その他、処方箋備考欄も留意すること。

○開局時間
- 月曜～金曜　9時～18時
- 土曜日　9時～13時
- 日曜・祝日　定休日

処 方 箋

（この処方箋は、どの保険薬局でも有効です。）

公費負担者番号		保険者番号	0 1 1 2 2 1 6 3
公費負担医療の受給者番号		被保険者証・被保険者手帳の記号・番号	1234・15963248 （枝番）00

患者			
氏名	滋賀　智子	保険医療機関の所在地及び名称	東京都板橋区大山町○-○-○ くろさかクリニック
生年月日	明・大・㊈昭・平・令 59年 10月 19日　男・㊛女	電話番号	03-9559-****
		保険医氏名	黒坂　健二　㊞
区分	(被保険者)　被扶養者	都道府県番号 1 3　点数表番号 1　医療機関コード 1 3 0 0 0 0 8	

交付年月日	令和 6年 7月 30日	処方箋の使用期間	令和　年　月　日（特に記載のある場合を除き、交付の日を含めて4日以内に保険薬局に提出すること。）

処方

変更不可（個々の処方薬について、後発医薬品（ジェネリック医薬品）への変更に差し支えがあると判断した場合には、「変更不可」欄に「✓」又は「×」を記載し、「保険医署名欄」に署名又は記名・押印すること。）

Rp			
①セルシン散1%	4mg		
ドグマチール細粒10%	100mg		
ハイゼット細粒20%	200mg	分3　毎食後	14日分
②メチコバール錠500 μg	2T		
ロキソニン錠60mg	2T	分2　朝・夕食後	14日分
③モーラスパップ30mg	10cm × 14cm 1日：1枚	1日1回肩に貼付	21枚

【以下余白】

リフィル可 □（　　回）

備考

保険医署名（「変更不可」欄に「✓」又は「×」を記載した場合は、署名又は記名・押印すること。）

3月以内の再来局

・手帳を持参していない　・散剤等は計量混合調剤

保険薬局が調剤時に残薬を確認した場合の対応（特に指示がある場合は「✓」又は「×」を記載すること。）
□保険医療機関へ疑義照会した上で調剤　□保険医療機関へ情報提供

調剤実施回数（調剤回数に応じて、□に「✓」又は「×」を記載するとともに、調剤日及び次回調剤予定日を記載すること）
□1回目調剤日（　年　月　日）　□2回目調剤日（　年　月　日）　□3回目調剤日（　年　月　日）
次回調剤予定日（　年　月　日）　次回調剤予定日（　年　月　日）

調剤済年月日	令和 6年 7月 30日	公費負担者番号	
保険薬局の所在地及び名称 保険薬剤師氏名	㊞	公費負担医療の受給者番号	

備考1．「処方」欄には、薬名、分量、用法及び用量を記載すること。
2．この用紙は、A列5番を標準とすること。
3．療養の給付及び公費負担医療に関する費用の請求に関する省令（昭和51年厚生省令第36号）第1条の公費負担医療については、「保険医療機関」とあるのは「公費負担医療の担当医療機関」と、「保険医氏名」とあるのは「公費負担医療の医氏名」と読み替えるものとすること。

●解答例 7

調剤報酬明細書　令和 6 年 7 月分

都道府県番号　薬局コード

4 調剤	①社・国	3 後期	①単独	②本外	8 高外一
	2 公費	4 退職	2 2 併	4 六外	0 高外7
			3 3 併	6 家外	

保険者番号：0 1 1 2 2 1 6 3　給付割合：10 9 8 7 ( )

被保険者証・被保険者手帳等の記号・番号：1234・15963248 (枝番) 00

公費負担者番号①／公費負担医療の受給者番号①
公費負担者番号②／公費負担医療の受給者番号②

氏名：滋賀　智子　1男 ②女　1明 2大 ③昭 4平 5令　59・10・19 生

職務上の事由：1 職務上　2 下船後3月以内　3 通勤災害

特記事項

保険薬局の所在地及び名称

保険医療機関の所在地及び名称：東京都板橋区大山町○-○-○　くろさかクリニック

都道府県番号：1 3　点数表番号：1　医療機関コード：1 3 0 0 0 0 8

保険医氏名：1. 黒坂　健二　2.　3.　4.　5.　6.　7.　8.　9.　10.

受付回数：保険 1 回　公費① 回　公費② 回

医師番号	処方月日	調剤月日	処方（医薬品名・規格・用量・剤形・用法）	単位薬剤料	調剤数量	薬剤調製料・調剤管理料	薬剤料	加算料	公費分点数
1	7・30	7・30	「内服」	4点	14	24点	56点	計 向 53点	点
	・	・	セルシン散1%　0.4g			28			
	・	・	ドグマチール細粒10%　1g						
	・	・	ハイゼット細粒20%　1g						
	・	・	分3　毎食後						
	・	・							
1	7・30	7・30	「内服」	4	14	24	56		
	・	・	メチコバール錠500μg　2T			28			
	・	・	ロキソニン錠60mg　2T						
	・	・	分2　朝・夕食後						
	・	・							
1	7・30	7・30	「外用」	36	1	10	36		
	・	・	モーラスパップ30mg　10cm×14cm　21枚						
	・	・	1日1回　肩に貼付						
	・	・	1日1枚						

摘要　※高額療養費 円　※公費負担点数 点　※公費負担点数 点

	請求 点	※決定 点	一部負担金額 円	調剤基本料 点	時間外等加算 点	薬学管理料 点
保険	431		減額 割(円)免除・支払猶予	基B 後B 57		薬B 1　59
公費①	点	※ 点	円	点	点	点
公費②	点	※ 点	円	点	点	点

レセプト

解説 7

ポイント　処方箋に服用量が力価（mg）で記載されている例です。
また、外用薬の処方もあります。

□　保険者番号が８桁で法別番号01は、協会けんぽです。

Rp①

薬剤料を算定する前に、服用量を求めておきます。「規格・単位」は巻末の薬価基準を参照してください。換算式は、

$$A\% \, B \, g \rightarrow A \times B \times 10 = C \, mg$$

セルシン散1%　4mg

規格・単位は「1%１g」です。

$1 \times 1 \times 10 = 10$mgとなります。

比例計算で求めましょう。

$1 \, g : 10 \, mg = x \, g : 4 \, mg$

$$10x = 4$$
$$x = \frac{4}{10}$$
$$x = 0.4$$

よって、4mg は 0.4 gということです。

ドグマチール細粒10%　100mg

規格・単位は「10%１g」です。

$10 \times 1 \times 10 = 100$mgです。

よって、100mgは１gということです。

ハイゼット細粒20%　200mg

規格・単位は「20%１g」です。

$20 \times 1 \times 10 = 200$mgとなります。

よって、200mgは１gということです。

単位薬剤料：

セルシン散1%	10.70円×0.4	38.08円→3.808点
ドグマチール細粒10%	10.10円×1	→4点
ハイゼット細粒20%	23.70円×1	

調剤数量：14日分なので　**14**

薬剤調製料：　内服薬なので　24点（1剤目）
調剤管理料：　8日分以上14日分以下なので　28点
薬　剤　料：　4点×14日分＝56点
加　算　料：　備考欄に「散剤等は計量混合調剤」とあるので、計量混合調剤加算を算定します。またセルシン散は向精神薬ですので、向精神薬加算を加算します。
計45＋向8＝53点

Rp②

単位薬剤料：　メチコバール錠500μg　10.10円×2T ｝40.40円→4.04点
ロキソニン錠60mg　10.10円×2T ｝→4点
調剤数量：　14日分なので　14
薬剤調製料：　内服薬なので　24点（2剤目）
調剤管理料：　8日分以上14日分以下なので　28点
薬　剤　料：　4点×14日分＝56点

Rp③

単位薬剤料：　モーラスパップ30mg　17.10円×21枚＝359.10円→35.91点
→36点
調剤数量：　1調剤なので　1
薬剤調製料：　外用薬なので　10点
調剤管理料：　内服薬で算定しているので算定不可
薬　剤　料：　36点×1調剤＝36点

[薬学管理料]　服薬管理指導料2　薬B　59点
[調剤基本料]　調剤基本料2　基B　29点
後発医薬品調剤体制加算2　後B　28点

●練習問題 8－① 次の処方箋からレセプトを作成しなさい。

○保険薬局の設定
- ・調剤基本料1
- ・服薬管理指導の実施
- ・地域支援体制加算2

○その他、処方箋備考欄も留意すること。

○開局時間 月曜～金曜 9時～18時
土曜日 9時～13時
日曜・祝日 定休日

処 方 箋

（この処方箋は、どの保険薬局でも有効です。）

公費負担者番号		保険者番号	138123
公費負担医療の受給者番号		被保険者証・被保険者手帳の記号・番号	12-38・8156 (枝番)01

患者		
氏名	福島 幸子	
生年月日	明大㊗平令 60年 5月 29日	男・㊛
区分	被保険者	㊞被扶養者

保険医療機関の所在地及び名称	東京都世田谷区鎌田○-○-○ 須田病院
電話番号	03-3708-****
保険医氏名	須田 総一郎 ㊞

都道府県番号	13	点数表番号	1	医療機関コード	1300009

交付年月日	令和 6年 9月 3日	処方箋の使用期間	令和 年 月 日	特に記載のある場合を除き、交付の日を含めて4日以内に保険薬局に提出すること。

処方

変更不可

（個々の処方薬について、後発医薬品（ジェネリック医薬品）への変更に差し支えがあると判断した場合には、「変更不可」欄に「✓」又は「×」を記載し、「保険医署名欄」に署名又は記名・押印すること。）

Rp ①ロキソニン錠60mg 3T
ペントキシベリンクエン酸塩錠15mg「ツルハラ」 3T
カルボシステイン錠250mg「サワイ」 3T 分3×n.d.E. 4TD

②フロモックス錠100mg 2C 分2×朝・夕 n.d.E. 4TD

【以下余白】

リフィル可 □（ 回）

備考

保険医署名（「変更不可」欄に「✓」又は「×」を記載した場合は、署名又は記名・押印すること。）

初回の来局

保険薬局が調剤時に残薬を確認した場合の対応（特に指示がある場合は「✓」又は「×」を記載すること。）
□保険医療機関へ疑義照会した上で調剤 □保険医療機関へ情報提供

調剤実施回数（調剤回数に応じて、□に「✓」又は「×」を記載するとともに、調剤日及び次回調剤予定日を記載すること）
□1回目調剤日（ 年 月 日） □2回目調剤日（ 年 月 日） □3回目調剤日（ 年 月 日）
次回調剤予定日（ 年 月 日） 次回調剤予定日（ 年 月 日）

調剤済年月日	令和 6年 9月 3日	公費負担者番号	
保険薬局の所在地及び名称 保険薬剤師氏名	㊞	公費負担医療の受給者番号	

備考1．「処方」欄には、薬名、分量、用法及び用量を記載すること。
2．この用紙は、A列5番を標準とすること。
3．療養の給付及び公費負担医療に関する費用の請求に関する省令（昭和51年厚生省令第36号）第1条の公費負担医療［illegible］ては、「保険医療機関」とあるのは「公費負担医療の担当医療機関」と、「保険医氏名」とあるのは「公費負担医療［illegible］医氏名」と読み替えるものとすること。

●練習問題 8―② 次の処方箋からレセプトを作成しなさい。

○保険薬局の設定
- 調剤基本料1
- 服薬管理指導の実施
- 地域支援体制加算2

○その他、処方箋備考欄も留意すること。

○開局時間 月曜～金曜 9時～18時
土曜日 9時～13時
日曜・祝日 定休日

処 方 箋

（この処方箋は、どの保険薬局でも有効です。）

公費負担者番号		保険者番号	1 3 8 1 2 3
公費負担医療の受給者番号		被保険者証・被保険者手帳の記号・番号	12-38・8156 （枝番）01

患者	氏名	福島 幸子		保険医療機関の所在地及び名称	東京都世田谷区鎌田○-○-○ 須田病院
	生年月日	明・大・㊧昭・平・令 60年 5月 29日	男・㊛	電話番号	03-3708-****
				保険医氏名	須田 総一郎 ㊞
	区分	被保険者	⦅被扶養者⦆	都道府県番号 1 3 / 点数表番号 1 / 医療機関コード 1 3 0 0 0 0 9	
交付年月日		令和 6年 9月 10日		処方箋の使用期間	令和 年 月 日（特に記載のある場合を除き、交付の日を含めて4日以内に保険薬局に提出すること。）

処方

変更不可 （個々の処方薬について、後発医薬品（ジェネリック医薬品）への変更に差し支えがあると判断した場合には、「変更不可」欄に「✓」又は「×」を記載し、「保険医署名欄」に署名又は記名・押印すること。）

Rp ①ジクロフェナクNa錠25mg「ツルハラ」 3T
カルボシステイン錠250mg「サワイ」 3T 分3×n.d.E. 4TD

②クラリス錠200 2T 分2×朝・夕n.d.E. 4TD

【以下余白】

リフィル可 □ （ 回）

備考

保険医署名 （「変更不可」欄に「✓」又は「×」を記載した場合は、署名又は記名・押印すること。）

3月以内の再来局

保険薬局が調剤時に残薬を確認した場合の対応（特に指示がある場合は「✓」又は「×」を記載すること。）
□保険医療機関へ疑義照会した上で調剤 □保険医療機関へ情報提供

調剤実施回数（調剤回数に応じて、□に「✓」又は「×」を記載するとともに、調剤日及び次回調剤予定日を記載すること）
□1回目調剤日（ 年 月 日） □2回目調剤日（ 年 月 日） □3回目調剤日（ 年 月 日）
次回調剤予定日（ 年 月 日） 次回調剤予定日（ 年 月 日）

調剤済年月日	令和 6年 9月 10日	公費負担者番号	
保険薬局の所在地及び名称 保険薬剤師氏名	㊞	公費負担医療の受給者番号	

備考1．「処方」欄には、薬名、分量、用法及び用量を記載すること。
2．この用紙は、A列5番を標準とすること。
3．療養の給付及び公費負担医療に関する費用の請求に関する省令（昭和51年厚生省令第36号）第1条の公費負担医療については、「保険医療機関」とあるのは「公費負担医療の担当医療機関」と、「保険医氏名」とあるのは「公費負担医療の担当医氏名」と読み替えるものとすること。

●練習問題 8—③　次の処方箋からレセプトを作成しなさい。

○保険薬局の設定
- 調剤基本料1
- 服薬管理指導の実施
- 地域支援体制加算2

○その他、処方箋備考欄も留意すること。
○開局時間　月曜～金曜　9時～18時
　　　　　　土曜日　　　9時～13時
　　　　　　日曜・祝日　定休日

処　方　箋

（この処方箋は、どの保険薬局でも有効です。）

公費負担者番号		保険者番号	138123
公費負担医療の受給者番号		被保険者証・被保険者手帳の記号・番号	12-38・8156　（枝番）01

患者			
氏名	福島　幸子	保険医療機関の所在地及び名称	東京都世田谷区鎌田○-○-○　須田病院
生年月日	明・大・(昭)・平・令　60年　5月　29日　男・(女)	電話番号	03-3708-****
		保険医氏名	須田　総一郎　㊞
区分	被保険者・(被扶養者)	都道府県番号 13　点数表番号 1　医療機関コード 1300009	
交付年月日	令和　6年　9月　13日	処方箋の使用期間	令和　年　月　日（特に記載のある場合を除き、交付の日を含めて4日以内に保険薬局に提出すること。）

処方

変更不可　（個々の処方薬について、後発医薬品（ジェネリック医薬品）への変更に差し支えがあると判断した場合には、「変更不可」欄に「✓」又は「×」を記載し、「保険医署名欄」に署名又は記名・押印すること。）

Rp ①ロキソニン錠60mg　3T
ペントキシベリンクエン酸塩錠15mg「ツルハラ」　3T
カルボシステイン錠250mg「サワイ」　3T　分3×n.d.E.　7TD

②クラリス錠200　2T　分2×朝・夕 n.d.E.　7TD

【以下余白】

リフィル可　□（　　回）

備考

保険医署名（「変更不可」欄に「✓」又は「×」を記載した場合は、署名又は記名・押印すること。）

3月以内の再来局

保険薬局が調剤時に残薬を確認した場合の対応（特に指示がある場合は「✓」又は「×」を記載すること。）
□保険医療機関へ疑義照会した上で調剤　□保険医療機関へ情報提供

調剤実施回数（調剤回数に応じて、□に「✓」又は「×」を記載するとともに、調剤日及び次回調剤予定日を記載すること）
□1回目調剤日（　年　月　日）　□2回目調剤日（　年　月　日）　□3回目調剤日（　年　月　日）
次回調剤予定日（　年　月　日）　次回調剤予定日（　年　月　日）

調剤済年月日	令和　6年　9月　13日	公費負担者番号	
保険薬局の所在地及び名称 保険薬剤師氏名	㊞	公費負担医療の受給者番号	

備考1.「処方」欄には、薬名、分量、用法及び用量を記載すること。
2. この用紙は、A列5番を標準とすること。
3. 療養の給付及び公費負担医療に関する費用の請求に関する省令（昭和51年厚生省令第36号）第1条の公費負担医療については、「保険医療機関」とあるのは「公費負担医療の担当医療機関」と、「保険医氏名」とあるのは「公費負担医療の担当医氏名」と読み替えるものとすること。

●練習問題 8－④　次の処方箋からレセプトを作成しなさい。

○保険薬局の設定
- 調剤基本料1
- 服薬管理指導の実施
- 地域支援体制加算2

○その他、処方箋備考欄も留意すること。

○開局時間　月曜～金曜　9時～18時
土曜日　9時～13時
日曜・祝日　定休日

処　方　箋

（この処方箋は、どの保険薬局でも有効です。）

公費負担者番号		保険者番号	1 3 8 1 2 3
公費負担医療の受給者番号		被保険者証・被保険者手帳の記号・番号	12-38・8156　（枝番）01

患者			
氏名	福島　幸子		
生年月日	明大㊖平令　60年　5月　29日	男・㊛	
区分	被保険者	㊖被扶養者	

保険医療機関の所在地及び名称	東京都世田谷区鎌田〇-〇-〇　須田病院
電話番号	03-3708-****
保険医氏名	須田　総一郎　㊞
都道府県番号	1 3
点数表番号	1
医療機関コード	1 3 0 0 0 0 9

交付年月日	令和　6年　9月　20日	処方箋の使用期間	令和　年　月　日	特に記載のある場合を除き、交付の日を含めて4日以内に保険薬局に提出すること。

処方

変更不可　（個々の処方薬について、後発医薬品（ジェネリック医薬品）への変更に差し支えがあると判断した場合には、「変更不可」欄に「✓」又は「×」を記載し、「保険医署名欄」に署名又は記名・押印すること。）

Rp　①ジクロフェナクNa錠25mg「ツルハラ」　3T
　　カルボシステイン錠250mg「サワイ」　3T　　分3×n.d.E.　4TD

　　②フェロベリン配合錠　1T　　4回分（下痢時）

　　③MS温シップ「タイホウ」　200g×2　　20枚（1日1枚腰部貼付）

【以下余白】

リフィル可　□　（　　回）

備考

保険医署名　（「変更不可」欄に「✓」又は「×」を記載した場合は、署名又は記名・押印すること。）

3月以内の再来局

保険薬局が調剤時に残薬を確認した場合の対応（特に指示がある場合は「✓」又は「×」を記載すること。）
□保険医療機関へ疑義照会した上で調剤　　□保険医療機関へ情報提供

調剤実施回数（調剤回数に応じて、□に「✓」又は「×」を記載するとともに、調剤日及び次回調剤予定日を記載すること）
□1回目調剤日（　年　月　日）　□2回目調剤日（　年　月　日）　□3回目調剤日（　年　月　日）
次回調剤予定日（　年　月　日）　次回調剤予定日（　年　月　日）

調剤済年月日	令和　6年　9月　20日	公費負担者番号	
保険薬局の所在地及び名称保険薬剤師氏名	㊞	公費負担医療の受給者番号	

備考1．「処方」欄には、薬名、分量、用法及び用量を記載すること。
2．この用紙は、A列5番を標準とすること。
3．療養の給付及び公費負担医療に関する費用の請求に関する省令（昭和51年厚生省令第36号）第1条の公費負担医療［…］ては、「保険医療機関」とあるのは「公費負担医療の担当医療機関」と、「保険医氏名」とあるのは「公費負担医療の［…］医氏名」と読み替えるものとすること。

●解答例 8

調剤報酬明細書

令和 6 年 9 月分

都道府県番号	薬局コード	4 調剤	①社・国　3後期 2公費　4退職	①単独 2 2併 3 3併	2本外 4六外 ⑥家外	8高外一 0高外7

保険者番号	1 3 8 1 2 3	給付割合	10 9 8 ⑦( )
被保険者証・被保険者手帳等の記号・番号	12-38・8156 (枝番)01		

公費負担者番号①		公費負担医療の受給者番号①	
公費負担者番号②		公費負担医療の受給者番号②	

氏名	福島　幸子 1男 ②女　1明 2大 ③昭 4平 5令　60・5・29生	特記事項		保険薬局の所在地及び名称	
職務上の事由	1職務上　2下船後3月以内　3通勤災害				

保険医療機関の所在地及び名称	東京都世田谷区鎌田○-○-○ 須田病院	保険医氏名	1. 須田　総一郎 2. 3. 4. 5.	6. 7. 8. 9. 10.	受付回数	保険 4 回 公費① 回 公費② 回
都道府県番号 1 3	点数表番号 1	医療機関コード 1 3 0 0 0 0 9				

医師番号	処方月日	調剤月日	処方 医薬品名・規格・用量・剤形・用法	単位薬剤料	調剤数量	薬剤調製料 調剤管理料	薬剤料	加算料	公費分点数
1	9・3	9・3	「内服」ロキソニン錠60mg 3T	8点	4	24点	32点	点	点
1	9・13	9・13	ペントキシベリンクエン酸塩錠15mg「ツルハラ」3T		7	4	56		
	・	・	カルボシステイン錠250mg「サワイ」3T			24			
	・	・	分3　毎食後			4			
1	9・3	9・3	「内服」フロモックス錠100mg 2C	8	4	24	32		
	・	・	分2　朝・夕食後			4			
1	9・10	9・10	「内服」ジクロフェナクNa錠25mg「ツルハラ」3T	4	4	24	16		
1	9・20	9・20	カルボシステイン錠250mg「サワイ」3T		4	4	16		
	・	・	分3　毎食後			24			
	・	・				4			
1	9・10	9・10	「内服」クラリス錠200 2T	6	4	24 4	24		
1	9・13	9・13	分2　朝・夕食後		7	24 4	42		
1	9・20	9・20	「屯服」フェロベリン配合錠 4T	4	1	21	4		
	・	・	1回1T　下痢時						
1	9・20	9・20	「外用」MS温シップ「タイホウ」400g	34	1	10	34		
	・	・	1日1枚腰部貼付　全20枚						

摘要		※高額療養費 円 ※公費負担点数 点 ※公費負担点数 点

	請求 点	※決定 点	一部負担金額 円 減額 割(円)免除・支払猶予	調剤基本料 点	時間外等加算 点	薬学管理料 点
保険	1,020			基A 地支B 340		薬A 3　薬C 1　医情A 1 197
公費①	点	※ 点	円	点	点	点
公費②	点	※ 点	円	点	点	点

●解説 8

ポイント 処方箋を９月３日、10日、13日、20日の４回受け付けていますので、受付回数は４回です。薬学管理料の算定に注意しましょう。また、外用薬と屯服薬が処方されていますので、薬剤調製料と調剤管理料の算定にも注意してください。

□ 保険者番号が６桁（けた）ですから国保です。アタマ２桁の都道府県番号が「13」なので、東京都です。東京都の場合、都道府県番号の次にくる数字が、「8」の場合は一般国保、「3」の場合は国保組合です。福島さんの場合は一般国保です。

□ 9月3日

Rp①

単位薬剤料：	ロキソニン錠60mg	10.10円×3T	75.30円→7.53点→8点
	ペントキシベリンクエン酸塩錠15mg「ツルハラ」	8.30円×3T	
	カルボシステイン錠250mg「サワイ」	6.70円×3T	
調剤数量：	4日分ですから　4		
薬剤調製料：	内服薬なので　**24点**		
調剤管理料：	7日分以下の場合なので　**4点**		
薬剤料：	8点×4日分＝**32点**		

Rp②

単位薬剤料：	フロモックス錠100mg　41.10円×2C＝82.20円→8.22点→8点
調剤数量：	4日分ですから　4
薬剤調製料：	内服薬なので　**24点**
調剤管理料：	7日分以下の場合なので　**4点**
薬剤料：	8点×4日分＝**32点**

［薬学管理料］ 服薬管理指導料２　薬C　**59点**

オンライン資格確認を行う体制にある薬局で調剤し、電子資格確認による薬剤情報等の取得をしていないので、医療情報取得加算1の医情A 3点を算定します。
なお6月に1度限りの算定なので、問題8—①で算定したため、②③④では算定できません。

[調剤基本料] 調剤基本料1 基A 45点
地域支援体制加算2 地支B 40点

□ 9月10日

Rp①

単位薬剤料：ジクロフェナクNa錠25mg「ツルハラ」5.70円×3T
カルボシステイン錠250mg「サワイ」6.70円×3T } 37.20円→3.72点→4点

調剤数量：4日分ですから 4

薬剤調製料：内服薬なので 24点

調剤管理料：7日分以下なので 4点

薬剤料：4点×4日分＝16点

Rp②

単位薬剤料：クラリス錠200 30.00円×2T＝60.00円→6.00点→6点

調剤数量：4日分ですから 4

薬剤調製料：内服薬なので 24点

調剤管理料：7日分以下なので 4点

薬剤料：6点×4日分＝24点

[薬学管理料] 前回は「初回の来局」でしたが、今回は「3月以内の再来局」とあるので、服薬管理指導料1の薬A 45点を算定します。

[調剤基本料] 調剤基本料1 基A 45点
地域支援体制加算2 地支B 40点

□ 9月13日

Rp①

9月3日のRp①と同じ処方内容ですが、投与日数が異なっていますので、薬剤料の算定に注意しましょう。

単位薬剤料：ロキソニン錠60mg 10.10円×3T
ペントキシベリンクエン酸塩錠15mg「ツルハラ」8.30円×3T
カルボシステイン錠250mg「サワイ」6.70円×3T } 75.30円→7.53点→8点

調剤数量：　7日分ですから　**7**
薬剤調製料：　内服薬なので　**24**点
調剤管理料：　7日分以下なので　**4**点
薬剤料：　8点×7日分＝**56**点

Rp②　9月10日のRp②と同じ処方内容です。投与日数だけ変更しています。

単位薬剤料：　クラリス錠200　30.00円×2T＝60.00円→6.00点→**6**点
調剤数量：　7日分ですから　**7**
薬剤調製料：　内服薬なので　**24**点
調剤管理料：　7日分以下なので　**4**点
薬剤料：　6点×7日分＝**42**点

[薬学管理料]　服薬管理指導料1　薬A　**45**点
[調剤基本料]　調剤基本料1　基A　**45**点
地域支援体制加算2　地支B　**40**点

□　9月20日

Rp①　9月10日のRp①と同一の処方内容です。
単位薬剤料、調剤数量、薬剤調製料、調剤管理料、薬剤料ともすべて9月10日のRp①と同じです。

Rp②　4回分（下痢時）と記載されていますので、屯服薬としての処方であることがわかります。

単位薬剤料：　フェロベリン配合錠　8.90円×4T＝35.60円→3.56点→**4**点
調剤数量：　屯服薬なので　**1**
薬剤調製料：　屯服薬は受付1回につきの算定です。**21**点
調剤管理料：　内服薬で算定しているので算定不可
薬剤料：　4点×1＝**4**点

Rp③　外用薬の処方です。1袋200 gを2袋出していますので、全量は400 gです。湿布薬の場合、「1日○枚」「＿＿に貼付」「全○枚」「○日分」のどれかを記載しなければなりません。

単位薬剤料：　MS温シップ「タイホウ」は10 gあたり8.60円ですから、400 g分を求めるには、40倍します。

解説

	MS温シップ「タイホウ」8.60円×40＝344.00円→34.4点→**34点**
調剤数量：	外用薬の調剤数量は1回の処方で何日分を処方しても、日数には関係ありませんので　**1**
薬剤調製料：	外用薬は1調剤につき所定点数を算定します。**10点**
調剤管理料：	内服薬で算定しているので算定不可
薬剤料：	34点×1＝**34点**

[薬学管理料]　服薬管理指導料1　薬A　**45点**

[調剤基本料]　調剤基本料1　基A　**45点**

地域支援体制加算2　地支B　**40点**

●練習問題 9—① 次の処方箋からレセプトを作成しなさい。

○保険薬局の設定
- 調剤基本料1
- 服薬管理指導の実施
- 地域支援体制加算1
- 後発医薬品調剤体制加算1

○その他、処方箋備考欄も留意すること。

○開局時間 月曜〜金曜 9時〜18時
土曜日 9時〜13時
日曜・祝日 定休日

処 方 箋

（この処方箋は、どの保険薬局でも有効です。）

公費負担者番号		保険者番号	133033
公費負担医療の受給者番号		被保険者証・被保険者手帳の記号・番号	43・75189 （枝番）00

患者		保険医療機関の所在地及び名称	東京都あきる野市留原○-○-○ 二宮クリニック
氏名	山口 要	電話番号	042-596-****
生年月日	明・大・㊗昭・平・令 27年 10月 1日 ㊚・女	保険医氏名	二宮 慎一 ㊞
区分	(被保険者) 被扶養者	都道府県番号 13 点数表番号 1 医療機関コード 1300031	

交付年月日	令和 6年 9月 12日	処方箋の使用期間	令和 年 月 日 （特に記載のある場合を除き、交付の日を含めて4日以内に保険薬局に提出すること。）

処方

変更不可 （個々の処方薬について、後発医薬品（ジェネリック医薬品）への変更に差し支えがあると判断した場合には、「変更不可」欄に「✓」又は「×」を記載し、「保険医署名」欄に署名又は記名・押印すること。）

Rp ①ノイエルカプセル200mg 3Cap
オパルモン錠5μg 6Tab
エパデールカプセル300 3Cap 分3 毎食後 28日分
②ガスターD錠20mg 2Tab
バイアスピリン錠100mg 2Tab 分2 朝・夕食後 28日分
③ヘルベッサーRカプセル100mg 1Cap
ジゴシン錠0.25mg 1Tab
フェロミア錠50mg 1Tab 分1 朝食後 28日分
④プロブコール錠250mg「サワイ」1Tab 分1 夕食後 28日分
【以下余白】

リフィル可 □ （ 回）

備考

保険医署名 （「変更不可」欄に「✓」又は「×」を記載した場合は、署名又は記名・押印すること。）

3月以内の再来局

・薬剤一包化の指示 ・手帳を持参していない ・高一 ・限度額適用認定証 提示なし
・2割

保険薬局が調剤時に残薬を確認した場合の対応（特に指示がある場合は「✓」又は「×」を記載すること。）
□保険医療機関へ疑義照会した上で調剤 □保険医療機関へ情報提供

調剤実施回数（調剤回数に応じて、□に「✓」又は「×」を記載するとともに、調剤日及び次回調剤予定日を記載すること）
□1回目調剤日（ 年 月 日） □2回目調剤日（ 年 月 日） □3回目調剤日（ 年 月 日）
次回調剤予定日（ 年 月 日） 次回調剤予定日（ 年 月 日）

調剤済年月日	令和 6年 9月 12日	公費負担者番号	
保険薬局の所在地及び名称 保険薬剤師氏名	㊞	公費負担医療の受給者番号	

備考1．「処方」欄には、薬名、分量、用法及び用量を記載すること。
2．この用紙は、A列5番を標準とすること。
3．療養の給付及び公費負担医療に関する費用の請求に関する省令（昭和51年厚生省令第36号）第1条の公費負担医療［illegible］ては、「保険医療機関」とあるのは「公費負担医療の担当医療機関」と、「保険医氏名」とあるのは「公費負担医療の［illegible］医氏名」と読み替えるものとすること。

●練習問題 9－② 次の処方箋からレセプトを作成しなさい。

○保険薬局の設定
・調剤基本料１
・服薬管理指導の実施
・地域支援体制加算１
・後発医薬品調剤体制加算１

○その他、処方箋備考欄も留意すること。
○開局時間 月曜～金曜 9時～18時
土曜日 9時～13時
日曜・祝日 定休日

処 方 箋

（この処方箋は、どの保険薬局でも有効です。）

公費負担者番号		保険者番号	133033
公費負担医療の受給者番号		被保険者証・被保険者手帳の記号・番号	43・75189 （枝番）00

患者		保険医療機関の所在地及び名称	東京都あきる野市草花○-○ 医療法人 青木病院
氏名	山口 要	電話番号	042-265-****
生年月日	明大㊐平令 27年 10月 1日 ㊚・女	保険医氏名	青木 俊夫 ㊞
区分	（被保険者） 被扶養者	都道府県番号 13 点数表番号 1 医療機関コード 1212001	

交付年月日	令和 6年 9月 12日	処方箋の使用期間	令和 年 月 日 （特に記載のある場合を除き、交付の日を含めて４日以内に保険薬局に提出すること。）

処方

変更不可 （個々の処方薬について、後発医薬品（ジェネリック医薬品）への変更に差し支えがあると判断した場合には、「変更不可」欄に「✓」又は「×」を記載し、「保険医署名欄」に署名又は記名・押印すること。）

Rp ①ロキソプロフェンNa錠60mg「サワイ」 3錠
レバミピド錠100mg「タナベ」 3錠
分3 毎食後 14日間

②モーラスパップXR120mg 10cm×14cm 28枚
1日1枚 1日1回患部に貼付

【以下余白】

リフィル可 □ （ 回）

備考

保険医署名 （「変更不可」欄に「✓」又は「×」を記載した場合は、署名又は記名・押印すること。）

3月以内の再来局

・手帳を持参していない ・高一 ・限度額適用認定証 提示なし ・２割

保険薬局が調剤時に残薬を確認した場合の対応（特に指示がある場合は「✓」又は「×」を記載すること。）
□保険医療機関へ疑義照会した上で調剤 □保険医療機関へ情報提供

調剤実施回数（調剤回数に応じて、□に「✓」又は「×」を記載するとともに、調剤日及び次回調剤予定日を記載すること）
□１回目調剤日（ 年 月 日） □２回目調剤日（ 年 月 日） □３回目調剤日（ 年 月 日）
次回調剤予定日（ 年 月 日） 次回調剤予定日（ 年 月 日）

調剤済年月日	令和 6年 9月 12日	公費負担者番号	
保険薬局の所在地及び名称 保険薬剤師氏名	㊞	公費負担医療の受給者番号	

備考１．「処方」欄には、薬名、分量、用法及び用量を記載すること。
２．この用紙は、A列５番を標準とすること。
３．療養の給付及び公費負担医療に関する費用の請求に関する省令（昭和51年厚生省令第36号）第１条の公費負担医療［illegible］ては、「保険医療機関」とあるのは「公費負担医療の担当医療機関」と、「保険医氏名」とあるのは「公費負担医療［illegible］医氏名」と読み替えるものとすること。

調剤報酬明細書

令和 6 年 9 月分

都道府県番号　薬局コード

4 調剤　①社・国　①単独　⑧高外一

保険者番号	1	3	3	0	3	3	給付割合 10 9 ⑧ 7（ ）

被保険者証・被保険者手帳等の記号・番号：43･75189（枝番）00

公費負担者番号①　公費負担医療の受給者番号①
公費負担者番号②　公費負担医療の受給者番号②

氏名	山口　要	特記事項
	①男 2女 1明 2大 ③昭 4平 5令 27・10・1 生	29区エ
職務上の事由	1職務上 2下船後3月以内 3通勤災害	

保険薬局の所在地及び名称

保険医療機関の所在地及び名称	東京都あきる野市留原○-○-○ 二宮クリニック
都道府県番号	13
点数表番号	1
医療機関コード	1300031
保険医氏名	1. 二宮　慎一
受付回数	保険 1 回 / 公費① 回 / 公費② 回

医師番号	処方月日	調剤月日	医薬品名・規格・用量・剤形・用法	単位薬剤料	調剤数量	薬剤調製料・調剤管理料	薬剤料	加算料	公費分点数
1	9・12	9・12	「内服」ノイエルカプセル200mg 3C オパルモン錠5μg 6T エパデールカプセル300 3C 分3　毎食後	23	28	24 50	644	支B 136	
1	9・12	9・12	「内服」ガスターD錠20mg 2T バイアスピリン錠100mg 2T 分2　朝・夕食後	4	28	24 50	112	支B	
1	9・12	9・12	「内服」ヘルベッサーRカプセル100mg 1C ジゴシン錠0.25mg 1T フェロミア錠50mg 1T 分1　朝食後	3	28	0	84	支B	
1	9・12	9・12	「内服」プロブコール錠250mg「サワイ」1T 分1　夕食後	1	28	24 50	28	支B	

摘要　※高額療養費 円　※公費負担点数 点　※公費負担点数 点

	請求 点	※決定 点	一部負担金額 円	調剤基本料 点	時間外等加算 点	薬学管理料 点
保険	1,383		減額 割(円)免除・支払猶予	基A 後A 地支A 98		薬B 1 59
公費①	点	※ 点	円	点	点	点
公費②	点	※ 点	円	点	点	点

レセプト

●解答例９―②

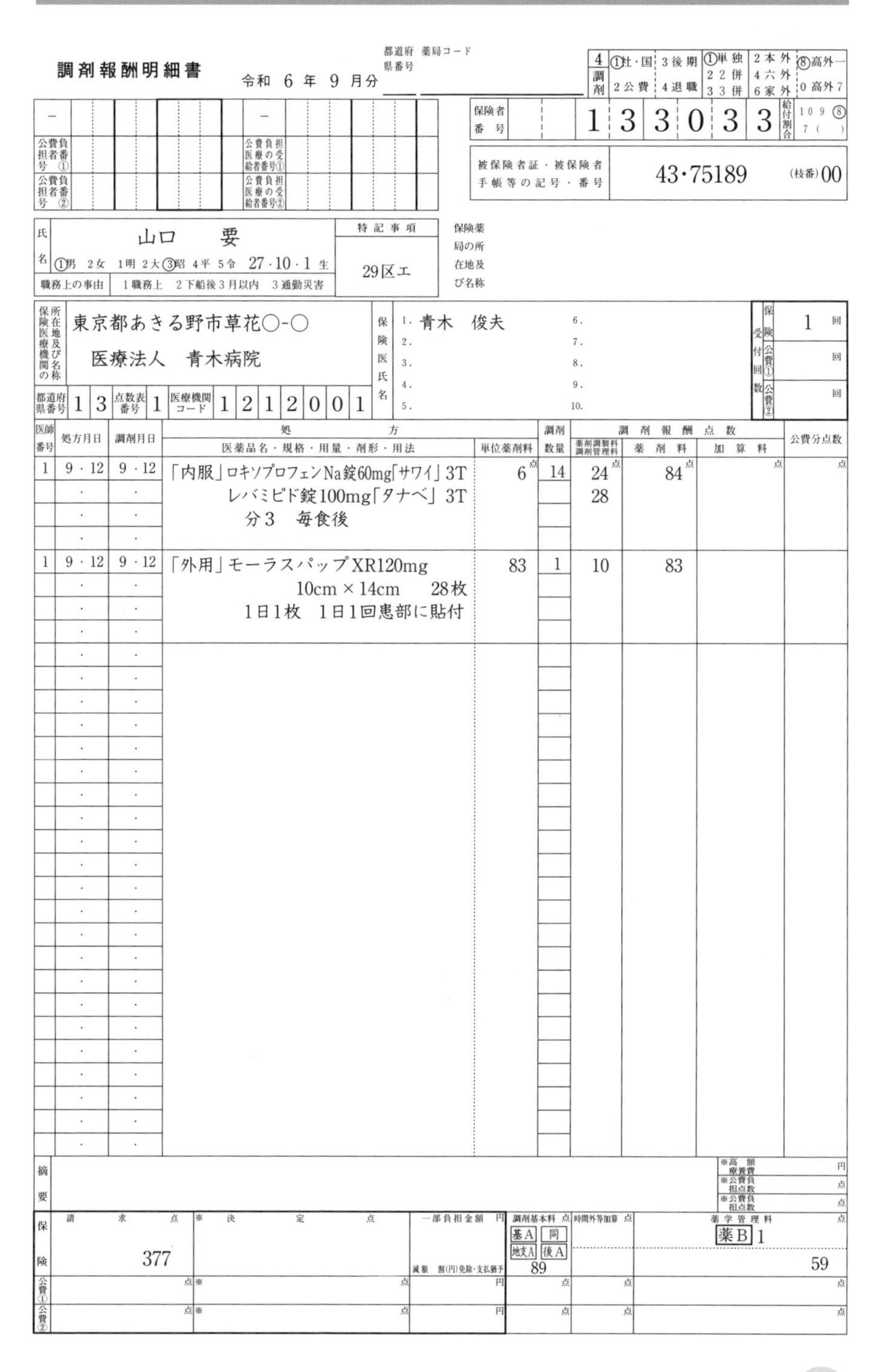

調剤報酬明細書　令和 6 年 9 月分

都道府県番号　薬局コード

4 調剤　①社・国　2公費　3後期　4退職　①単独　2 2併　3 3併　2本外　4六外　6家外　⑧高外一　0高外7

保険者番号	1	3	3	0	3	3	給付割合 10 9 ⑧ 7 ( )

公費負担者番号①　公費負担医療の受給者番号①
公費負担者番号②　公費負担医療の受給者番号②

被保険者証・被保険者手帳等の記号・番号　43・75189　(枝番)00

氏名　山口　要
①男 2女　1明 2大 ③昭 4平 5令　27・10・1 生
職務上の事由　1職務上　2下船後3月以内　3通勤災害

特記事項　29区エ

保険薬局の所在地及び名称

保険医療機関の所在地及び名称　東京都あきる野市草花○-○
医療法人　青木病院

都道府県番号 1 3　点数表番号 1　医療機関コード 1 2 1 2 0 0 1

保険医氏名　1. 青木　俊夫　2.　3.　4.　5.　6.　7.　8.　9.　10.

受付回数　保険 1 回　公費① 回　公費② 回

医師番号	処方月日	調剤月日	医薬品名・規格・用量・剤形・用法	単位薬剤料	調剤数量	薬剤調製料・調剤管理料	薬剤料	加算料	公費分点数
1	9・12	9・12	「内服」ロキソプロフェンNa錠60mg「サワイ」3T	6	14	24	84		
			レバミピド錠100mg「タナベ」3T			28			
			分3　毎食後						
1	9・12	9・12	「外用」モーラスパップXR120mg	83	1	10	83		
			10cm × 14cm　28枚						
			1日1枚　1日1回患部に貼付						

摘要

※高額療養費　円
※公費負担点数　点
※公費負担点数　点

	請求 点	※決定 点	一部負担金額 円	調剤基本料 点	時間外等加算 点	薬学管理料 点
保険	377		減額 割(円)免除・支払猶予	基A　同　地支A　後A　89		薬B 1　59
公費①						
公費②						

●解説 9

ポイント　本問は、別々の医院で処方された２枚の処方箋を同時に受け付けた例です。９―①では、薬剤一包化の指示に注意してください。２剤以上の内服薬、または１剤で３種類以上の内服薬を、服用時点ごとに一包化を行った場合は、外来服薬支援料２を算定します。９―②では、調剤基本料の算定に注意しましょう。

２枚の処方箋は病院が別々なので、レセプトは、それぞれ作成します。保険者番号が133033で国保組合です。生年月日をみると昭和27年10月生まれで70歳以上ですから、高齢受給者証を持っています。高齢受給者証には、自己負担割合１割から３割までのいずれかが明示されています。処方箋備考欄に、負担割合が記載されていて、この場合は２割です。記載がない場合には受給者証を確認させてもらいます。また、70歳以上なので、特記事項の欄に区分を記入します。この場合、「限度額適用認定証　提示なし」とあるので「29区エ」になります。備考欄に「高一」と記載があるので、本人・家族欄の「８　高外一」に○をします。

【９―①】

□ 内服薬の薬剤調製料と調剤管理料は４剤以上は算定できないので、①②④で算定してください。(P.184参照のこと)

Rp①	ノイエルカプセル200㎎と、エパデールカプセル300は1日の服用量が3カプセルずつですが、オパルモン錠5μgは6錠なので薬剤料の計算に注意しましょう。
単位薬剤料：	ノイエルカプセル200㎎　8.80円×3C オパルモン錠5μg　22.40円×6T エパデールカプセル300　23.30円×3C } 230.70円→23.07点→**23**点
調剤数量：	28日分の投与ですから　**28**
薬剤調製料：	内服薬なので　**24**点（１剤目）
調剤管理料：	内服薬の「15日分以上28日分以下」で算定します。**50**点
薬剤料：	23点×28日分＝**644**点

加　算　料：処方箋の備考欄に「薬剤一包化の指示」があるので、外来服薬支援料２を算定します。
外来服薬支援料２の内服薬の点数は、

１～７日分	34点	29～35日分	170点
８～14日分	68点	36～42日分	204点
15～21日分	102点	43日分以上は	240点
22～28日分	136点		

というように、42日分までは投与日数が7日増えるごとに34点を算定し、43日分以上は240点を算定します。
ここでは28日分を一包化しているので**136点**を算定します。

Rp②
単位薬剤料：ガスターD錠20mg　15.20円×2T、バイアスピリン錠100mg　5.70円×2T｝41.80円→4.18点→**4点**
調 剤 数 量：**28**
薬剤調製料：内服薬なので　**24点**（２剤目）
調剤管理料：**50点**
薬　剤　料：4点×28日分＝**112点**

Rp③
単位薬剤料：ヘルベッサーRカプセル100mg　18.10円×1C、ジゴシン錠0.25mg　9.80円×1T、フェロミア錠50mg　6.40円×1T｝34.30円→3.43点→**3点**
調 剤 数 量：**28**
薬剤調製料：①②④で算定しているので算定不可
調剤管理料：**0点**
薬　剤　料：3点×28日分＝**84点**

Rp④　Rp④の１日の服用回数は１回です。Rp③も１回でしたが、服用回数が同一でも「朝食後」と「夕食後」で服用時点が異なります。このような場合は薬剤料はそれぞれ算定します。
単位薬剤料：プロブコール錠250mg「サワイ」　7.60円×1T＝7.60円
→15円以下は　**1点**
調 剤 数 量：**28**

薬剤調製料：　内服薬なので　24点（3剤目）
調剤管理料：　50点
薬　剤　料：　1点×28日分＝28点

［薬学管理料］　服薬管理指導料2　[薬B]　59点
［調剤基本料］　調剤基本料1　[基A]　45点
地域支援体制加算1　[地支A]　32点
後発医薬品調剤体制加算1　[後A]　21点

【9－②】

Rp①

単位薬剤料：　ロキソプロフェンNa錠60mg「サワイ」9.80円×3
レバミピド錠100mg「タナベ」　10.10円×3
} 59.70円→5.97点→6点

調剤数量：　14日分の投与なので　14
薬剤調製料：　内服薬なので　24点
調剤管理料：　14日分なので　28点
薬　剤　料：　6点×14日分＝84点

Rp②

単位薬剤料：　モーラスパップXR120mg　10cm×14cm
1枚／29.70円×28枚＝831.60円→83.16点→83点
調剤数量：　1調剤なので　1
薬剤調製料：　外用薬は1調剤につき　10点
調剤管理料：　内服薬で算定しているので算定不可
薬　剤　料：　83点×1調剤＝83点

［薬学管理料］　服薬管理指導料2　[薬B]　59点
［調剤基本料］　調剤基本料1：45点を算定する保険薬局ですが、複数の病院の処方箋を同日に受け付けていますので、2枚目の処方箋は、調剤基本料を$\frac{80}{100}$で算定します。45点×$\frac{80}{100}$＝36→[基A][同]36点
地域支援体制加算1　[地支A]　32点
後発医薬品調剤体制加算1　[後A]　21点

解説

●練習問題 10　次の処方箋からレセプトを作成しなさい。

○保険薬局の設定
・調剤基本料1
・服薬管理指導の実施
・後発医薬品調剤体制加算1

○その他、処方箋備考欄も留意すること。

○開局時間
月曜～金曜	9時～18時
土曜日	9時～13時
日曜・祝日	定休日

処　方　箋

（この処方箋は、どの保険薬局でも有効です。）

公費負担者番号		保険者番号	0 6 1 3 2 2 1 1
公費負担医療の受給者番号		被保険者証・被保険者手帳の記号・番号	5498・18　（枝番）02

患者		
氏名	長野　美雪	
生年月日	明・大・㊊昭・平・令 24年10月11日	男・㊛女
区分	被保険者	㊀被扶養者

保険医療機関の所在地及び名称：千葉県千葉市緑区あすみが丘○-○　あすみが丘病院

電話番号：043-295-****

保険医氏名：西新井　大志　㊞

都道府県番号	1 2	点数表番号	1	医療機関コード	1 2 0 0 0 1 1

交付年月日	令和　6年　10月　18日	処方箋の使用期間	令和　年　月　日	特に記載のある場合を除き、交付の日を含めて4日以内に保険薬局に提出すること。

処方

変更不可（医療上必要）｜患者希望

（個々の処方薬について、医療上の必要性があるため、後発医薬品（ジェネリック医薬品）への変更に差し支えがあると判断した場合には、「変更不可」欄に「✓」又は「×」を記載し、「保険医署名」欄に署名又は記名・押印すること。また、患者の希望を踏まえ、先発医薬品を処方した場合には、「患者希望」欄に「✓」又は「×」を記載すること。）

Rp				
①フルバスタチン錠10mg「サワイ」	1T			
バルサルタン錠40mg「サワイ」	1T	分1	就寝前	30日分
②シナール配合錠	3T	分3	毎食後	14日分
③モンテルカスト錠5mg「サンド」	2T	分1	朝食後	7日分
④トリアゾラム錠0.25mg「CH」	1T	分1	夕食後	7日分
⑤モンテルカスト錠5mg「サンド」	2T	喘息発作時		5回分
⑥ゼスタッククリーム	10g			

【以下余白】

リフィル可 □　（　　回）

備考

保険医署名（「変更不可」欄に「✓」又は「×」を記載した場合は、署名又は記名・押印すること。）

3月以内の再来局

・内服薬一包化の指示
・高7　・限度額適用認定証 現役並みⅡ

保険薬局が調剤時に残薬を確認した場合の対応（特に指示がある場合は「✓」又は「×」を記載すること。）
□保険医療機関へ疑義照会した上で調剤　□保険医療機関へ情報提供

調剤実施回数（調剤回数に応じて、□に「✓」又は「×」を記載するとともに、調剤日及び次回調剤予定日を記載すること。）
□1回目調剤日（　年　月　日）　□2回目調剤日（　年　月　日）　□3回目調剤日（　年　月　日）
次回調剤予定日（　年　月　日）　次回調剤予定日（　年　月　日）

調剤済年月日	令和　6　年　10　月　18　日	公費負担者番号	
保険薬局の所在地及び名称 保険薬剤師氏名	㊞	公費負担医療の受給者番号	

備考　1．「処方」欄には、薬名、分量、用法及び用量を記載すること。
2．この用紙は、A列5番を標準とすること。
3．療養の給付及び公費負担医療に関する費用の請求に関する命令（昭和51年厚生省令第36号）第1条の公費負担医療については、「保険医療機関」とあるのは「公費負担医療の担当医療機関」と、「保険医氏名」とあるのは「公費負担医療の担当医氏名」と読み替えるものとすること。

調剤報酬明細書 令和 6 年 10 月分

都道府県番号 薬局コード

4 調剤 ①社・国 2公費 3後期 4退職 ①単独 2 2併 3 3併 2本外 4六外 6家外 8高外一 ⓪高外7

保険者番号 0 6 1 3 2 2 1 1　給付割合 10 9 8 7（ ）

公費負担者番号① 公費負担医療の受給者番号①
公費負担者番号② 公費負担医療の受給者番号②

被保険者証・被保険者手帳等の記号・番号 5498・18 (枝番) 02

氏名 長野　美雪　1男 ②女 1明 2大 ③昭 4平 5令 24・10・11 生

特記事項 27区イ

職務上の事由 1職務上 2下船後3月以内 3通勤災害

保険薬局の所在地及び名称

保険医療機関の所在地及び名称 千葉県千葉市緑区あすみが丘○-○ あすみが丘病院

都道府県番号 1 2　点数表番号 1　医療機関コード 1 2 0 0 0 1 1

保険医氏名 1. 西新井　大志

受付回数 保険 1 回 公費① 回 公費② 回

医師番号	処方月日	調剤月日	医薬品名・規格・用量・剤形・用法	単位薬剤料	調剤数量	薬剤調製料・調剤管理料	薬剤料	加算料	公費分点数
1	10・18	10・18	「内服」フルバスタチン錠10mg「サワイ」1T バルサルタン錠40mg「サワイ」1T 分1　就寝前	2	30	24 60	60		
1	10・18	10・18	「内服」シナール配合錠 3T 分3　毎食後	2	14	24 28	28	支B 34	
1	10・18	10・18	「内服」モンテルカスト錠5mg「サンド」2T 分1　朝食後	3	7	0	21	支B	
1	10・18	10・18	「内服」トリアゾラム錠0.25mg「CH」1T 分1　夕食後	1	7	24 4	7	向 8 支B	
1	10・18	10・18	「屯服」モンテルカスト錠5mg「サンド」10T 1回2T　喘息発作時使用	13	1	21	13		
1	10・18	10・18	「外用」ゼスタッククリーム 10g	5	1	10	5		

摘要　※高額療養費 円　※公費負担点数 点　※公費負担点数 点

	請求点	※決定点	一部負担金額	調剤基本料	時間外等加算	薬学管理料
保険	482			基A 後A 66		薬A 1 45
公費①						
公費②						

解説 10

ポイント 複数の服用期間が処方されている例です。外来服薬支援料２の算定に注意しましょう。

- □ 高齢受給者です。備考欄に「高７」と記載があるので、本人・家族欄の「０　高外７」に○をします。また、「高７」は３割負担で「現役並みⅡ」とありますので、特記事項には「27区イ」と記載します。
- □ 内服薬の薬剤調製料と調剤管理料は４剤以上には算定できないので、処方①～④の中から３剤選びます。投与日数の多い順に①、②。③と④は投与日数が同じなので、加算がある方を優先し、④を選択します。

Rp①

単位薬剤料：	フルバスタチン錠10mg「サワイ」10.40円×1T バルサルタン錠40mg「サワイ」10.10円×1T } 20.50円→2.05点→2点
調剤数量：	30日分なので **30**
薬剤調製料：	内服薬なので **24点**（１剤目）
調剤管理料：	算定できるのは3剤までですが、投与日数の多い方から算定します。30日分なので**60点**。
薬剤料：	2点×30日分＝**60点**

Rp②

単位薬剤料：	シナール配合錠　6.20円×3T＝18.60円→1.86点→**2点**
調剤数量：	**14**
薬剤調製料：	内服薬なので **24点**（２剤目）
調剤管理料：	14日分なので **28点**
薬剤料：	2点×14日分＝**28点**
加算料：	Rp②とRp③・④は、次の表のように服用時点が重なる部分があるので、外来服薬支援料２を算定できます。 また、2剤以上の服用が重なるのは、服用期間7日分のみなので、外来服薬支援料２　**34点**

	朝	昼	夕
Rp②（14日分）	○	○	○
Rp③（7日分）	○		
Rp④（7日分）			○

Rp③

単位薬剤料：モンテルカスト錠5mg「サンド」
12.80円×2T＝25.60円→2.56点→**3**点

調剤数量：**7**

薬剤調製料：①②④で算定しているので算定不可

調剤管理料：7日分で投与日数が少ないので、4剤目となり、調剤管理料は算定しません。**0**点

薬剤料：3点×7日分＝**21**点

Rp④

単位薬剤料：トリアゾラム錠0.25mg「CH」 5.90円×1T＝5.90円
→15円以下は　**1**点

調剤数量：**7**

薬剤調製料：内服薬なので　**24**点（3剤目）

調剤管理料：7日分なので　**4**点

薬剤料：1点×7日分＝**7**点

加算料：トリアゾラム錠0.25mg「CH」は向精神薬です。回　**8**点

Rp⑤　処方箋に、「5回分」「喘息発作時」と記載されているので、屯服薬です。

単位薬剤料：モンテルカスト錠5mg「サンド」
12.80円×10T＝128.00円→12.8点→**13**点

調剤数量：屯服薬は　**1**

薬剤調製料：屯服薬は受付1回につき　**21**点

調剤管理料：内服薬で算定しているので算定不可

薬剤料：13点×1＝**13**点

Rp⑥

単位薬剤料：	ゼスタッククリーム　5.50円×10g＝55.00円→5.5点→5点
調剤数量：	外用薬は　1
薬剤調製料：	外用薬は1調剤につき　10点
調剤管理料：	内服薬で算定しているので算定不可
薬剤料：	5点×1調剤＝5点

［薬学管理料］　服薬管理指導料1　薬A　45点

［調剤基本料］　調剤基本料1　基A　45点

後発医薬品調剤体制加算1　後A　21点

●練習問題 11　次の処方箋からレセプトを作成しなさい。

○保険薬局の設定
- 調剤基本料2
- 服薬管理指導の実施
- 地域支援体制加算3
- 後発医薬品調剤体制加算2

○その他、処方箋備考欄も留意すること。
○開局時間　月曜～金曜　9時～18時
土曜日　9時～13時
日曜・祝日　定休日

処方箋

（この処方箋は、どの保険薬局でも有効です。）

公費負担者番号		保険者番号	39122072
公費負担医療の受給者番号		被保険者証・被保険者手帳の記号・番号	01811181　（枝番）00

患者		
氏名	高知　マツ	
生年月日	明・大・㊗昭・平・令 14年10月21日	男・㊛女
区分	㊀被保険者	被扶養者

保険医療機関の所在地及び名称	神奈川県茅ヶ崎市本町○-○ 山岡クリニック
電話番号	042-596-****
保険医氏名	山岡　友昭　㊞

都道府県番号	14	点数表番号	1	医療機関コード	1400012

交付年月日	令和　6年　10月　21日	処方箋の使用期間	令和　年　月　日	特に記載のある場合を除き、交付の日を含めて4日以内に保険薬局に提出すること。

処方

変更不可（医療上必要）　患者希望

個々の処方薬について、医療上の必要性があるため、後発医薬品（ジェネリック医薬品）への変更に差し支えがあると判断した場合には、「変更不可」欄に「✓」又は「×」を記載し、「保険医署名」欄に署名又は記名・押印すること。また、患者の希望を踏まえ、先発医薬品を処方した場合には、「患者希望」欄に「✓」又は「×」を記載すること。

	薬品	数量	用法	日数
Rp	①シルニジピン錠10mg「サワイ」	1T	分1×朝食後	8日分
	②フロセミド錠20mg「NP」	2T	分2×朝・昼食後	14日分
	③フェキソフェナジン塩酸塩錠30mg「サワイ」	2T	分2×朝・夕食後	14日分
	④バルサルタン錠80mg「サワイ」	2T	分2×朝・夕食後（非透析日）	8日分
	⑤バルサルタン錠80mg「サワイ」	1T	分1×夕食後（透析日）	6日分
	⑥沈降炭酸カルシウム錠500mg「NIG」	3T	分3×毎食後	14日分
	⑦センノシド錠12mg「トーワ」	1T	分1×就寝前	6日分
	⑧アルファカルシドールカプセル0.5μg「トーワ」	1C	分1×朝食後	14日分
	⑨ケトプロフェンパップ30mg「日医工」	21枚	1日1～2回（痛い箇所）	

リフィル可　□　（　　回）　　**【以下余白】**

備考

保険医署名　「変更不可」欄に「✓」又は「×」を記載した場合は、署名又は記名・押印すること。

3月以内の再来局

・高一　・限度額適用認定証 提示なし

保険薬局が調剤時に残薬を確認した場合の対応（特に指示がある場合は「✓」又は「×」を記載すること。）
□保険医療機関へ疑義照会した上で調剤　□保険医療機関へ情報提供

調剤実施回数（調剤回数に応じて、□に「✓」又は「×」を記載するとともに、調剤日及び次回調剤予定日を記載すること。）
□1回目調剤日（　年　月　日）　□2回目調剤日（　年　月　日）　□3回目調剤日（　年　月　日）
次回調剤予定日（　年　月　日）　次回調剤予定日（　年　月　日）

調剤済年月日	令和　6　年　10　月　21　日	公費負担者番号	
保険薬局の所在地及び名称 保険薬剤師氏名	㊞	公費負担医療の受給者番号	

備考　1．「処方」欄には、薬名、分量、用法及び用量を記載すること。
2．この用紙は、A列5番を標準とすること。
3．療養の給付及び公費負担医療に関する費用の請求に関する命令（昭和51年厚生省令第36号）第1条の公費負担医療については、「保険医療機関」とあるのは「公費負担医療の担当医療機関」と、「保険医氏名」とあるのは「公費負担医療の担当医氏名」と読み替えるものとすること。

●解答例 11

調剤報酬明細書

令和 6 年 10 月分　都道府県番号　薬局コード

4 調剤　1社・国　③後期　①単独　2本外　⑧高外一
2公費　4退職　2 2併　4六外　0高外7
3 3併　6家外

保険者番号	3	9	1	2	2	0	7	2	給付割合 10 9 8 7( )

被保険者証・被保険者手帳等の記号・番号　01811181　(枝番) 00

公費負担者番号①　公費負担医療の受給者番号①
公費負担者番号②　公費負担医療の受給者番号②

氏名　高知　マツ
1男 ②女　1明 2大 ③昭 4平 5令　14・10・21生
職務上の事由　1職務上　2下船後3月以内　3通勤災害
特記事項　29区エ
保険薬局の所在地及び名称

保険医療機関の所在地及び名称　神奈川県茅ヶ崎市本町○-○
山岡クリニック

都道府県番号 1 4　点数表番号 1　医療機関コード 1400012

保険医氏名　1. 山岡　友昭　2.　3.　4.　5.　6.　7.　8.　9.　10.

受付回数　保険 1 回　公費① 回　公費② 回

医師番号	処方月日	調剤月日	医薬品名・規格・用量・剤形・用法	単位薬剤料	調剤数量	薬剤調製料 調剤管理料	薬剤料	加算料	公費分点数
1	10・21	10・21	「内服」シルニジピン錠10mg「サワイ」1T 1日1回　朝食後	2	8	0	16		
1	10・21	10・21	「内服」フロセミド錠20mg「NP」　2T 1日2回　朝・昼食後	1	14	24 28	14		
1	10・21	10・21	「内服」フェキソフェナジン塩酸塩錠30mg「サワイ」2T 1日2回　朝・夕食後	2	14	24 28	28		
1	10・21	10・21	「内服」バルサルタン錠80mg「サワイ」2T 1日2回　朝・夕食後（非透析日）	3	8	0	24		
1	10・21	10・21	「内服」バルサルタン錠80mg「サワイ」1T 1日1回　夕食後（透析日）	1	6	0	6		
1	10・21	10・21	「内服」沈降炭酸カルシウム錠500mg「NIG」3T 1日3回　毎食後	2	14	24 28	28		
1	10・21	10・21	「内服」センノシド錠12mg「トーワ」　1T 1日1回　就寝前	1	6	0	6		
1	10・21	10・21	「内服」アルファカルシドールカプセル0.5μg「トーワ」1C 1日1回　朝食後	1	14	0	14		
1	10・21	10・21	「外用」ケトプロフェンパップ30mg「日医工」10cm×14cm 21枚 1日1～2回　患部貼布（痛い箇所）	25	1	10	25		

摘要　※高額療養費 円　※公費負担点数 点　※公費負担点数 点

	請求 点	※決定 点	一部負担金額 円	調剤基本料 点	時間外等加算 点	薬学管理料 点
保険	439		減額 割(円)免除・支払猶予	基B 後B 地支C 67		薬A 1 45
公費①	点	※ 点	円	点	点	点
公費②	点	※ 点	円	点	点	点

●解説 11

ポイント 内服薬が多く処方されています。1剤として扱うものを確認しながら算定しましょう。また、内服薬の薬剤調製料と調剤管理料の算定上限は3剤までです。この場合、投与日数の多い薬剤3剤の薬剤調製料を算定します。ここではRp②③⑥で算定します。(P.184参照のこと)

□ 後期高齢者医療の対象です。レセプトの保険種別欄は「3　後期」に○をします。公費負担医療との併用(へいよう)ではないので「1　単独」、また「8　高外一」に○をします。また、「限度額適用認定証 提示なし」とありますので、特記事項に「29区エ」と記載します。

Rp①

単位薬剤料：	シルニジピン錠10mg「サワイ」 15.10円×1T＝15.10円→1.51点→**2点**
調剤数量：	8日分なので　**8**
薬剤調製料と調剤管理料：	ここでは算定しません。
薬剤料：	2点×8日分＝**16**点

Rp②

単位薬剤料：	フロセミド錠20mg「NP」 6.10円×2T＝12.20円→15円以下は　**1**点
調剤数量：	14日分なので　**14**
薬剤調製料：	内服薬なので　**24**点（1剤目）
調剤管理料：	内服薬1剤目として算定します。 8日分以上14日分以下なので　**28**点
薬剤料：	1点×14日分＝**14**点

Rp③

単位薬剤料：	フェキソフェナジン塩酸塩錠30mg「サワイ」 10.10円×2T＝20.20円→2.02点→**2**点

調剤数量：	14日分なので　14
薬剤調製料：	内服薬なので　24点（2剤目）
調剤管理料：	内服薬2剤目として算定します。 8日分以上14日分以下なので　28点
薬剤料：	2点×14日分＝28点

Rp④

単位薬剤料：	バルサルタン錠80mg「サワイ」 14.60円×2T＝29.20円→2.92点→3点
調剤数量：	8日分なので　8
薬剤調製料と調剤管理料：	ここでは算定しません。
薬剤料：	3点×8日分＝24点

Rp⑤

単位薬剤料：	バルサルタン錠80mg「サワイ」 14.60円×1T＝14.60円→15円以下は　1点
調剤数量：	6日分なので　6
薬剤調製料と調剤管理料：	ここでは算定しません。
薬剤料：	1点×6日分＝6点

Rp⑥

単位薬剤料：	沈降炭酸カルシウム錠500mg「NIG」 5.80円×3T＝17.40円→1.74点→2点
調剤数量：	14日分なので　14
薬剤調製料：	内服薬なので　24点（3剤目）
調剤管理料：	内服薬3剤目として算定します。 8日分以上14日分以下なので　28点
薬剤料：	2点×14日分＝28点

Rp⑦

単位薬剤料：	センノシド錠12mg「トーワ」 5.10円×1T＝5.10円→15円以下は　1点
調剤数量：	6日分なので　**6**
薬剤調製料と調剤管理料：	ここでは算定しません。
薬剤料：	1点×6日分＝**6点**

Rp⑧

単位薬剤料：	アルファカルシドールカプセル0.5μg「トーワ」 5.90円×1C＝5.90円→15円以下は　1点
調剤数量：	14日分なので　**14**
薬剤調製料と調剤管理料：	ここでは算定しません。
薬剤料：	1点×14日分＝**14点**

Rp⑨

単位薬剤料：	ケトプロフェンパップ30mg「日医工」 10cm×14cm 1枚／11.90円×21枚＝249.90円→24.99点→**25点**
調剤数量：	外用薬なので　**1**
薬剤調製料：	外用薬は1調剤につき**10点**を算定します。
調剤管理料：	内服薬で算定しているので算定不可
薬剤料：	25点×1調剤＝**25点**

[薬学管理料]　服薬管理指導料1　薬A　**45点**

[調剤基本料]　備考欄の条件に注意しましょう。

調剤基本料2　基B　**29点**

地域支援体制加算3　地支C　**10点**

後発医薬品調剤体制加算2　後B　**28点**

解説

●練習問題12―① 次の処方箋からレセプトを作成しなさい。

○保険薬局の設定
- 調剤基本料1
- 服薬管理指導の実施
- 地域支援体制加算1
- 後発医薬品調剤体制加算3

○その他、処方箋備考欄も留意すること。
○開局時間 月曜～土曜 9時～18時
日曜・祝日 定休日

処 方 箋

（この処方箋は、どの保険薬局でも有効です。）

公費負担者番号		保険者番号	1 4 4 0 3 0
公費負担医療の受給者番号		被保険者証・被保険者手帳の記号・番号	40・20684791 （枝番）01

患者			
氏名	秋田 やよい		
生年月日	明大昭平令 40年 6月20日（昭）	男・女（女）	
区分	被保険者	被扶養者（○）	

保険医療機関の所在地及び名称	神奈川県横浜市旭区上白根○-○-○ きくち医院
電話番号	045-953-****
保険医氏名	菊地 浩二 ㊞

都道府県番号	1 4	点数表番号	1	医療機関コード	1 4 0 0 0 1 3

交付年月日	令和 6年 10月 14日	処方箋の使用期間	令和 年 月 日（特に記載のある場合を除き、交付の日を含めて4日以内に保険薬局に提出すること。）

処方

変更不可（医療上必要） | 患者希望

（個々の処方薬について、医療上の必要性があるため、後発医薬品（ジェネリック医薬品）への変更に差し支えがあると判断した場合には、「変更不可」欄に「✓」又は「×」を記載し、「保険医署名」欄に署名又は記名・押印すること。また、患者の希望を踏まえ、先発医薬品を処方した場合には、「患者希望」欄に「✓」又は「×」を記載すること。）

Rp ①アルファカルシドール錠0.25μg「アメル」 3T
メナテトレノンカプセル15mg「トーワ」 3C
ベラプロストNa錠20μg「サワイ」 3T 分3×毎食後 7TD

②ジクロフェナクNa坐剤50mg「NIG」 14個 痛い時、1個

【以下余白】

リフィル可 □ （ 回）

備考

保険医署名（「変更不可」欄に「✓」又は「×」を記載した場合は、署名又は記名・押印すること。）

3月以内の来局なし

・手帳を持参していない
・休日、緊急に処方箋受付調剤

保険薬局が調剤時に残薬を確認した場合の対応（特に指示がある場合は「✓」又は「×」を記載すること。）
□保険医療機関へ疑義照会した上で調剤 □保険医療機関へ情報提供

調剤実施回数（調剤回数に応じて、□に「✓」又は「×」を記載するとともに、調剤日及び次回調剤予定日を記載すること。）
□1回目調剤日（ 年 月 日） □2回目調剤日（ 年 月 日） □3回目調剤日（ 年 月 日）
次回調剤予定日（ 年 月 日） 次回調剤予定日（ 年 月 日）

調剤済年月日	令和 6 年 10 月 14 日	公費負担者番号	
保険薬局の所在地及び名称保険薬剤師氏名	㊞	公費負担医療の受給者番号	

備考 1．「処方」欄には、薬名、分量、用法及び用量を記載すること。
2．この用紙は、A列5番を標準とすること。
3．療養の給付及び公費負担医療に関する費用の請求に関する命令（昭和51年厚生省令第36号）第1条の公費負担医療については、「保険医療機関」とあるのは「公費負担医療の担当医療機関」と、「保険医氏名」とあるのは「公費負担医療の担当医氏名」と読み替えるものとすること。

●練習問題12－② 次の処方箋からレセプトを作成しなさい。

○保険薬局の設定
- 調剤基本料1
- 服薬管理指導の実施
- 地域支援体制加算1
- 後発医薬品調剤体制加算3

○その他、処方箋備考欄も留意すること。
○開局時間 月曜～土曜 9時～18時
日曜・祝日 定休日

処 方 箋

（この処方箋は、どの保険薬局でも有効です。）

公費負担者番号		保険者番号	144030
公費負担医療の受給者番号		被保険者証・被保険者手帳の記号・番号	40・20684791 （枝番）01

患者			
氏名	秋田 やよい	保険医療機関の所在地及び名称	神奈川県横浜市旭区上白根○-○-○ きくち医院
生年月日	明大㊍平令 40年 6月20日 男・㊛	電話番号	045-953-****
		保険医氏名	菊地 浩二 ㊞
区分	被保険者 ・ ㊀被扶養者	都道府県番号 14 / 点数表番号 1 / 医療機関コード 1400013	

交付年月日	令和 6年 10月 21日	処方箋の使用期間	令和 年 月 日（特に記載のある場合を除き、交付の日を含めて4日以内に保険薬局に提出すること。）

処方

変更不可（医療上必要） | 患者希望

（個々の処方薬について、医療上の必要性があるため、後発医薬品（ジェネリック医薬品）への変更に差し支えがあると判断した場合には、「変更不可」欄に「✓」又は「×」を記載し、「保険医署名」欄に署名又は記名・押印すること。また、患者の希望を踏まえ、先発医薬品を処方した場合には、「患者希望」欄に「✓」又は「×」を記載すること。）

Rp ①アルファカルシドール錠0.25μg「アメル」 3T
メナテトレノンカプセル15mg「トーワ」 3C
ベラプロストNa錠20μg「サワイ」 3T 分3×毎食後 7TD
②イドメシンコーワパップ70mg 15枚 1日2回 患部に貼付
②ジクロフェナクNa坐剤50mg「NIG」 10個 痛い時、1個

【以下余白】

リフィル可 □ （ 回）

備考

保険医署名（「変更不可」欄に「✓」又は「×」を記載した場合は、署名又は記名・押印すること。）

3月以内の再来局

保険薬局が調剤時に残薬を確認した場合の対応（特に指示がある場合は「✓」又は「×」を記載すること。）
□保険医療機関へ疑義照会した上で調剤 □保険医療機関へ情報提供

調剤実施回数（調剤回数に応じて、□に「✓」又は「×」を記載するとともに、調剤日及び次回調剤予定日を記載すること。）
□1回目調剤日（ 年 月 日） □2回目調剤日（ 年 月 日） □3回目調剤日（ 年 月 日）
次回調剤予定日（ 年 月 日） 次回調剤予定日（ 年 月 日）

調剤済年月日	令和 6 年 10 月 21 日	公費負担者番号	
保険薬局の所在地及び名称 保険薬剤師氏名	㊞	公費負担医療の受給者番号	

備考 1．「処方」欄には、薬名、分量、用法及び用量を記載すること。
2．この用紙は、A列5番を標準とすること。
3．療養の給付及び公費負担医療に関する費用の請求に関する命令（昭和51年厚生省令第36号）第1条の公費負担医療については、「保険医療機関」とあるのは「公費負担医療の担当医療機関」と、「保険医氏名」とあるのは「公費負担医療の担当医氏名」と読み替えるものとすること。

●練習問題12―③　次の処方箋からレセプトを作成しなさい。

○保険薬局の設定
- 調剤基本料1
- 服薬管理指導の実施
- 地域支援体制加算1
- 後発医薬品調剤体制加算3

○その他、処方箋備考欄も留意すること。
○開局時間　月曜～土曜　9時～18時
　　　　　　日曜・祝日　定休日

処　方　箋

（この処方箋は、どの保険薬局でも有効です。）

公費負担者番号		保険者番号	1 4 4 0 3 0
公費負担医療の受給者番号		被保険者証・被保険者手帳の記号・番号	40・20684791　（枝番）01

患者			
氏名	秋田　やよい		
生年月日	明 大 ㊙昭 平 令　40年 6月20日	男・㊛女	
区分	被保険者	(被扶養者)	

保険医療機関の所在地及び名称　神奈川県横浜市旭区上白根○-○-○　きくち医院
電話番号　045-953-****
保険医氏名　菊地　浩二　㊞

都道府県番号	14	点数表番号	1	医療機関コード	1400013

交付年月日	令和　6年　10月　28日	処方箋の使用期間	令和　年　月　日	特に記載のある場合を除き、交付の日を含めて4日以内に保険薬局に提出すること。

処方

変更不可（医療上必要）	患者希望

個々の処方薬について、医療上の必要性があるため、後発医薬品（ジェネリック医薬品）への変更に差し支えがあると判断した場合には、「変更不可」欄に「✓」又は「×」を記載し、「保険医署名」欄に署名又は記名・押印すること。また、患者の希望を踏まえ、先発医薬品を処方した場合には、「患者希望」欄に「✓」又は「×」を記載すること。

Rp ①アルファカルシドール錠0.25μg「アメル」　3T
　メナテトレノンカプセル15mg「トーワ」　3C　分3×毎食後　7TD
②ゼスタッククリーム　50g　1日4回、塗擦
③ケフラールカプセル250mg　3C
　テプレノンカプセル50mg「トーワ」　3C　分3×毎食後　5TD

【以下余白】

リフィル可　□　（　　回）

備考

保険医署名（「変更不可」欄に「✓」又は「×」を記載した場合は、署名又は記名・押印すること。）

3月以内の再来局

保険薬局が調剤時に残薬を確認した場合の対応（特に指示がある場合は「✓」又は「×」を記載すること。）
□保険医療機関へ疑義照会した上で調剤　□保険医療機関へ情報提供

調剤実施回数（調剤回数に応じて、□に「✓」又は「×」を記載するとともに、調剤日及び次回調剤予定日を記載すること。）
□1回目調剤日（　年　月　日）　□2回目調剤日（　年　月　日）　□3回目調剤日（　年　月　日）
次回調剤予定日（　年　月　日）　次回調剤予定日（　年　月　日）

調剤済年月日	令和　6年　10月　28日	公費負担者番号	
保険薬局の所在地及び名称 保険薬剤師氏名	㊞	公費負担医療の受給者番号	

備考　1．「処方」欄には、薬名、分量、用法及び用量を記載すること。
2．この用紙は、A列5番を標準とすること。
3．療養の給付及び公費負担医療に関する費用の請求に関する命令（昭和51年厚生省令第36号）第1条の公費負担医療については、「保険医療機関」とあるのは「公費負担医療の担当医療機関」と、「保険医氏名」とあるのは「公費負担医療の担当医氏名」と読み替えるものとすること。

調剤報酬明細書

令和 6 年 10 月分

都道府県番号　薬局コード

4 調剤	①社・国	3後期	①単独	2本外	8高外一
	2公費	4退職	2 2併	4六外	
			3 3併	⑥家外	0高外7

保険者番号	1 4 4 0 3 0	給付割合	10 9 8 ⑦ ( )

被保険者証・被保険者手帳等の記号・番号	40・20684791 (枝番) 01

公費負担者番号①		公費負担医療の受給者番号①	
公費負担者番号②		公費負担医療の受給者番号②	

氏名	秋田　やよい	特記事項
	1男 ②女　1明 2大 ③昭 4平 5令　40・6・20生	
職務上の事由	1職務上　2下船後3月以内　3通勤災害	

保険薬局の所在地及び名称

保険医療機関の所在地及び名称	神奈川県横浜市旭区上白根○-○-○ きくち医院	保険医氏名	1. 菊地　浩二 2. 3. 4. 5. 6. 7. 8. 9. 10.	受付回数	保険 3 回 / 公費① 回 / 公費② 回
都道府県番号	1 4	点数表番号 1	医療機関コード 1 4 0 0 0 1 3		

医師番号	処方月日	調剤月日	医薬品名・規格・用量・剤形・用法	単位薬剤料	調剤数量	薬剤調製料 調剤管理料	薬剤料	加算料	公費分点数
1	10・14	10・14	「内服」アルファカルシドール錠0.25μg「アメル」 3T	12点	7	24点	84点	40点	点
1	10・21	10・21	メナテトレノンカプセル15mg「トーワ」 3C		7	4	84	薬休	
	・	・	ベラプロストNa錠20μg「サワイ」 3T			24		調休	
	・	・	分3　毎食後服用			4			
	・	・							
1	10・14	10・14	「外用」ジクロフェナクNa坐剤50mg「NIG」 14個	28	1	10	28	薬休 14	
	・	・	痛い時　1個						
	・	・							
1	10・21	10・21	「外用」	26	1	10	26		
	・	・	イドメシンコーワパップ70mg　15枚						
	・	・	1日2回　患部に貼付						
	・	・							
1	10・21	10・21	「外用」ジクロフェナクNa坐剤50mg「NIG」 10個	20	1	10	20		
	・	・	痛い時　1個						
	・	・							
1	10・28	10・28	「内服」アルファカルシドール錠0.25μg「アメル」 3T	5	7	24	35		
	・	・	メナテトレノンカプセル15mg「トーワ」 3C			4			
	・	・	分3　毎食後服用						
	・	・							
1	10・28	10・28	「外用」ゼスタッククリーム　50g	27	1	10	27		
	・	・	1日4回　塗擦						
	・	・							
1	10・28	10・28	「内服」ケフラールカプセル250mg　3C	18	5	0	90		
	・	・	テプレノンカプセル50mg「トーワ」 3C						
	・	・	分3　毎食後服用						
	・	・							
	・	・							
	・	・							
	・	・							
	・	・							

摘要	10月14日　休日受付調剤	※高額療養費 円 / ※公費負担点数 点 / ※公費負担点数 点

	請求点	※決定点	一部負担金額 円	調剤基本料 点	時間外等加算 点	薬学管理料 点
保険	1,195		減額 割(円)免除・支払猶予	基A 後C 地支A 321	休 150	薬A 2 薬C 1 医情A 1 152
公費①	点	※ 点	円	点	点	点
公費②	点	※ 点	円	点	点	点

レセプト

●解説 12

ポイント　処方箋3枚中、1枚は休日加算の対象日に受付をした例です。

□ 処方箋が発行された10月14日、21日、28日のそれぞれの日に受付をしていますので、受付回数は3回です。

□10月14日　｜ 休日の受付調剤ですので、調剤基本料と薬剤調製料と調剤管理料への休日加算に注意しましょう。また摘要欄への記入も忘れないようにしましょう。

Rp①

単位薬剤料：
アルファカルシドール錠0.25μg「アメル」 5.90円×3T
メナテトレノンカプセル15mg「トーワ」 11.40円×3C
ベラプロストNa錠20μg「サワイ」 21.20円×3T
} 115.50円→11.55点 →**12**点

調剤数量：7日分なので　**7**

薬剤調製料：内服薬なので　**24**点

調剤管理料：内服薬です。7日分以下なので　**4**点

薬剤料：12点×7日分＝**84**点

加算料：薬剤調製料に休日加算を算定します。24点×$\frac{140}{100}$＝33.6点→**34**点

調剤管理料に休日加算を算定します。4点×$\frac{140}{100}$＝5.6点→**6**点

Rp②

単位薬剤料：ジクロフェナクNa坐剤50mg「NIG」

20.30円×14個＝284.20円→28.42点→**28**点

調剤数量：外用薬なので　**1**

薬剤調製料：**10**点

調剤管理料：内服薬で算定しているので算定不可

薬剤料：28点×1調剤＝**28**点

加算料：10点×$\frac{140}{100}$＝**14**点

[薬学管理料]　服薬管理指導料2　薬C　**59**点

医療情報取得加算１　医情A　3点

[調剤基本料]　調剤基本料１　基A　45点

地域支援体制加算１　地支A　32点

後発医薬品調剤体制加算３　後C　30点

調剤基本料に休日加算を算定します。

107点×$\frac{140}{100}$＝149.8点（小数点以下四捨五入）→休 150点

□10月21日

Rp①

単位薬剤料：アルファカルシドール錠0.25μg「アメル」　5.90円×3T
メナテトレノンカプセル15mg「トーワ」　11.40円×3C
ベラプロストNa錠20μg「サワイ」　21.20円×3T
} 115.50円→11.55点
→12点

調剤数量：7日分なので　7

薬剤調製料：内服薬なので　24点

調剤管理料：7日分以下なので　4点

薬剤料：12点×7日分＝84点

Rp②

単位薬剤料：イドメシンコーワパップ70mg　1枚／17.10円×15枚
＝256.50円→25.65点→26点

調剤数量：外用薬なので　1

薬剤調製料：10点

調剤管理料：内服薬で算定しているので算定不可

薬剤料：26点×1調剤＝26点

Rp③

単位薬剤料：ジクロフェナクNa坐剤50mg「NIG」
20.30円×10個＝203.00円→20.3点→20点

調剤数量：外用薬なので　1

薬剤調製料：10点

調剤管理料：内服薬で算定しているので算定不可

薬剤料：20点×1調剤＝20点

[薬学管理料]　服薬管理指導料１　薬A　45点

[調剤基本料]　調剤基本料１　基A　45点
　　　　　　　地域支援体制加算１　地支A　32点
　　　　　　　後発医薬品調剤体制加算３　後C　30点

□10月28日

Rp①

単位薬剤料：アルファカルシドール錠0.25μg「アメル」5.90円×3T
　　　　　　メナテトレノンカプセル15mg「トーワ」11.40円×3C　}51.90円→5.19点→**5**点
調剤数量：7日分なので　**7**
薬剤調製料：内服薬なので　**24**点
調剤管理料：７日分以下なので　**4**点
薬剤料：5点×7日分＝**35**点

Rp②

単位薬剤料：ゼスタッククリーム　5.50円×50 g＝275.00円→27.50点→**27**点
調剤数量：外用薬なので　**1**
薬剤調製料：**10**点
調剤管理料：内服薬で算定しているので算定不可
薬剤料：27点×1調剤＝**27**点

Rp③

単位薬剤料：ケフラールカプセル250mg　54.70円×3C
　　　　　　テプレノンカプセル50mg「トーワ」6.30円×3C　}183.00円→18.3点→**18**点
調剤数量：内服薬5日分なので　**5**
薬剤調製料と調剤管理料：服用時点が同一のRp①と1剤扱いとします。日数の長いRp①の方で薬剤調製料と調剤管理料を算定しますので、ここでは**0**点と記入します。
薬剤料：18点×5日分＝**90**点

[薬学管理料]　服薬管理指導料１　薬A　45点
[調剤基本料]　調剤基本料１　基A　45点
　　　　　　　地域支援体制加算１　地支A　32点
　　　　　　　後発医薬品調剤体制加算３　後C　30点

●練習問題１３―①　次の処方箋からレセプトを作成しなさい。

○保険薬局の設定
・調剤基本料１
・服薬管理指導の実施
・地域支援体制加算２
・後発医薬品調剤体制加算１
・かかりつけ薬剤師指導料
○その他、処方箋備考欄も留意すること。
○開局時間　月曜～金曜　9時～18時
土曜日　9時～13時
日曜・祝日　定休日

処　方　箋

（この処方箋は、どの保険薬局でも有効です。）

公費負担者番号		保険者番号	33130030
公費負担医療の受給者番号		被保険者証・被保険者手帳の記号・番号	警・警視・54-1212（枝番）02

患者			
氏名	広島　一郎		
生年月日	明大㊗平令 昭26年11月21日	㊚・女	
区分	被保険者	（被扶養者）	

保険医療機関の所在地及び名称　東京都目黒区祐天寺○-○-○　国立病院東京医療センター
電話番号　03-5721-****
保険医氏名　恩田　智子　㊞

都道府県番号	13	点数表番号	1	医療機関コード	1300014

交付年月日	令和　6年　10月　3日	処方箋の使用期間	令和　年　月　日	特に記載のある場合を除き、交付の日を含めて4日以内に保険薬局に提出すること。

処方

変更不可（医療上必要）　患者希望

個々の処方薬について、医療上の必要性があるため、後発医薬品（ジェネリック医薬品）への変更に差し支えがあると判断した場合には、「変更不可」欄に「✓」又は「×」を記載し、「保険医署名」欄に署名又は記名・押印すること。また、患者の希望を踏まえ、先発医薬品を処方した場合には、「患者希望」欄に「✓」又は「×」を記載すること。

Rp	①テオフィリン徐放錠200mg「ツルハラ」	2T	分2×朝食後、就寝前	14TD
	②ファモチジン錠20「サワイ」	3T		
	アズレンスルホン酸ナトリウム・L-グルタミン配合顆粒「クニヒロ」	3g		
	リタロクス懸濁用配合顆粒	1.5g	分3×朝・夕食後、就寝前	14TD
	③カルボシステイン錠250mg「サワイ」	3T		
	アンブロキソール塩酸塩錠15mg「アメル」	3T		
	ケフラールカプセル250mg	3C	分3×毎食後	14TD
	④カンデサルタン錠4mg「サワイ」	2T		
	カプトリル-Rカプセル18.75mg	2C		
	セパミット-Rカプセル10	2C	分2×朝食後、就寝前	14TD
	⑤ニルバジピン錠2mg「NIG」	1T	分1×朝食後	14TD

【以下余白】

リフィル可　□　（　　回）

備考

保険医署名（「変更不可」欄に「✓」又は「×」を記載した場合は、署名又は記名・押印すること。）

3月以内の再来局

・患者がかかりつけ薬剤師を決め、同意書に記入
・散剤等は計量混合調剤　・高一　・限度額適用認定証 提示なし　・2割

保険薬局が調剤時に残薬を確認した場合の対応（特に指示がある場合は「✓」又は「×」を記載すること。）
□保険医療機関へ疑義照会した上で調剤　□保険医療機関へ情報提供

調剤実施回数（調剤回数に応じて、□に「✓」又は「×」を記載するとともに、調剤日及び次回調剤予定日を記載すること。）
□1回目調剤日（　年　月　日）　□2回目調剤日（　年　月　日）　□3回目調剤日（　年　月　日）
次回調剤予定日（　年　月　日）　次回調剤予定日（　年　月　日）

調剤済年月日	令和　6年　10月　3日	公費負担者番号	
保険薬局の所在地及び名称 保険薬剤師氏名	㊞	公費負担医療の受給者番号	

備考　1．「処方」欄には、薬名、分量、用法及び用量を記載すること。
2．この用紙は、A列5番を標準とすること。
3．療養の給付及び公費負担医療に関する費用の請求に関する命令（昭和51年厚生省令第36号）第1条の公費負担医療については、「保険医療機関」とあるのは「公費負担医療の担当医療機関」と、「保険医氏名」とあるのは「公費負担医療の担当医氏名」と読み替えるものとすること。

●練習問題13―② 次の処方箋からレセプトを作成しなさい。

○保険薬局の設定
- 調剤基本料1
- 服薬管理指導の実施
- 地域支援体制加算2
- 後発医薬品調剤体制加算1
- かかりつけ薬剤師指導料

○その他、処方箋備考欄も留意すること。

○開局時間　月曜～金曜　9時～18時
　　　　　　土曜日　　　9時～13時
　　　　　　日曜・祝日　定休日

処　方　箋

（この処方箋は、どの保険薬局でも有効です。）

公費負担者番号		保険者番号	33130030
公費負担医療の受給者番号		被保険者証・被保険者手帳の記号・番号	警・警視・54-1212（枝番）02

患者		
氏名	広島　一郎	
生年月日	明・大・㊗昭・平・令 26年11月21日	㊚・女
区分	被保険者	㊀被扶養者

保険医療機関の所在地及び名称	東京都目黒区祐天寺○-○-○ 国立病院東京医療センター
電話番号	03-5721-****
保険医氏名	恩田　智子　㊞

都道府県番号	13	点数表番号	1	医療機関コード	1300014

交付年月日	令和　6年　10月　14日	処方箋の使用期間	令和　年　月　日（特に記載のある場合を除き、交付の日を含めて4日以内に保険薬局に提出すること。）

処方

変更不可（医療上必要）	患者希望

（個々の処方薬について、医療上の必要性があるため、後発医薬品（ジェネリック医薬品）への変更に差し支えがあると判断した場合には、「変更不可」欄に「✓」又は「×」を記載し、「保険医署名」欄に署名又は記名・押印すること。また、患者の希望を踏まえ、先発医薬品を処方した場合には、「患者希望」欄に「✓」又は「×」を記載すること。）

	薬品	用量	用法	日数
Rp	①テオフィリン徐放錠200mg「ツルハラ」	2T	分2×朝食後、就寝前	14TD
	②ファモチジン錠20「サワイ」	3T		
	アズレンスルホン酸ナトリウム・L-グルタミン配合顆粒「クニヒロ」	3g		
	リタロクス懸濁用配合顆粒	1.5g	分3×朝・夕食後、就寝前	14TD
	③カルボシステイン錠250mg「サワイ」	3T		
	アンブロキソール塩酸塩錠15mg「アメル」	3T		
	ケフラールカプセル250mg	3C	分3×毎食後	14TD
	④カンデサルタン錠4mg「サワイ」	2T		
	カプトリル-Rカプセル18.75mg	2C		
	セパミット-Rカプセル10	2C	分2×朝食後、就寝前	14TD
	⑤ニルバジピン錠2mg「NIG」	1T	分1×朝食後	14TD

リフィル可 □ （　　回）　　【以下余白】

備考

保険医署名（「変更不可」欄に「✓」又は「×」を記載した場合は、署名又は記名・押印すること。）

3月以内の再来局

- かかりつけ薬剤師が服薬指導等を行った　・休日に緊急受付調剤　・高一
- 限度額適用認定証 提示なし　・散剤等は計量混合調剤　・2割

保険薬局が調剤時に残薬を確認した場合の対応（特に指示がある場合は「✓」又は「×」を記載すること。）
□保険医療機関へ疑義照会した上で調剤　□保険医療機関へ情報提供

調剤実施回数（調剤回数に応じて、□に「✓」又は「×」を記載するとともに、調剤日及び次回調剤予定日を記載すること。）
□1回目調剤日（　年　月　日）　□2回目調剤日（　年　月　日）　□3回目調剤日（　年　月　日）
次回調剤予定日（　年　月　日）　次回調剤予定日（　年　月　日）

調剤済年月日	令和　6年　10月　14日	公費負担者番号	
保険薬局の所在地及び名称 保険薬剤師氏名	㊞	公費負担医療の受給者番号	

備考 1．「処方」欄には、薬名、分量、用法及び用量を記載すること。
2．この用紙は、A列5番を標準とすること。
3．療養の給付及び公費負担医療に関する費用の請求に関する命令（昭和51年厚生省令第36号）第1条の公費負担医療については、「保険医療機関」とあるのは「公費負担医療の担当医療機関」と、「保険医氏名」とあるのは「公費負担医療の担当医氏名」と読み替えるものとすること。

●解答例 13

調剤報酬明細書　令和 6 年 10 月分

都道府県番号　薬局コード

4 調剤	①社・国	3後期	①単独	2本外	⑧高外一
	2公費	4退職	2 2併	4六外	0高外7
			3 3併	6家外	

保険者番号　3 3 1 3 0 0 3 0　給付割合　10 9 8 7（ ）

被保険者証・被保険者手帳等の記号・番号　警・警視・54-1212（枝番）02

公費負担者番号①　公費負担医療の受給者番号①

公費負担者番号②　公費負担医療の受給者番号②

氏名	広島　一郎	特記事項
	①男 2女 1明 2大 ③昭 4平 5令 26・11・21 生	29区エ
職務上の事由	1 職務上 2 下船後3月以内 3 通勤災害	

保険薬局の所在地及び名称

保険医療機関の所在地及び名称：東京都目黒区祐天寺○-○-○　国立病院東京医療センター

都道府県番号 1 3　点数表番号 1　医療機関コード 1 3 0 0 0 1 4

保険医氏名：1. 恩田　智子　2.　3.　4.　5.　6.　7.　8.　9.　10.

受付回数：保険 2 回　公費① 回　公費② 回

医師番号	処方月日	調剤月日	医薬品名・規格・用量・剤形・用法	単位薬剤料	調剤数量	薬剤調製料・調剤管理料	薬剤料	加算料	公費分点数
1	10・3	10・3	「内服」テオフィリン徐放錠200mg「ツルハラ」2T	10点	14	24点	140点	点	点
	10・14	10・14	カンデサルタン錠4mg「サワイ」2T		14	28	140	薬休 73	
	・	・	カプトリル-Rカプセル18.75mg 2C			24		調休	
	・	・	セパミット-Rカプセル10 2C			28			
	・	・	分2　朝食後、就寝前						
	・	・							
1	10・3	10・3	「内服」ファモチジン錠20「サワイ」3T	6	14	24	84	計 45	
	10・14	10・14	アズレンスルホン酸ナトリウム・L-グルタミン配合顆粒「クニヒロ」3g		14	28	84	計 118	
	・	・	リタロクス懸濁用配合顆粒 1.5g			24		薬休	
	・	・	分3　朝・夕食後、就寝前			28		調休	
	・	・							
1	10・3	10・3	「内服」カルボシステイン錠250mg「サワイ」3T	20	14	24	280		
	10・14	10・14	アンブロキソール塩酸塩錠15mg「アメル」3T		14	28	280	薬休 73	
	・	・	ケフラールカプセル250mg 3C			24		調休	
	・	・	分3　毎食後			28			
	・	・							
1	10・3	10・3	「内服」ニルバジピン錠2mg「NIG」 1T	1	14	0	14		
	10・14	10・14	分1　朝食後		14	0	14		

摘要：10月14日　休日受付調剤

※高額療養費　円　※公費負担点数　点　※公費負担点数　点

	請求 点	※決定 点	一部負担金額 円	調剤基本料 点	時間外等加算 点	薬学管理料 点
保険	2,138		減額 割(円)免除・支払猶予	基A 後A 地支B 212	休 148	薬A 1 薬指 1　121
公費①	点	※ 点	円	点	点	点
公費②	点	※ 点	円	点	点	点

解説 13

ポイント 地域支援体制加算、後発医薬品調剤体制加算の算定条件と休日加算に注意してください。また、かかりつけ薬剤師指導料の算定にも注意しましょう。

- □ 法別番号が「３３」ですので、警察共済組合の被扶養者です。
- □ 72歳ですので、「特記事項」欄に記載が必要です。「高一」とありますので、２割負担です。「限度額適用認定証 提示なし」とありますので、「29区エ」と記載します。

□10月３日　Rp①と④は服用時点、投与日数が同じなので合算します。またRp②、③とも１日３回の服用ですが、「朝・夕食後、就寝前」と「毎食後」で、服用時点は異なるので別剤扱いです。

Rp①・Rp④

単位薬剤料：
テオフィリン徐放錠200mg「ツルハラ」 5.90円×2T
カンデサルタン錠4mg「サワイ」 10.10円×2T
カプトリル-Rカプセル18.75mg 23.70円×2C
セパミット-Rカプセル10 10.10円×2C
→ 99.60円→9.96点 →**10点**

調剤数量：14日分ですから　**14**
薬剤調製料：内服薬なので　**24点**
調剤管理料：８日分以上14日分以下なので　**28点**
薬剤料：10点×14日分＝**140点**

Rp②

単位薬剤料：
ファモチジン錠20「サワイ」 10.10円×3T
アズレンスルホン酸ナトリウム・L-グルタミン配合顆粒「クニヒロ」 6.50円×3g
リタロクス懸濁用配合顆粒 6.50円×1.5g
→ 59.55円→5.955点 →**6点**

調剤数量：14日分ですから　**14**
薬剤調製料：内服薬なので　**24点**
調剤管理料：８日分以上14日分以下なので　**28点**
薬剤料：6点×14日分＝**84点**
加算料：備考欄に「散剤等は計量混合調剤」とあります。計量混合調剤加算を算定します。「散剤、顆粒剤」の計量混合調剤加算は、計 45点を算定します。

Rp③

単位薬剤料：カルボシステイン錠250mg「サワイ」6.70円×3T
アンブロキソール塩酸塩錠15mg「アメル」5.70円×3T
ケフラールカプセル250mg　54.70円×3C
} 201.30円→20.13点 →20点

調剤数量：14

薬剤調製料：内服薬　24点

調剤管理料：28点

薬剤料：20点×14日分＝280点

Rp⑤

単位薬剤料：ニルバジピン錠2mg「NIG」　9.80円×1T＝9.80円
→15円以下は　1点

調剤数量：14

薬剤調製料と調剤管理料：内服薬4剤目ですから算定できません。 0点

薬剤料：1点×14日分＝14点

[薬学管理料]　かかりつけ薬剤師指導料は患者の同意を得た後の次の来局時以降に算定しますので、今回は服薬管理指導料1を算定します。
服薬管理指導料1　薬A　45点

[調剤基本料]　調剤基本料1に、地域支援体制加算2と後発医薬品調剤体制加算1を加算します。
基A 45点＋地支B 40点＋後A 21点＝106点

□10月16日　処方内容は8日と同じですが、休日の受付調剤ですので、調剤基本料と薬剤調製料と調剤管理料への休日加算に注意しましょう。

Rp①・Rp④

単位薬剤料：10点

調剤数量：14

薬剤調製料：内服薬　24点

調剤管理料：28点

解説

薬　剤　料：10点×14日分＝**140点**

加　算　料：薬剤調製料に休日加算（所定点数×$\frac{140}{100}$）を算定します。

$24\times\frac{140}{100}=33.6=$ **34点**

調剤管理料に休日加算を算定します。$28\times\frac{140}{100}=39.2=$ **39点**

Rp②

単位薬剤料：**6点**

調剤数量：**14**

薬剤調製料：内服薬　**24点**

調剤管理料：**28点**

薬　剤　料：6点×14日分＝**84点**

加　算　料：薬剤調製料　$24\times\frac{140}{100}=$ **34点**　調剤管理料　$28\times\frac{140}{100}=$ **39点**

[薬休][調休] **73点**＋[計] 45点＝**118点**

Rp③

単位薬剤料：**20点**

調剤数量：**14**

薬剤調製料：内服薬　**24点**

調剤管理料：**28点**

薬　剤　料：20点×14日分＝**280点**

加　算　料：薬剤調製料　$24\times\frac{140}{100}=$ **34点**　調剤管理料　$28\times\frac{140}{100}=$ **39点**

[薬休][調休] **73点**

Rp⑤　内服薬4剤目ですから薬剤調製料と調剤管理料は算定できません。したがって休日加算も算定できません。

単位薬剤料：**1点**

調剤数量：**14**

薬剤調製料と調剤管理料：**0点**

薬　剤　料：1点×14日分＝**14点**

[薬学管理料]　前回かかりつけ薬剤師指導料の同意を患者から得ていて、今回備考欄に「かかりつけ薬剤師が服薬指導等を行った」とあるので、かかりつけ薬剤師指導料 [薬指] 76点を算定します。

また、かかりつけ薬剤師指導料を算定しているので、服薬管理指導料は算定できません。

[調剤基本料] 調剤基本料にも休日加算があります。なお 休日加算の所定点数には地域支援体制加算と後発医薬品調剤体制加算も含まれます から、調剤基本料１に地域支援体制加算２・後発医薬品調剤体制加算１を加えたものに加算率を掛けます。

基A 45点＋地支B 40点＋後A 21点＝106点

休日加算は　$106点 \times \frac{140}{100} = 148.4 =$ 休 **148**点

解説

●練習問題14　次の処方箋からレセプトを作成しなさい。

○保険薬局の設定
・調剤基本料2
・服薬管理指導の実施

○その他、処方箋備考欄も留意すること。
○開局時間　月曜～金曜　17時～8時
土曜・日曜・祝日　定休日

処　方　箋

（この処方箋は、どの保険薬局でも有効です。）

公費負担者番号		保険者番号	06471213
公費負担医療の受給者番号		被保険者証・被保険者手帳の記号・番号	123・456　（枝番）00

患者		
氏名	一の宮　豊	
生年月日	明・大・㊐昭・平・令　60年10月3日	㊚・女
区分	㊀被保険者	被扶養者

保険医療機関の所在地及び名称：東京都中央区日本橋○-○-○　日本橋クリニック
電話番号：03-3271-****
保険医氏名：江戸川　澄子　㊞

都道府県番号	13	点数表番号	1	医療機関コード	1300016

交付年月日	令和　6年　10月　21日	処方箋の使用期間	令和　年　月　日（特に記載のある場合を除き、交付の日を含めて4日以内に保険薬局に提出すること。）

処方

変更不可（医療上必要）／患者希望

（個々の処方薬について、医療上の必要性があるため、後発医薬品（ジェネリック医薬品）への変更に差し支えがあると判断した場合には、「変更不可」欄に「✓」又は「×」を記載し、「保険医署名」欄に署名又は記名・押印すること。また、患者の希望を踏まえ、先発医薬品を処方した場合には、「患者希望」欄に「✓」又は「×」を記載すること。）

Rp ①メトクロプラミド錠5mg「トーワ」
　　3T　分3×毎食後　4日分
②トリメブチンマレイン酸塩細粒20%「ツルハラ」
　　1.5　分3×毎食前　4日分
③コンスタン0.8mg錠　1T　分1×朝食後　4日分
④ロペラミド塩酸塩カプセル1mg「ホリイ」
　　1C　1回1C（下痢時）　3回分
⑤ブスコパン錠10mg　1T　1回1T（腹痛時）　3回分

【以下余白】

リフィル可 □ （　　回）

備考

保険医署名（「変更不可」欄に「✓」又は「×」を記載した場合は、署名又は記名・押印すること。）

初回の来局

10/21（月）　20:30　開局時間内受付調剤

保険薬局が調剤時に残薬を確認した場合の対応（特に指示がある場合は「✓」又は「×」を記載すること。）
□保険医療機関へ疑義照会した上で調剤　□保険医療機関へ情報提供

調剤実施回数（調剤回数に応じて、□に「✓」又は「×」を記載するとともに、調剤日及び次回調剤予定日を記載すること。）
□1回目調剤日（　年　月　日）　□2回目調剤日（　年　月　日）　□3回目調剤日（　年　月　日）
次回調剤予定日（　年　月　日）　次回調剤予定日（　年　月　日）

調剤済年月日	令和　6　年　10　月　21　日	公費負担者番号	
保険薬局の所在地及び名称 保険薬剤師氏名	㊞	公費負担医療の受給者番号	

備考　1．「処方」欄には、薬名、分量、用法及び用量を記載すること。
2．この用紙は、A列5番を標準とすること。
3．療養の給付及び公費負担医療に関する費用の請求に関する命令（昭和51年厚生省令第36号）第1条の公費負担医療については、「保険医療機関」とあるのは「公費負担医療の担当医療機関」と、「保険医氏名」とあるのは「公費負担医療の担当医氏名」と読み替えるものとすること。

●解答例 14

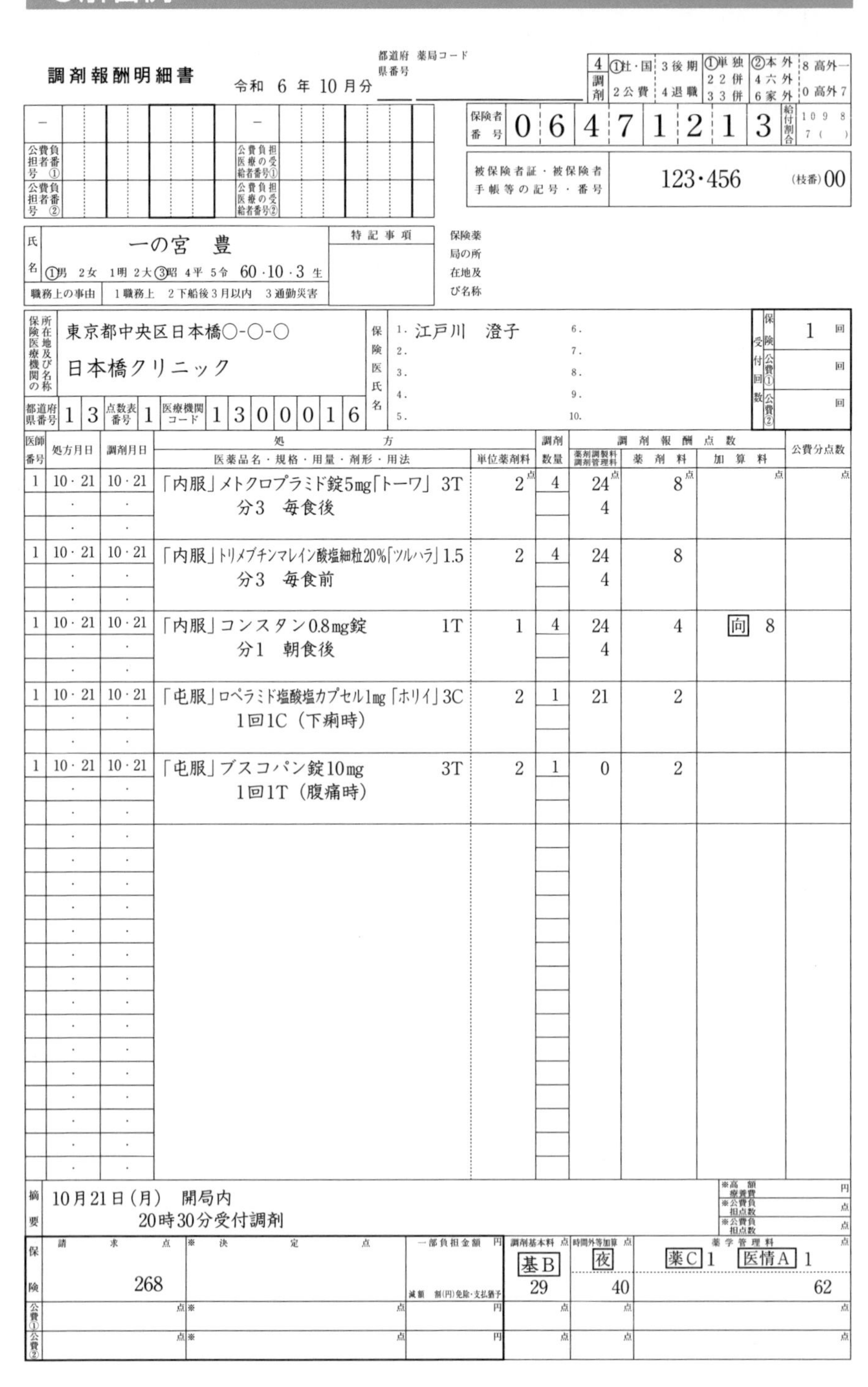

調剤報酬明細書　令和 6 年 10 月分

都道府県番号　薬局コード

4 調剤　①社・国　2 公費　3 後期　4 退職　①単独　2 2併　3 3併　②本外　4 六外　6 家外　8 高外一　0 高外7

保険者番号	0	6	4	7	1	2	1	3	給付割合 10 9 8 7 ( )

公費負担者番号①　公費負担医療の受給者番号①

公費負担者番号②　公費負担医療の受給者番号②

被保険者証・被保険者手帳等の記号・番号　123・456　(枝番) 00

氏名	一の宮　豊	特記事項
	①男 2女 1明 2大 ③昭 4平 5令 60・10・3 生	
職務上の事由	1 職務上　2 下船後3月以内　3 通勤災害	

保険薬局の所在地及び名称

保険医療機関の所在地及び名称	東京都中央区日本橋○-○-○ 日本橋クリニック
都道府県番号	1 3
点数表番号	1
医療機関コード	1 3 0 0 0 1 6

保険医氏名　1. 江戸川　澄子　2.　3.　4.　5.　6.　7.　8.　9.　10.

受付回数　保険 1 回　公費① 回　公費② 回

医師番号	処方月日	調剤月日	医薬品名・規格・用量・剤形・用法	単位薬剤料	調剤数量	薬剤調製料 調剤管理料	薬剤料	加算料	公費分点数
1	10・21	10・21	「内服」メトクロプラミド錠5mg「トーワ」 3T 分3　毎食後	2点	4	24点 4	8点	点	点
1	10・21	10・21	「内服」トリメブチンマレイン酸塩細粒20%「ツルハラ」1.5 分3　毎食前	2	4	24 4	8		
1	10・21	10・21	「内服」コンスタン0.8mg錠 1T 分1　朝食後	1	4	24 4	4	向 8	
1	10・21	10・21	「屯服」ロペラミド塩酸塩カプセル1mg「ホリイ」3C 1回1C（下痢時）	2	1	21	2		
1	10・21	10・21	「屯服」ブスコパン錠10mg 3T 1回1T（腹痛時）	2	1	0	2		

摘要　10月21日（月）　開局内
20時30分受付調剤

※高額療養費 円　※公費負担点数 点　※公費負担点数 点

	請求 点	※決定 点	一部負担金額 円	調剤基本料 点	時間外等加算 点	薬学管理料 点
保険	268		減額 割(円)免除・支払猶予	基B 29	夜 40	薬C 1　医情A 1　62
公費①	点	※ 点	円	点	点	点
公費②	点	※ 点	円	点	点	点

レセプト

解説 14

ポイント　この薬局の開局時間は、17時から翌日の8時までになっています。処方箋を受け付けたのは20時30分で、開局時間内ですが、19時以降は、夜間・休日等加算が加算できます。処方箋受付1回につき 40点の加算になります。

Rp①

単位薬剤料：メトクロプラミド錠5mg「トーワ」5.70円×3T＝17.10円→1.71点→2点

調剤数量：4日分なので　4

薬剤調製料：内服薬　24点

調剤管理料：7日分以下なので　4点

薬剤料：2点×4日分＝8点

Rp②

単位薬剤料：トリメブチンマレイン酸塩細粒20%「ツルハラ」13.70円×1.5g＝20.55円→2.055点→2点

調剤数量：4日分なので　4

薬剤調製料：内服薬　24点

調剤管理料：7日分以下なので　4点

薬剤料：2点×4日分＝8点

Rp③

単位薬剤料：コンスタン0.8㎎錠　8.60円×1T＝8.60円→15円以下は　1点

調剤数量：4日分なので　4

薬剤調製料：内服薬　24点

調剤管理料：7日分以下なので　4点

薬剤料：1点×4日分＝4点

加算料：コンスタン0.8㎎錠は向精神薬なので向精神薬加算を加算します。回　8点

Rp④

単位薬剤料：ロペラミド塩酸塩カプセル1mg「ホリイ」5.90円×3C＝17.70円→1.77点→2点

調剤数量：	屯服薬なので　1
薬剤調製料：	屯服薬なので調剤数にかかわらず、1回の処方箋受付で　21点です。
調剤管理料：	内服薬で算定しているので算定不可
薬剤料：	2点×1＝2点

Rp⑤

単位薬剤料：	ブスコパン錠10mg　5.90円×3T＝17.70円→1.77点→2点
調剤数量：	屯服薬なので　1
薬剤調製料：と調剤管理料	0点　Rp④で屯服薬の薬剤調製料を算定しているので、ここでは算定できません。また、内服薬で調剤管理料を算定しているのでここでは算定できません。
薬剤料：	2点×1＝2点

[薬学管理料]　服薬管理指導料2　薬C　59点
医療情報取得加算1　医情A　3点

[調剤基本料]　調剤基本料2　基B　29点
夜間・休日等加算　夜　40点

解説

●練習問題15—① 次の処方箋からレセプトを作成しなさい。

○保険薬局の設定
・調剤基本料3-イ
・服薬管理指導の実施
・後発医薬品調剤体制加算1

○その他、処方箋備考欄も留意すること。
○開局時間 月曜～金曜 9時～18時
土曜日 9時～13時
日曜・祝日 定休日

処 方 箋

（この処方箋は、どの保険薬局でも有効です。）

公費負担者番号		保険者番号	06132336
公費負担医療の受給者番号		被保険者証・被保険者手帳の記号・番号	803・198 （枝番）00

患者		
氏名	福井 文蔵	
生年月日	明大㊗平令 48年 8月 8日	㊚・女
区分	(被保険者)	被扶養者

保険医療機関の所在地及び名称	東京都中央区明石町○-○-○ 晴海病院
電話番号	03-3541-****
保険医氏名	伊本 陽子 ㊞
都道府県番号	13
点数表番号	1
医療機関コード	1300017

交付年月日	令和 6年 10月 7日	処方箋の使用期間	令和 年 月 日	特に記載のある場合を除き、交付の日を含めて4日以内に保険薬局に提出すること。

処方

変更不可（医療上必要） | 患者希望

（個々の処方薬について、医療上の必要性があるため、後発医薬品（ジェネリック医薬品）への変更に差し支えがあると判断した場合には、「変更不可」欄に「✓」又は「×」を記載し、「保険医署名」欄に署名又は記名・押印すること。また、患者の希望を踏まえ、先発医薬品を処方した場合には、「患者希望」欄に「✓」又は「×」を記載すること。）

Rp			
①アルファカルシドールカプセル0.25μg「サワイ」	2C	分1×朝食後	14TD
②コランチル配合顆粒	3g	分3×毎食後	14TD
③リタロクス懸濁用配合顆粒	1.5g	分3×毎食後	14TD
④ジクロフェナクNa錠25mg「ツルハラ」	3T	分3×毎食後	14TD
⑤ツムラ柴苓湯エキス顆粒（医療用）	9g	分3×毎食後	14TD
⑥メソトレキセート錠2.5mg	2T	分1×朝食後	3TD
⑦プレドニゾロン錠5mg「NP」	2T	分1×朝食後	14TD
⑧キョーリンAP2配合顆粒	0.9g	分3×毎食後	14TD

リフィル可 □ （ 回）

【以下余白】

備考

保険医署名 （「変更不可」欄に「✓」又は「×」を記載した場合は、署名又は記名・押印すること。）

初回の来局

・散剤は計量して混合調剤する

保険薬局が調剤時に残薬を確認した場合の対応（特に指示がある場合は「✓」又は「×」を記載すること。）
□保険医療機関へ疑義照会した上で調剤 □保険医療機関へ情報提供

調剤実施回数（調剤回数に応じて、□に「✓」又は「×」を記載するとともに、調剤日及び次回調剤予定日を記載すること。）
□1回目調剤日（ 年 月 日） □2回目調剤日（ 年 月 日） □3回目調剤日（ 年 月 日）
次回調剤予定日（ 年 月 日） 次回調剤予定日（ 年 月 日）

調剤済年月日	令和 6 年 10 月 7 日	公費負担者番号	
保険薬局の所在地及び名称保険薬剤師氏名	㊞	公費負担医療の受給者番号	

備考 1．「処方」欄には、薬名、分量、用法及び用量を記載すること。
2．この用紙は、A列5番を標準とすること。
3．療養の給付及び公費負担医療に関する費用の請求に関する命令（昭和51年厚生省令第36号）第1条の公費負担医療については、「保険医療機関」とあるのは「公費負担医療の担当医療機関」と、「保険医氏名」とあるのは「公費負担医療の担当医氏名」と読み替えるものとすること。

●練習問題15―② 次の処方箋からレセプトを作成しなさい。

○保険薬局の設定
- 調剤基本料3-イ
- 服薬管理指導の実施
- 後発医薬品調剤体制加算1

○その他、処方箋備考欄も留意すること。

○開局時間 月曜～金曜 9時～18時
土曜日 9時～13時
日曜・祝日 定休日

処 方 箋

（この処方箋は、どの保険薬局でも有効です。）

公費負担者番号		保険者番号	0 6 1 3 2 3 3 6
公費負担医療の受給者番号		被保険者証・被保険者手帳の記号・番号	803・198 （枝番）00

患者	氏名	福井 文蔵		保険医療機関の所在地及び名称	東京都中央区明石町○-○-○ 晴海病院
	生年月日	明 大 ㊗昭 平 令 48年 8月 8日	㊚男・女	電話番号	03-3541-****
				保険医氏名	高橋 京一 ㊞
	区分	㊗被保険者	被扶養者	都道府県番号 13 / 点数表番号 1 / 医療機関コード 1300017	

交付年月日	令和 6年 10月 7日	処方箋の使用期間	令和 年 月 日 （特に記載のある場合を除き、交付の日を含めて4日以内に保険薬局に提出すること。）

処方

変更不可（医療上必要）	患者希望	（個々の処方薬について、医療上の必要性があるため、後発医薬品（ジェネリック医薬品）への変更に差し支えがあると判断した場合には、「変更不可」欄に「✓」又は「×」を記載し、「保険医署名」欄に署名又は記名・押印すること。また、患者の希望を踏まえ、先発医薬品を処方した場合には、「患者希望」欄に「✓」又は「×」を記載すること。）

Rp ①ケトプロフェンパップ30mg「日医工」 25枚 朝・夕

②ジクロフェナクNa坐剤50mg「NIG」 25個 朝・夕

【以下余白】

リフィル可 □ （ 回）

備考

保険医署名 （「変更不可」欄に「✓」又は「×」を記載した場合は、署名又は記名・押印すること。）

初回の来局

保険薬局が調剤時に残薬を確認した場合の対応（特に指示がある場合は「✓」又は「×」を記載すること。）
□保険医療機関へ疑義照会した上で調剤 □保険医療機関へ情報提供

調剤実施回数（調剤回数に応じて、□に「✓」又は「×」を記載するとともに、調剤日及び次回調剤予定日を記載すること。）
□1回目調剤日（ 年 月 日） □2回目調剤日（ 年 月 日） □3回目調剤日（ 年 月 日）
次回調剤予定日（ 年 月 日） 次回調剤予定日（ 年 月 日）

調剤済年月日	令和 6 年 10 月 7 日	公費負担者番号	
保険薬局の所在地及び名称 保険薬剤師氏名	㊞	公費負担医療の受給者番号	

備考 1．「処方」欄には、薬名、分量、用法及び用量を記載すること。
2．この用紙は、A列5番を標準とすること。
3．療養の給付及び公費負担医療に関する費用の請求に関する命令（昭和51年厚生省令第36号）第1条の公費負担医療については、「保険医療機関」とあるのは「公費負担医療の担当医療機関」と、「保険医氏名」とあるのは「公費負担医療の担当医氏名」と読み替えるものとすること。

●解答例 15

調剤報酬明細書　令和 6 年 10 月分

都道府県番号　薬局コード

4 調剤	①社・国	3 後期	①単独	②本外	8 高外一
	2 公費	4 退職	2 2併	4 六外	0 高外7
			3 3併	6 家外	

保険者番号	0	6	1	3	2	3	3	6	給付割合 10 9 8 7 ( )

被保険者証・被保険者手帳等の記号・番号	803・198 (枝番) 00

公費負担者番号①		公費負担医療の受給者番号①	
公費負担者番号②		公費負担医療の受給者番号②	

氏名	福井　文蔵	特記事項
	①男　2女　1明 2大 ③昭 4平 5令　48・8・8 生	
職務上の事由	1 職務上　2 下船後3月以内　3 通勤災害	

保険薬局の所在地及び名称

保険医療機関の所在地及び名称	東京都中央区明石町○-○-○ 晴海病院
都道府県番号	1 3
点数表番号	1
医療機関コード	1 3 0 0 0 1 7

保険医氏名		
1. 伊本　陽子	6.	
2. 高橋　京一	7.	
3.	8.	
4.	9.	
5.	10.	

受付回数	
保険	1 回
公費①	回
公費②	回

医師番号	処方月日	調剤月日	処方 医薬品名・規格・用量・剤形・用法	単位薬剤料	調剤数量	薬剤調製料 調剤管理料	薬剤料	加算料	公費分点数
1	10・7	10・7	「内服」アルファカルシドールカプセル0.25μg「サワイ」 2C	3点	14	24点	42点	点	点
	・	・	プレドニゾロン錠5mg「NP」 2T			28			
	・	・	分1　朝食後						
	・	・							
1	10・7	10・7	「内服」コランチル配合顆粒 3.0	46	14	24	644	計 45	
	・	・	リタロクス懸濁用配合顆粒 1.5			28			
	・	・	ジクロフェナクNa錠25mg「ツルハラ」 3T						
	・	・	ツムラ柴苓湯エキス顆粒(医療用) 9.0						
	・	・	キョーリンAP2配合顆粒 0.9						
	・	・	分3　毎食後						
	・	・							
1	10・7	10・7	「内服」メソトレキセート錠2.5mg 2T	5	3	0	15		
	・	・	分1　朝食後						
	・	・							
2	10・7	10・7	「外用」ケトプロフェンパップ30mg「日医工」 25枚	30	1	10	30		
	・	・	朝・夕						
	・	・							
2	10・7	10・7	「外用」ジクロフェナクNa坐剤50mg「NIG」 25個	51	1	10	51		
	・	・	朝・夕						
	・	・							
	・	・							
	・	・							
	・	・							
	・	・							
	・	・							
	・	・							
	・	・							
	・	・							
	・	・							
	・	・							

摘要		※高額療養費	円
		※公費負担点数	点
		※公費負担点数	点

	請求 点	※決定 点	一部負担金額 円	調剤基本料 点	時間外等加算 点	薬学管理料 点
保険	1,058		減額 割(円)免除・支払猶予	基C 後A 45		薬C 1　医情A 1　62
公費①	点	※ 点	円	点	点	点
公費②	点	※ 点	円	点	点	点

●解説 15

ポイント　同一医療機関の異なる医師から､処方箋の発行があった場合の例です。受付回数のカウントに注意しましょう。また計量混合調剤加算の算定にも注意してください。

□ 処方箋は10月７日に1枚ずつ受け付けています。同一の保険医療機関からの処方箋なので、異なる診療科からの交付であっても、受付は1回とカウントします。医師が２名なので医師番号の記入にも注意しましょう。

□〈15－①：処方箋１枚目〉

Rp①・Rp⑦　Rp①と⑦は服用時点、服用日数が同一なので１剤として合算できます。

単位薬剤料：
アルファカルシドールカプセル0.25μg「サワイ」5.90円×2C
プレドニゾロン錠5mg「NP」9.80円×2T
} 31.40円→3.14点 →3点

調剤数量：14日分ですから　**14**

薬剤調製料：内服薬　**24点**

調剤管理料：８日分以上14日分以下なので　**28点**

薬剤料：3点×14日分＝**42点**

Rp②～Rp⑤ Rp⑧　Rp②～⑤・⑧も服用時点、服用日数が同一なので１剤として合算できます。また処方箋の備考欄にあるように、そのうち散剤４種類は計量して混合していますから、計量混合調剤加算 を算定できます。

単位薬剤料：
コランチル配合顆粒　6.30円×3g
リタロクス懸濁用配合顆粒　6.50円×1.5g
ジクロフェナクNa錠25mg「ツルハラ」　5.70円×3T
ツムラ柴苓湯(さいれいとう)エキス顆粒(医療用)　45.00円×9g
キョーリンAP2配合顆粒　10.30円×0.9g
} 460.02円→46.002点 →46点

調剤数量：14日分ですから　**14**

薬剤調製料：内服薬　**24点**

調剤管理料：**28点**

薬剤料：46点×14日分＝**644点**

加　算　料：「散剤、顆粒剤」の計量混合調剤加算は、45点を算定します。加算料は　計45点　になります。

Rp⑥

単位薬剤料：メソトレキセート錠2.5mg　24.10円×2T＝48.20円→4.82点→**5点**

調 剤 数 量：3日分ですから　**3**

薬剤調製料と調剤管理料：Rp①⑦と服用時点が同一なので、投与日数が異なっても1剤として扱われます。この場合、投与日数の長い方で薬剤調製料と調剤管理料を算定しますので、投与日数の短いメソトレキセートの方には、レセプトへ「**0**」と記入します。

薬　剤　料：5点×3日分＝**15点**

□〈15－②：処方箋2枚目〉　他科の異なる医師によって処方された薬剤は、レセプトではそれぞれ別の欄に記載します。

Rp①

単位薬剤料：ケトプロフェンパップ30mg「日医工」
11.90円×25枚＝297.50円→29.75点→**30点**

調 剤 数 量：外用薬ですので　**1**

薬剤調製料：**10点**

調剤管理料：受付1回につきの算定です。1枚目の内服薬で算定しているので算定不可。

薬　剤　料：30点×1＝**30点**

Rp②

単位薬剤料：ジクロフェナクNa坐剤50mg「NIG」
20.30円×25個＝507.50円→50.75点→**51点**

調 剤 数 量：同じく外用薬ですので　**1**

薬剤調製料：**10点**

調剤管理料：受付1回につきの算定です。1枚目の内服薬で算定しているので算定不可。

薬　剤　料：51点×1＝**51点**

[薬学管理料]　処方箋1枚目・2枚目ともに服薬管理指導料が算定できますが、これらは受付1回につきの算定なので注意しましょう。

服薬管理指導料２　薬Ｃ　59点

医療情報取得加算１　医情Ａ　3点

［調剤基本料］　調剤基本料３－イ　基Ｃ　24点

調剤基本料も受付1回につきの算定です。同一医療機関の異なる医師から同一日に発行された処方箋は、受付１回としてカウントする ことを忘れないようにしましょう。

後発医薬品調剤体制加算１　後Ａ　21点

解説

●練習問題16　次の処方箋からレセプトを作成しなさい。

○保険薬局の設定
- ・調剤基本料1
- ・服薬管理指導の実施
- ・後発医薬品体制加算2

○その他、処方箋備考欄も留意すること。

○開局時間　月曜～金曜　9時～18時
土曜日　9時～13時
日曜・祝日　定休日

処　方　箋

（この処方箋は、どの保険薬局でも有効です。）

公費負担者番号	12131017	保険者番号	
公費負担医療の受給者番号	0760431	被保険者証・被保険者手帳の記号・番号	（枝番）

患者		
氏名	谷崎　洋子	
生年月日	明大㊗平令 42年 7月14日	男・㊛
区分	被保険者	㊀被扶養者

保険医療機関の所在地及び名称：東京都江戸川区篠崎町○-○-○　江戸川病院
電話番号：03-5243-****
保険医氏名：野本　静子　㊞

都道府県番号	13	点数表番号	1	医療機関コード	1300019

交付年月日	令和　6年　10月　7日	処方箋の使用期間	令和　年　月　日	特に記載のある場合を除き、交付の日を含めて4日以内に保険薬局に提出すること。

処方

変更不可（医療上必要）　患者希望

（個々の処方薬について、医療上の必要性があるため、後発医薬品（ジェネリック医薬品）への変更に差し支えがあると判断した場合には、「変更不可」欄に「✓」又は「×」を記載し、「保険医署名」欄に署名又は記名・押印すること。また、患者の希望を踏まえ、先発医薬品を処方した場合には、「患者希望」欄に「✓」又は「×」を記載すること。）

Rp ①アルファカルシドールカプセル0.25μg「サワイ」 1Cap
　プレドニン錠5mg　1T　分1×朝食後　30日分
②ファモチジン錠20「サワイ」　1T　分1×就寝前　30日分
③ロキソプロフェンNa錠60mg「サワイ」　3T　分1×夕食後　30日分

【以下余白】

リフィル可 □ （　　回）

備考

保険医署名（「変更不可」欄に「✓」又は「×」を記載した場合は、署名又は記名・押印すること。）

3月以内の再来局

交付番号：1-0312121

保険薬局が調剤時に残薬を確認した場合の対応（特に指示がある場合は「✓」又は「×」を記載すること。）
□保険医療機関へ疑義照会した上で調剤　□保険医療機関へ情報提供

調剤実施回数（調剤回数に応じて、□に「✓」又は「×」を記載するとともに、調剤日及び次回調剤予定日を記載すること。）
□1回目調剤日（　年　月　日）　□2回目調剤日（　年　月　日）　□3回目調剤日（　年　月　日）
次回調剤予定日（　年　月　日）　次回調剤予定日（　年　月　日）

調剤済年月日	令和　6年　10月　7日	公費負担者番号	
保険薬局の所在地及び名称 保険薬剤師氏名	㊞	公費負担医療の受給者番号	

備考 1．「処方」欄には、薬名、分量、用法及び用量を記載すること。
2．この用紙は、A列5番を標準とすること。
3．療養の給付及び公費負担医療に関する費用の請求に関する命令（昭和51年厚生省令第36号）第1条の公費負担医療については、「保険医療機関」とあるのは「公費負担医療の担当医療機関」と、「保険医氏名」とあるのは「公費負担医療の担当医氏名」と読み替えるものとすること。

調剤報酬明細書　令和 6 年 10 月分

都道府県番号　薬局コード

4 調剤	1社・国	3後期	①単独	2本外	8高外一
	②公費	4退職	2 2併	4六外	0高外7
			3 3併	⑥家外	

保険者番号：
給付割合：10 9 8 7（ ）

公費負担者番号①	12131017	公費負担医療の受給者番号①	0760431
公費負担者番号②		公費負担医療の受給者番号②	

被保険者証・被保険者手帳等の記号・番号　（枝番）

氏名：谷崎　洋子　1男 ②女　1明 2大 ③昭 4平 5令　42・7・14生

職務上の事由：1職務上　2下船後3月以内　3通勤災害

特記事項：

保険薬局の所在地及び名称：

保険医療機関の所在地及び名称：東京都江戸川区篠崎町○-○-○　江戸川病院

都道府県番号：13　点数表番号：1　医療機関コード：1300019

保険医氏名：1. 野本　静子

受付回数：保険　回　公費①　1回　公費②　回

医師番号	処方月日	調剤月日	医薬品名・規格・用量・剤形・用法	単位薬剤料	調剤数量	薬剤調製料・調剤管理料	薬剤料	加算料	公費分点数
1	10・7	10・7	「内服」アルファカルシドールカプセル0.25μg「サワイ」1C	2	30	24	60		
			プレドニン錠5mg　1T			60			
			1日1回　朝食後						
1	10・7	10・7	「内服」ファモチジン錠20「サワイ」　1T	1	30	24	30		
			1日1回　就寝前			60			
1	10・7	10・7	「内服」ロキソプロフェンNa錠60mg「サワイ」3T	3	30	24	90		
			1日1回　夕食後			60			

摘要：交付番号：1-0312121

※高額療養費　円
※公費負担点数　点
※公費負担点数　点

	請求　点	※決定　点	一部負担金額　円	調剤基本料　点	時間外等加算　点	薬学管理料　点
保険			減額 割(円)免除・支払猶予	基A 後B		薬A 1
公費①	550			73		45
公費②						

●解説 16

ポイント 本問は生活保護法単独の場合の例です。
生活保護法による医療扶助は公費負担医療です。公費負担者番号、受給者番号をレセプトの左上に記載します。保険者番号欄は空欄になります。なお、患者の調剤券に記載されている交付番号をレセプトの摘要欄に記載します。
公費対象薬剤と一般薬剤とが混在した場合には、公費対象薬剤名の下にアンダーラインを引きます。

□ すべて公費分なので、処方箋の薬剤にアンダーラインはありません。

Rp①
単位薬剤料：アルファカルシドールカプセル0.25μg「サワイ」 5.90円×1C ⎫ 15.70円 →1.57点
　　　　　　プレドニン錠5mg 9.80円×1T ⎭ →**2**点
調剤数量：30日分ですから　**30**
薬剤調製料：内服薬なので　**24**点
調剤管理料：30日分なので　**60**点
薬剤料：2点×30日分＝**60**点

Rp②
単位薬剤料：ファモチジン錠20「サワイ」
　　　　　　10.10円×1T＝10.10円→15円以下は　**1**点
調剤数量：**30**
薬剤調製料：内服薬なので　**24**点
調剤管理料：**60**点
薬剤料：1点×30日分＝**30**点

Rp③
単位薬剤料：ロキソプロフェンNa錠60mg「サワイ」
　　　　　　9.80円×3T＝29.40円→2.94点→**3**点
調剤数量：**30**
薬剤調製料：内服薬なので　**24**点
調剤管理料：**60**点
薬剤料：3点×30日分＝**90**点

[薬学管理料]　服薬管理指導料１　薬Ａ　45点

[調剤基本料]　調剤基本料１　基Ａ　45点

後発医薬品調剤体制加算２　後Ｂ　28点

＊レセプト請求点の合計欄は、公費①に記載します。

解説

●練習問題 17　次の処方箋からレセプトを作成しなさい。

○保険薬局の設定
- 調剤基本料 1
- 服薬管理指導の実施
- 地域支援体制加算 1
- 後発医薬品調剤体制加算 1

○その他、処方箋備考欄も留意すること。

○開局時間　月曜～金曜　9時～18時
　　　　　　土曜日　　9時～13時
　　　　　　日曜・祝日　定休日

処　方　箋

（この処方箋は、どの保険薬局でも有効です。）

公費負担者番号	2 1 1 3 6 0 1 6	保険者番号	1 3 8 0 1 6
公費負担医療の受給者番号	6 1 2 9 3 0 1	被保険者証・被保険者手帳の記号・番号	01-04･4321　（枝番）01

患者		
氏名	橋元　香	
生年月日	明・大・㊣昭・平・令　39年 8月10日	男・㊛女
区分	被保険者	（被扶養者）

保険医療機関の所在地及び名称	東京都千代田区大手町○-○-○ 大手町病院
電話番号	03-5224-****
保険医氏名	佐藤　晴信　㊞

都道府県番号	1 3	点数表番号	1	医療機関コード	1 3 0 0 0 2 0

交付年月日	令和　6年　10月　21日	処方箋の使用期間	令和　年　月　日	特に記載のある場合を除き、交付の日を含めて4日以内に保険薬局に提出すること。

処方

変更不可（医療上必要）　患者希望

（個々の処方薬について、医療上の必要性があるため、後発医薬品（ジェネリック医薬品）への変更に差し支えがあると判断した場合には、「変更不可」欄に「✓」又は「×」を記載し、「保険医署名」欄に署名又は記名・押印すること。また、患者の希望を踏まえ、先発医薬品を処方した場合には、「患者希望」欄に「✓」又は「×」を記載すること。）

Rp　①フルボキサミンマレイン酸塩錠25mg「トーワ」　3T
　　　ロラゼパム錠1mg「サワイ」　3T
　　　アモキサンカプセル10mg　3C　分3×毎食後　14日分

　　②エチゾラム錠1mg「トーワ」　2T
　　　セチプチリンマレイン酸塩錠1mg「サワイ」　2T
　　　パロキセチン錠10mg「サワイ」　1T　分1×就寝前　14日分

【以下余白】

リフィル可　□　（　　回）

備考

保険医署名（「変更不可」欄に「✓」又は「×」を記載した場合は、署名又は記名・押印すること。）

3月以内に来局あり

- 手帳を持参していない　・上限額5,000円
- 管理表には自己負担上限額に達したと大手町病院の記名・押印あり

保険薬局が調剤時に残薬を確認した場合の対応（特に指示がある場合は「✓」又は「×」を記載すること。）
□保険医療機関へ疑義照会した上で調剤　□保険医療機関へ情報提供

調剤実施回数（調剤回数に応じて、□に「✓」又は「×」を記載するとともに、調剤日及び次回調剤予定日を記載すること。）
□1回目調剤日（　年　月　日）　□2回目調剤日（　年　月　日）　□3回目調剤日（　年　月　日）
次回調剤予定日（　年　月　日）　次回調剤予定日（　年　月　日）

調剤済年月日	令和　6　年　10　月　21　日	公費負担者番号	
保険薬局の所在地及び名称保険薬剤師氏名	㊞	公費負担医療の受給者番号	

備考　1．「処方」欄には、薬名、分量、用法及び用量を記載すること。
2．この用紙は、A列5番を標準とすること。
3．療養の給付及び公費負担医療に関する費用の請求に関する命令（昭和51年厚生省令第36号）第1条の公費負担医療については、「保険医療機関」と
のは「公費負担医療の担当医療機関」と、「保険医氏名」とあるのは「公費負担医療の担当医氏名」と読み替えるものとすること。

●解答例 17

調剤報酬明細書　令和 6 年 10 月分　都道府県番号　薬局コード

4 調剤　①社・国　2 公費　3 後期　4 退職　1 単独　②2 併　3 3 併　2 本外　4 六外　⑥家外　8 高外一　0 高外7

公費負担者番号①	21136016	公費負担医療の受給者番号①	6129301
公費負担者番号②		公費負担医療の受給者番号②	

保険者番号：138016　給付割合：10 9 8 ⑦（　）

被保険者証・被保険者手帳等の記号・番号：01-04・4321（枝番）01

氏名：橋元　香　1男 ②女　1明 2大 ③昭 4平 5令　39・8・10生

職務上の事由：1職務上 2下船後3月以内 3通勤災害

特記事項：

保険薬局の所在地及び名称：

保険医療機関の所在地及び名称：東京都千代田区大手町○-○-○　大手町病院

都道府県番号：13　点数表番号：1　医療機関コード：1300020

保険医氏名：1. 佐藤　晴信　2.　3.　4.　5.　6.　7.　8.　9.　10.

受付回数：保険 1 回　公費① 回　公費② 回

医師番号	処方月日	調剤月日	処方（医薬品名・規格・用量・剤形・用法）	単位薬剤料	調剤数量	薬剤調製料・調剤管理料	薬剤料	加算料	公費分点数
1	10・21	10・21	「内服」フルボキサミンマレイン酸塩錠25mg「トーワ」3T ロラゼパム錠1mg「サワイ」3T アモキサンカプセル10mg　3C 分3、毎食後	7	14	24 28	98	向 8	
1	10・21	10・21	「内服」エチゾラム錠1mg「トーワ」2T セチプチリンマレイン酸塩錠1mg「サワイ」2T パロキセチン錠10mg「サワイ」1T 分1、就寝前	5	14	24 28	70	向 8	

摘要：　※高額療養費 円　※公費負担点数 点　※公費負担点数 点

	請求点	※決定点	一部負担金額 円	調剤基本料	時間外等加算	薬学管理料
保険	445		減額 割(円)免除・支払猶予	基A 後A 地支A 98		薬B 1　59
公費①			0			
公費②						

解説 17

ポイント 公費負担者番号の最初の21は、障害者総合支援法による精神通院医療の法別番号です。国保・公費併用なので保険種別欄は、1の社・国と2併を○で囲みます。内容がすべて公費分なので、処方箋の薬剤にアンダーラインはありません。(P.245参照のこと)

Rp①

単位薬剤料：
フルボキサミンマレイン酸塩錠25mg「トーワ」 10.10円×3T
ロラゼパム錠1mg「サワイ」 5.70円×3T
アモキサンカプセル10mg 5.90円×3C
} 65.10円→6.51点→**7点**

調剤数量：14日分なので **14**
薬剤調製料：内服薬なので **24点**
調剤管理料：8日分以上14日分以下なので **28点**
薬剤料：7点×14日分＝**98点**
加算料：ロラゼパム錠1mg「サワイ」は向精神薬です。[向] **8点**

Rp②

単位薬剤料：
エチゾラム錠1mg「トーワ」 9.80円×2T
セチプチリンマレイン酸塩錠1mg「サワイ」 5.90円×2T
パロキセチン錠10mg「サワイ」 16.20円×1T
} 47.60円→4.76点→**5点**

調剤数量：14日分なので **14**
薬剤調製料：内服薬なので **24点**
調剤管理料：**28点**
薬剤料：5点×14日分＝**70点**
加算料：エチゾラム錠1mg「トーワ」は向精神薬です。[向] **8点**

[薬学管理料] 服薬管理指導料2 [薬B] **59点**
[調剤基本料] 調剤基本料1 [基A] **45点**
地域支援体制加算1 [地支A] **32点**
後発医薬品調剤体制加算1 [後A] **21点**
※自己負担上限額に達したので、点数・実日数は、保険欄に記載します。

●練習問題 18－① 次の処方箋からレセプトを作成しなさい。

○保険薬局の設定
- ・調剤基本料１
- ・服薬管理指導の実施
- ・地域支援体制加算１
- ・後発医薬品調剤体制加算２

○その他、処方箋備考欄も留意すること。

○開局時間

月曜～金曜	9時～18時
土曜日	9時～13時
日曜・祝日	定休日

処 方 箋

（この処方箋は、どの保険薬局でも有効です。）

公費負担者番号	5 4 1 3 6 0 1 8	保険者番号	1 3 3 1 9 9
公費負担医療の受給者番号	2 4 3 5 9 9 8	被保険者証・被保険者手帳の記号・番号	84-151-2723 （枝番）00

患者	氏名	香川　英子	
	生年月日	明 大 ㊝ 平 令　38年 7月 9日	男・㊛
	区分	㊒被保険者	被扶養者

保険医療機関の所在地及び名称	東京都目黒区祐天寺○-○-○ 東京医療センター
電話番号	03-5721-****
保険医氏名	高橋　一平　㊞

都道府県番号	点数表番号	医療機関コード
1 3	1	1 3 0 0 0 1 4

交付年月日	令和　6年　10月　18日	処方箋の使用期間	令和　年　月　日

（特に記載のある場合を除き、交付の日を含めて４日以内に保険薬局に提出すること。）

処方

変更不可（医療上必要）　患者希望

（個々の処方薬について、医療上の必要性があるため、後発医薬品（ジェネリック医薬品）への変更に差し支えがあると判断した場合には、「変更不可」欄に「✓」又は「×」を記載し、「保険医署名」欄に署名又は記名・押印すること。また、患者の希望を踏まえ、先発医薬品を処方した場合には、「患者希望」欄に「✓」又は「×」を記載すること。）

Rp ①プレドニゾロン錠5mg「NP」　2T
シクロスポリンカプセル50mg「VTRS」　2C
チクロピジン塩酸塩錠100mg「サワイ」　2T　分2×朝夕食後　28日分

②ジクロフェナクNa坐剤50mg「NIG」 28個　1日1回（肛門に挿入）

【以下余白】

リフィル可 □ （　　回）

備考

保険医署名（「変更不可」欄に「✓」又は「×」を記載した場合は、署名又は記名・押印すること。）

3月以内の再来局

・特定医療費受給者証　適用区分「エ」　・他医療機関で3,200円支払済み
・54の自己負担上限額5,000円

保険薬局が調剤時に残薬を確認した場合の対応（特に指示がある場合は「✓」又は「×」を記載すること。）
□保険医療機関へ疑義照会した上で調剤　□保険医療機関へ情報提供

調剤実施回数（調剤回数に応じて、□に「✓」又は「×」を記載するとともに、調剤日及び次回調剤予定日を記載すること。）
□１回目調剤日（　年　月　日）　□２回目調剤日（　年　月　日）　□３回目調剤日（　年　月　日）
次回調剤予定日（　年　月　日）　次回調剤予定日（　年　月　日）

調剤済年月日	令和　6　年　10　月　18　日	公費負担者番号	
保険薬局の所在地及び名称 保険薬剤師氏名	㊞	公費負担医療の受給者番号	

備考 1.「処方」欄には、薬名、分量、用法及び用量を記載すること。
2. この用紙は、A列5番を標準とすること。
3. 療養の給付及び公費負担医療に関する費用の請求に関する命令（昭和51年厚生省令第36号）第１条の公費負担医療については、「保険医療機関」とあるのは「公費負担医療の担当医療機関」と、「保険医氏名」とあるのは「公費負担医療の担当医氏名」と読み替えるものとする。

●練習問題 18－② 次の処方箋からレセプトを作成しなさい。

○保険薬局の設定
- 調剤基本料1
- 服薬管理指導の実施
- 地域支援体制加算1
- 後発医薬品調剤体制加算2

○その他、処方箋備考欄も留意すること。
○開局時間 月曜～金曜 9時～18時
土曜日 9時～13時
日曜・祝日 定休日

処 方 箋

（この処方箋は、どの保険薬局でも有効です。）

公費負担者番号	54136018	保険者番号	133199
公費負担医療の受給者番号	2435998	被保険者証・被保険者手帳の記号・番号	84-151･2723 （枝番）00

患者			
氏名	香川 英子	保険医療機関の所在地及び名称	東京都目黒区祐天寺○-○-○ 東京医療センター
生年月日	明大㊉平令 38年 7月 9日	男・㊛	電話番号 03-5721-****
			保険医氏名 高橋 一平 ㊞
区分	㊉被保険者	被扶養者	都道府県番号 13 点数表番号 1 医療機関コード 1300014

交付年月日	令和 6年 10月 18日	処方箋の使用期間	令和 年 月 日 （特に記載のある場合を除き、交付の日を含めて4日以内に保険薬局に提出すること。）

処方

変更不可（医療上必要）	患者希望	（個々の処方薬について、医療上の必要性があるため、後発医薬品（ジェネリック医薬品）への変更に差し支えがあると判断した場合には、「変更不可」欄に「✓」又は「×」を記載し、「保険医署名」欄に署名又は記名・押印すること。また、患者の希望を踏まえ、先発医薬品を処方した場合には、「患者希望」欄に「✓」又は「×」を記載すること。）
		Rp ①フルバスタチン錠30mg「サワイ」 1T 分1×夕食後 28日分 【以下余白】 リフィル可 □ （ 回）

備考

保険医署名 （「変更不可」欄に「✓」又は「×」を記載した場合は、署名又は記名・押印すること。）

3月以内の再来局

・特定医療費受給者証 適用区分「エ」 ・他医療機関で3,200円支払済み
・54の自己負担上限額5,000円

保険薬局が調剤時に残薬を確認した場合の対応（特に指示がある場合は「✓」又は「×」を記載すること。）
□保険医療機関へ疑義照会した上で調剤 □保険医療機関へ情報提供

調剤実施回数（調剤回数に応じて、□に「✓」又は「×」を記載するとともに、調剤日及び次回調剤予定日を記載すること。）
□1回目調剤日（ 年 月 日） □2回目調剤日（ 年 月 日） □3回目調剤日（ 年 月 日）
次回調剤予定日（ 年 月 日） 次回調剤予定日（ 年 月 日）

調剤済年月日	令和 6 年 10 月 18 日	公費負担者番号	
保険薬局の所在地及び名称 保険薬剤師氏名	㊞	公費負担医療の受給者番号	

備考 1．「処方」欄には、薬名、分量、用法及び用量を記載すること。
2．この用紙は、A列5番を標準とすること。
3．療養の給付及び公費負担医療に関する費用の請求に関する命令（昭和51年厚生省令第36号）第1条の公費負担医療については、「保険医療機関」とあるのは「公費負担医療の担当医療機関」と、「保険医氏名」とあるのは「公費負担医療の担当医氏名」と読み替えるものとすること。

●解答例 18

調剤報酬明細書　令和 6 年 10 月分

区分	4 調剤　①社・国　②2併　②本外　⑦（給付割合）
公費負担者番号①	54136018
公費負担医療の受給者番号①	2435998
公費負担者番号②	
公費負担医療の受給者番号②	
保険者番号	133199
被保険者証・被保険者手帳等の記号・番号	84-151・2723（枝番）00
氏名	香川　英子
性別・生年月日	1男 ②女　1明 2大 ③昭 4平 5令　38・7・9 生
職務上の事由	1 職務上　2 下船後3月以内　3 通勤災害
特記事項	29区エ
保険薬局の所在地及び名称	
保険医療機関の所在地及び名称	東京都目黒区祐天寺○-○-○　東京医療センター
都道府県番号	13
点数表番号	1
医療機関コード	1300014
保険医氏名	1. 高橋　一平
受付回数	保険 1回　公費① 1回　公費② 回

医師番号	処方月日	調剤月日	処方（医薬品名・規格・用量・剤形・用法）	単位薬剤料	調剤数量	薬剤調製料・調剤管理料	薬剤料	加算料	公費分点数
1	10・18	10・18	「内服」プレドニゾロン錠5mg「NP」2T シクロスポリンカプセル50mg「VTRS」2C チクロピジン塩酸塩錠100mg「サワイ」2T 分2　朝夕食後	26	28	24 50	728		802
1	10・18	10・18	「外用」ジクロフェナクNa坐剤50mg「NIG」28個 1日1回　肛門に挿入	57	1	10	57		0
1	10・18	10・18	「内服」フルバスタチン錠30mg「サワイ」1T 分1　夕食後	3	28	24 50	84		0

摘要

	請求 点	※決定 点	一部負担金額 円	調剤基本料 点	時間外等加算 点	薬学管理料 点
保険	1,177			基A 後B 地支A 105		薬A 1　45
公費①	952		1,800	105		45
公費②						

解説 18

ポイント　難病医療費助成に係わる公費負担分の処方箋と、医療保険（国保）分の処方箋の例です。保険種別欄は、「1　社・国」と「2　2併」を○で囲みます。

- □ 同一日に同一保険医療機関から発行されているので、レセプトは1枚で作成します。受付回数の欄には、「保険」に1、「公費①」に1を記載します。
- □ レセプトの「処方」「単位薬剤料」欄において、医療保険と公費負担医療の支給薬剤が異なる場合は、公費対象薬剤にアンダーラインを付けます。
- □ 公費負担分の算定の仕方に注意しましょう。

□〈公費負担分〉

Rp①

単位薬剤料：	プレドニゾロン錠5mg「NP」 9.80円×2T シクロスポリンカプセル50mg「VTRS」 109.80円×2C チクロピジン塩酸塩錠100mg「サワイ」 8.00円×2T 255.20円→25.52点→**26点**
調剤数量：	28日分の投与ですから　**28**
薬剤調製料：	内服薬なので　**24点**
調剤管理料：	15日分以上28日分以下なので　**50点**
薬剤料：	26点×28日分＝**728点**
公費分点数：	74点＋728点＝**802点**

Rp②

単位薬剤料：	ジクロフェナクNa坐剤50mg「NIG」 20.30円×28個＝568.40円→56.84点→**57点**
調剤数量：	外用薬ですので　**1**
薬剤調製料：	**10点**
調剤管理料：	内服薬で算定しているので算定不可
薬剤料：	57点×1＝**57点**

☐〈医療保険分〉

Rp

単位薬剤料：	フルバスタチン錠30mg「サワイ」 26.70円×1T＝26.70円→2.67点→3点
調剤数量：	28
薬剤調製料：	内服薬なので　24点
調剤管理料：	50点
薬剤料：	3点×28日分＝84点

[薬学管理料]　同一日に同一保険医療機関から発行されていますので、受付回数は1回です。

服薬管理指導料1　薬A　45点

[調剤基本料]　調剤基本料1　基A　45点

地域支援体制加算1　地支A　32点

後発医薬品調剤体制加算2　後B　28点

[公費負担分の請求点数]

(公費分点数)		(調剤基本料)		(薬学管理料)
802点	＋	105点	＋	45点

＝952点

を公費請求分とします。

※　調剤基本料と薬学管理料は、公費負担分と医療保険分のそれぞれで算定します。

※　公費分の点数は、剤ごとの横計を公費分点数欄に、請求点数を公費①の欄に記載します。

※　54は「難病法」による難病医療費助成の公費番号で、患者は基本2割負担です。患者の自己負担額は月額の上限が決められていて、受給者証・自己負担上限額管理票で確認します。

この患者は、備考欄に「自己負担上限額5,000円」、「他医療機関で3,200円支払済み」と記載があるので、今月の残りの自己負担額は、1,800円です。公費分点数の952点を金額にすると9,520円となり、2割負担の場合1,904円が今回の自己負担額になりますが、今月の残りの自己負担額は1,800円

解説

ですので、今回の自己負担額は1,800円となり、レセプトの公費①の「一部負担金額」には1,800円と記載します。すでに自己負担上限額に達している場合は、レセプトの公費①の「一部負担金額」に記載する必要はありません。

●点検問題 次の処方箋をもとに次のページのレセプトの各項目を点検し、内容が正しければ○、誤っている場合は×を記入し、例にならって正しい内容を記入しなさい。

処 方 箋

（この処方箋は、どの保険薬局でも有効です。）

公費負担者番号		保険者番号	06120117
公費負担医療の受給者番号		被保険者証・被保険者手帳の記号・番号	205・297176 (枝番)01

患者	氏名	坂本　麻里子		保険医療機関の所在地及び名称	千葉県野田市宮崎○-○-○ 尾形内科医院
	生年月日	明大(昭)平令 54年 11月 30日	男・(女)	電話番号	0438-15-****
				保険医氏名	野田　京子 ㊞
	区分	被保険者	(被扶養者)	都道府県番号 12 点数表番号 1	医療機関コード 1262011
交付年月日		令和　6年　9月　20日		処方箋の使用期間	令和　年　月　日（特に記載のある場合を除き、交付の日を含めて4日以内に保険薬局に提出すること。）

処方

変更不可（個々の処方薬について、後発医薬品（ジェネリック医薬品）への変更に差し支えがあると判断した場合には、「変更不可」欄に「✓」又は「×」を記載し、「保険医署名欄」に署名又は記名・押印すること。）

Rp ①センノシド錠12mg「トーワ」　1T　1日1回　就寝前　7日分

②イソソルビド内用液70%「CEO」　120mL　1日3回　毎食後　14日分

③ジフェニドール塩酸塩錠25mg「CH」3T

メトクロプラミド錠5mg「トーワ」3T　1日3回　毎食後　21日分

【以下余白】

リフィル可 □（　　回）

備考

保険医署名（「変更不可」欄に「✓」又は「×」を記載した場合は、署名又は記名・押印すること。）

初回の来局

施設基準：後発医薬品調剤体制加算2　服薬管理指導の実施

地域支援体制加算1　調剤基本料1　電子資格確認により薬剤情報取得

保険薬局が調剤時に残薬を確認した場合の対応（特に指示がある場合は「✓」又は「×」を記載すること。）

□保険医療機関へ疑義照会した上で調剤　□保険医療機関へ情報提供

調剤実施回数（調剤回数に応じて、□に「✓」又は「×」を記載するとともに、調剤日及び次回調剤予定日を記載すること）

□1回目調剤日（　年　月　日）　□2回目調剤日（　年　月　日）　□3回目調剤日（　年　月　日）

次回調剤予定日（　年　月　日）　次回調剤予定日（　年　月　日）

調剤済年月日	令和　6年　9月　20日	公費負担者番号	
保険薬局の所在地及び名称 保険薬剤師氏名	㊞	公費負担医療の受給者番号	

備考1．「処方」欄には、薬名、分量、用法及び用量を記載すること。

2．この用紙は、A列5番を標準とすること。

3．療養の給付及び公費負担医療に関する費用の請求に関する省令（昭和51年厚生省令第36号）第1条の公費負担医療については、「保険医療機関」とあるのは「公費負担医療の担当医療機関」と、「保険医氏名」とあるのは「公費負担医療の担当医氏名」と読み替えるものとすること。

●レセプト

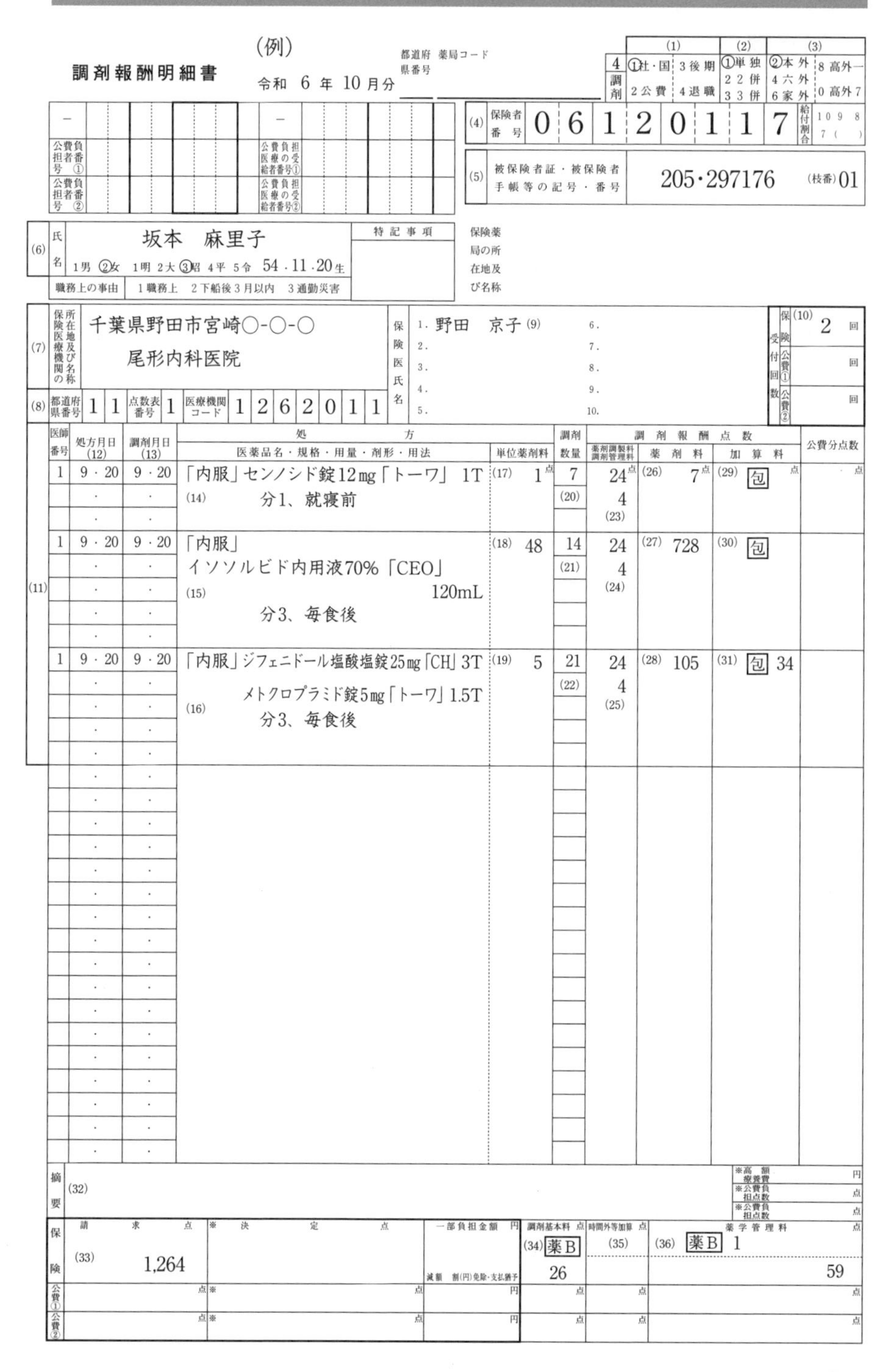

(例)

調剤報酬明細書　令和 6 年 10 月分

都道府県番号　薬局コード

4 調剤　(1) ①社・国　3 後期　2 公費　4 退職　(2) ①単独　2 2併　3 3併　(3) ②本外　8 高外一　4 六外　0 高外7　6 家外

公費負担者番号①　公費負担医療の受給者番号①
公費負担者番号②　公費負担医療の受給者番号②

(4) 保険者番号　0 6 1 2 0 1 1 7　給付割合　10 9 8 7 (　)

(5) 被保険者証・被保険者手帳等の記号・番号　205・297176　(枝番) 01

(6) 氏名　坂本　麻里子　1男 ②女　1明 2大 ③昭 4平 5令　54 . 11 . 20 生
特記事項
職務上の事由　1 職務上　2 下船後3月以内　3 通勤災害

保険薬局の所在地及び名称

(7) 保険医療機関の所在地及び名称　千葉県野田市宮崎○-○-○　尾形内科医院

保険医氏名　1. 野田　京子 (9)　2.　3.　4.　5.　6.　7.　8.　9.　10.

(10) 受付回数　保険 2 回　公費① 回　公費② 回

(8) 都道府県番号 1 1　点数表番号 1　医療機関コード 1 2 6 2 0 1 1

(11)

医師番号	処方月日 (12)	調剤月日 (13)	処方　医薬品名・規格・用量・剤形・用法	単位薬剤料	調剤数量	薬剤調製料 調剤管理料	薬剤料	加算料	公費分点数
1	9・20	9・20	「内服」センノシド錠12mg「トーワ」 1T (14) 分1、就寝前	(17) 1点	7 (20)	24点 4 (23)	(26) 7点	(29) 包 点	点
1	9・20	9・20	「内服」イソソルビド内用液70%「CEO」 120mL (15) 分3、毎食後	(18) 48	14 (21)	24 4 (24)	(27) 728	(30) 包	
1	9・20	9・20	「内服」ジフェニドール塩酸塩錠25mg「CH」 3T メトクロプラミド錠5mg「トーワ」 1.5T (16) 分3、毎食後	(19) 5	21 (22)	24 4 (25)	(28) 105	(31) 包 34	

摘要 (32)

※高額療養費 円　※公費負担点数 点　※公費負担点数 点

	請求 点	※決定 点	一部負担金額 円	調剤基本料 点	時間外等加算 点	薬学管理料 点
保険	(33) 1,264		減額 割(円)免除・支払猶予	(34) 薬B 26	(35)	(36) 薬B 1　59
公費①	点	※ 点	円	点	点	点
公費②	点	※ 点	円	点	点	点

回答欄

項目	正誤	正しい内容
例	×	令和６年９月
(1)		1.社国　2.公費　3.後期　4.退職
(2)		2.単独　2.２併　3.３併
(3)		2.本外　4.六外　6.家外　8.高外一 0.高外７
(4)		保険者 番号　　給付 10 9 8 割合 7（ ）
(5)		記号 番号
(6)		氏名 1.男　2.女　1.明　2.大　3.昭　4.平 年　月　日生
(7)		
(8)		都道府県番号　点数表番号　医療機関コード
(9)		保険医 氏名
(10)		受付 回数　回
(11)		医師 番号
(12)		処方 月日
(13)		調剤 月日
(14)		医薬品名・規格・用量・剤形・用法(処方①)
(15)		医薬品名・規格・用量・剤形・用法(処方②)
(16)		医薬品名・規格・用量・剤形・用法(処方③)

項目	正誤	正しい内容
(17)		単位 薬剤料
(18)		単位 薬剤料
(19)		単位 薬剤料
(20)		調剤 数量
(21)		調剤 数量
(22)		調剤 数量
(23)		薬剤調製料 調剤管理料
(24)		薬剤調製料 調剤管理料
(25)		薬剤調製料 調剤管理料
(26)		薬剤料
(27)		薬剤料
(28)		薬剤料
(29)		加算料
(30)		加算料
(31)		加算料
(32)		摘要
(33)		保険 請求点
(34)		調剤 基本料
(35)		時間外 等加算
(36)		薬学 管理料

解答・解説

項目	正誤	正しい内容
例	×	令和６年９月
(1)	○	
(2)	○	
(3)	×	2.本外　4.六外　⑥家外　8.高外一 0.高外７
(4)	○	
(5)	○	
(6)	×	氏名 坂本　麻里子 1.男　②女　1.明 2.大③昭 4.平 5.令 ５４年　　１１月　　３０日生
(7)	○	
(8)	×	都道府県　１２　　点数表　　医療機関 番号　　　　　　　番号　　　コード
(9)	○	保険医 氏名
(10)	×	受付 回数　　　　　１回
(11)	○	医師 番号
(12)	○	処方　①　②　③ 月日　９・２０
(13)	○	調剤　①　②　③ 月日　９・２０
(14)	○	医薬品名・規格・用量・剤形・用法(処方①)
(15)	○	医薬品名・規格・用量・剤形・用法(処方②)
(16)	×	医薬品名・規格・用量・剤形・用法(処方③) ジフェニドール塩酸塩錠25mg「CH」　３Ｔ メトクロプラミド錠5mg「トーワ」　３Ｔ 分３、毎食後

項目	正誤	正しい内容
(17)	○	単位 薬剤料
(18)	×	単位 薬剤料　３２
(19)	×	単位 薬剤料　３
(20)	○	調剤 数量
(21)	○	調剤 数量
(22)	○	調剤 数量
(23)	○	薬剤調製料 調剤管理料
(24)	×	薬剤調製料　２４ 調剤管理料　２８
(25)	×	薬剤調製料　２４ 調剤管理料　５０
(26)	○	薬剤料
(27)	×	薬剤料　４４８
(28)	×	薬剤料　６３
(29)	×	加算料　②・③は液剤と固形剤なので㉄の算定はできない。
(30)	×	加算料
(31)	×	加算料
(32)	○	摘要
(33)	×	保険 請求点　８３７
(34)	×	調剤　[基A] [後B] [地支A] 基本料　１０５
(35)	○	時間外 等加算
(36)	×	薬学　[薬C]1　[医情B]1 管理料　６０

薬価基準〈抜粋〉

（令和６（2024）年４月現在）

（◆印＝後発医薬品）

（★印＝長期収載品の選定療養対象薬）

■内服薬

品　　名	規格・単位	薬　価	後発品最高価格	備　　考
◆アズレンスルホン酸ナトリウム・L-グルタミン配合顆粒「クニヒロ」	1g	6.50		消炎性抗潰瘍剤
アムロジン錠2.5mg★	2.5mg 1錠	劇 13.10	アムロジピンベシル酸塩 10.1	高血圧症・狭心症治療剤/持続性Ca拮抗剤
アモキサンカプセル10mg	10mg 1カプセル	劇 5.90		うつ病・うつ状態治療剤
アルドメット錠250	250mg 1錠	16.80		血圧降下剤
◆アルファカルシドールカプセル0.25μg「サワイ」	0.25μg 1カプセル	劇 5.90		活性型ビタミンD_3製剤
◆アルファカルシドールカプセル0.5μg「トーワ」	0.5μg 1カプセル	劇 5.90		活性型ビタミンD_3製剤
◆アルファカルシドール錠0.25μg「アメル」	0.25μg 1錠	劇 5.90		活性型ビタミンD_3製剤
◆アンブロキソール塩酸塩錠15mg「アメル」	15mg 1錠	5.70		気道潤滑去たん剤
◆イソソルビド内用液70%「CEO」	70% 1mL	2.70		浸透圧利尿・メニエル病改善剤
◆エチゾラム錠1mg「トーワ」	1mg 1錠	向 9.80		精神安定剤
エパデールカプセル300★	300mg 1カプセル	23.30	イコサペント酸エチル 14.6	EPA製剤
◆エピナスチン塩酸塩錠20mg「トーワ」	20mg 1錠	19.30		アレルギー性疾患治療剤
オパルモン錠5μg★	5μg 1錠	22.40	リマプロストアルファデクス 18.3	PGE_1誘導体製剤
ガスター錠10mg★	10mg 1錠	13.70	ファモチジン 10.1	H_2受容体拮抗剤
〃　D錠20mg★	20mg 1錠	15.20	ファモチジン 10.1	H_2受容体拮抗剤
カプトリル-Rカプセル18.75mg	18.75mg 1カプセル	23.70		レニン・アンジオテンシン系降圧剤
◆カルボシステイン錠250mg「サワイ」	250mg 1錠	6.70		気道粘液調整・粘膜正常化剤
◆カロナール錠300	300mg 1錠	7.00		解熱鎮痛剤
◆カンデサルタン錠4mg「サワイ」	4mg 1錠	10.10		持続性アンジオテンシンⅡ受容体拮抗剤

品名	規格・単位	薬価	後発品最高価格	備考
キネダック錠50mg★	50mg 1錠	32.80	エパルレスタット 22.7	アルドース還元酵素阻害剤
キョーリンAP2配合顆粒	1g	10.30		鎮痛剤
クラリス錠200	200mg 1錠	30.00		マクロライド系抗生物質
◆グリベンクラミド錠2.5mg「トーワ」	2.5mg 1錠	劇 5.70		血糖降下剤
ケフラールカプセル250mg	250mg 1カプセル	54.70		セフェム系抗生物質
ケフラール細粒小児用100mg	100mg 1g	44.30		セフェム系抗生物質
コデインリン酸塩散10%「タケダ」	10% 1g	麻劇 149.80		鎮咳剤
コニール錠4★	4mg 1錠	劇 19.40	ベニジピン塩酸塩 10.2	高血圧症・狭心症治療剤（持続性Ca拮抗剤）
コランチル配合顆粒	1g	6.30		胃炎・消化性潰瘍用剤
コンスタン0.8mg錠	0.8mg 1錠	向 8.60		マイナートランキライザー
シグマート錠5mg★	5mg 1錠	8.90	ニコランジル 5.9	狭心症治療剤
◆シクロスポリンカプセル50mg「VTRS」	50mg 1カプセル	劇 109.80		免疫抑制剤
◆ジクロフェナクNa 錠25mg「ツルハラ」	25mg 1錠	劇 5.70		非ステロイド性消炎鎮痛解熱剤
ジゴシン錠0.25mg	0.25mg 1錠	劇 9.80		ジギタリス配糖体製剤
シナール配合錠	1錠	6.20		ビタミンC・パントテン酸カルシウム配合剤
◆ジフェニドール塩酸塩錠25mg「CH」	25mg 1錠	5.90		抗めまい剤
◆シルニジピン錠10mg「サワイ」	10mg 1錠	15.10		持続性Ca拮抗降圧剤
◆スルピリド錠50mg「CH」	50mg 1錠	6.40		精神情動安定・視床下部作用性抗潰瘍剤
◆セチプチリンマレイン酸塩錠1mg「サワイ」	1mg 1錠	劇 5.90		四環系抗うつ剤
セパミット-Rカプセル10	10mg 1カプセル	劇 10.10		カルシウム拮抗剤
セルシン散1%	1% 1g	向 10.70		マイナートランキライザー

品　　名	規格・単位	薬　価	後発品最高価格	備　　考
セレスタミン配合錠★	1錠	8.00	ベタメタゾン・d-クロルフェニラミンマレイン酸塩　5.7	副腎ホルモン・抗ヒスタミン配合剤
◆センノシド錠12mg「トーワ」	12mg 1錠	5.10		緩下剤
◆チクロピジン塩酸塩錠100mg「サワイ」	100mg 1錠	8.00		抗血小板剤
◆沈降炭酸カルシウム錠500mg「NIG」	500mg 1錠	5.80		高リン血症治療剤
ツムラ柴苓湯エキス顆粒（医療用）	1g	45.00		漢方製剤
ディオバン錠40mg★	40mg 1錠	19.70	バルサルタン　10.1	選択的AT_1受容体ブロッカー
◆テオフィリン徐放錠200mg「ツルハラ」	200mg 1錠	劇　5.90		気管支拡張剤
テノーミン錠25★	25mg 1錠	9.80	アテノロール 5.9	心臓選択性β遮断剤
◆テプレノンカプセル50mg「トーワ」	50mg 1カプセル	6.30		胃炎・胃潰瘍治療剤
ドグマチール細粒10%★	10% 1g	劇　10.10	スルピリド　6.3	精神安定・抗潰瘍剤
◆トリアゾラム錠0.25mg「CH」	0.25mg 1錠	向　5.90		睡眠導入剤
◆トリメブチンマレイン酸塩細粒20%「ツルハラ」	20% 1g	13.70		消化管運動調律剤
◆ニルバジピン錠2mg「NIG」	2mg 1錠	劇　9.80		高血圧治療剤
ノイエルカプセル200mg	200mg 1カプセル	8.80		粘膜防御性胃炎・胃潰瘍治療剤
◆バイアスピリン錠100mg	100mg 1錠	5.70		抗血小板剤
ハイゼット細粒20%★	20% 1g	23.70	ガンマオリザノール　6.3	高脂血症・心身症治療剤
◆バルサルタン錠40mg「サワイ」	40mg 1錠	10.10		選択的AT_1受容体ブロッカー
◆　〃　80mg「サワイ」	80mg 1錠	14.60		選択的AT_1受容体ブロッカー
◆パロキセチン錠10mg「サワイ」	10mg 1錠	劇　16.20		選択的セロトニン再取り込み阻害剤
◆ビオフェルミンR散	1g	6.30		耐性乳酸菌整腸剤
◆ファモチジン錠20「サワイ」	20mg 1錠	10.10		H_2受容体拮抗剤

品　　名	規格・単位	薬　価	後発品最高価格	備　　考
◆フェキソフェナジン塩酸塩錠30mg「サワイ」	30mg 1錠	10.10		アレルギー性疾患治療剤
フェロベリン配合錠★	1錠	8.90	ベルベリン塩化物水和物・ゲンノショウコエキス 5.7	止瀉剤
フェロミア錠50mg★	鉄50mg 1錠	6.40	クエン酸第一鉄ナトリウム　6.2	可溶性非イオン型鉄剤
ブスコパン錠10mg	10mg 1錠	5.90		鎮痙剤
◆フルバスタチン錠10mg「サワイ」	10mg 1錠	10.40		HMG-CoA還元酵素阻害剤
◆　〃　30mg「サワイ」	30mg 1錠	26.70		HMG-CoA還元酵素阻害剤
◆フルボキサミンマレイン酸塩錠25mg「トーワ」	25mg 1錠	10.10		選択的セロトニン再取り込み阻害剤
プレタールOD錠100mg★	100mg 1錠	34.40	シロスタゾール 28	抗血小板剤
プレドニゾロン錠5mg「NP」	5mg 1錠	9.80		合成副腎皮質ホルモン剤
プレドニン錠5mg	5mg 1錠	9.80		合成副腎皮質ホルモン剤
◆フロセミド錠20mg「NP」	20mg 1錠	6.10		利尿降圧剤
◆ブロチゾラム錠0.25mg「サワイ」	0.25mg 1錠	向　10.10		睡眠導入剤
◆プロブコール錠250mg「サワイ」	250mg 1錠	7.60		高脂血症治療剤
フロモックス錠100mg	100mg 1錠	41.10		セフェム系抗生物質
◆ベラプロストNa錠20μg「サワイ」	20μg 1錠	劇　21.20		PGI_2誘導体製剤
ヘルベッサーRカプセル100mg★	100mg 1カプセル	18.10	ジルチアゼム塩酸塩　11.4	持続性Ca拮抗剤
◆ペントキシベリンクエン酸塩錠15mg「ツルハラ」	15mg 1錠	8.30		非麻薬性鎮咳剤
ボナロン錠5mg	5mg 1錠	劇　43.10		骨粗鬆症治療剤
ミヤBM細粒	1g	6.30		生菌製剤
ムコスタ錠100mg	100mg 1錠	10.10		胃炎・胃潰瘍治療剤
メソトレキセート錠2.5mg	2.5mg 1錠	劇　24.10		葉酸代謝拮抗剤

品名	規格・単位	薬価	後発品最高価格	備考
◆メチコバール錠500μg	0.5mg 1錠	10.10		末梢性神経障害治療剤
◆メトクロプラミド錠5mg「トーワ」	5mg 1錠	5.70		消化器機能異常治療剤
◆メナテトレノンカプセル15mg「トーワ」	15mg 1カプセル	11.40		骨粗鬆症治療用ビタミンK2剤
メバロチン錠5★	5mg 1錠	15.20	プラバスタチンナトリウム 10.1	高脂血症治療剤
◆モンテルカスト錠5mg「サンド」	5mg 1錠	12.80		気管支喘息・アレルギー性鼻炎治療剤
ラキソベロン内用液0.75%★	0.75% 1mL	16.00	ピコスルファートナトリウム水和物 8.5	滴剤型緩下剤・大腸検査前処置用下剤
◆リタロクス懸濁用配合顆粒	1g	6.50		消化性潰瘍・胃炎治療剤
リピトール錠5mg★	5mg 1錠	20.20	アトルバスタチンカルシウム水和物 10.1	HMG-CoA還元酵素阻害剤
レニベース錠5★	5mg 1錠	15.20	エナラプリルマレイン酸塩 10.1	持続性ACE阻害剤
レバミピド錠100mg「タナベ」	100mg 1錠	10.10		胃炎・胃潰瘍治療剤
ロキソニン錠60mg	60mg 1錠	10.10		鎮痛・抗炎症・解熱剤
◆ロキソプロフェンNa錠60mg「サワイ」	60mg 1錠	9.80		鎮痛・抗炎症・解熱剤
◆ロペラミド塩酸塩カプセル1mg「ホリイ」	1mg 1カプセル	590		止瀉剤
◆ロラゼパム錠1mg「サワイ」	1mg 1錠	向 5.70		マイナートランキライザー

(◆印＝後発医薬品)
(★印＝長期収載品の選定療養対象薬)

■外用薬

品名	規格・単位	薬価	後発品最高価格	備考
イドメシンコーワパップ70mg	10cm×14cm 1枚	17.10		外皮用非ステロイド性抗炎症・鎮痛剤
◆MS温シップ「タイホウ」	10g	8.60		鎮痛・消炎パップ剤
◆ケトプロフェンパップ30mg「日医工」	10cm×14cm 1枚	11.90		経皮鎮痛消炎剤
◆ジクロフェナクNa坐剤50mg「NIG」	50mg 1個	劇 20.30		鎮痛・解熱・抗炎症剤

品　　　名	規格・単位	薬　価	後発品最高価格	備　　　考
◆ゼスタッククリーム	1g	5.50		経皮複合消炎剤
フルティフォーム125 エアゾール56吸入用	56吸入 1瓶	2290.90		喘息治療配合剤
モーラスパップ30㎎★	10㎝×14㎝ 1枚	17.10	ケトプロフェン 11.9	経皮鎮痛消炎剤
〃　　　XR120㎎★	10㎝×14㎝ 1枚	29.70	ケトプロフェン 17.1	経皮鎮痛消炎剤

◎ 本書の内容につきましてのお問い合わせは、ＮＩメディカルオフィスまでお願いいたします。

FAX：03-5645-8551
MAIL：info@ni-medical-office.co.jp

＊ お電話でのお問い合わせは受け付けておりません。
＊ 質問指導は行っておりません。

調剤報酬請求事務　基礎知識とレセプト作成　〔第２版〕

2023年１月25日　初　版　第１刷発行
2024年８月28日　第２版　第１刷発行

編著者　NIメディカルオフィス
発行者　多　田　敏　男
発行所　TAC株式会社　出版事業部
（TAC出版）
〒101-8383
東京都千代田区神田三崎町3-2-18
電話 03(5276)9492（営業）
FAX 03(5276)9674
https://shuppan.tac-school.co.jp
印　刷　日新印刷株式会社
製　本　東京美術紙工協業組合

ISBN 978-4-300-11229-8
N.D.C. 499

乱丁・落丁による交換, および正誤のお問合せ対応は, 該当書籍の改訂版刊行月末日までといたします。なお, 交換につきましては, 書籍の在庫状況等により, お受けできない場合もございます。
また, 各種本試験の実施の延期, 中止を理由とした本書の返品はお受けいたしません。返金もいたしかねますので, あらかじめご了承くださいますようお願い申し上げます。

TAC出版

(2024年2月現在)

書籍のご購入は

1 全国の書店、大学生協、ネット書店で

2 TAC各校の書籍コーナーで

資格の学校TACの校舎は全国に展開!
校舎のご確認はホームページにて

資格の学校TAC ホームページ
https://www.tac-school.co.jp

3 TAC出版書籍販売サイトで

24時間
ご注文
受付中

TAC 出版 で 検索

https://bookstore.tac-school.co.jp/

新刊情報をいち早くチェック!

たっぷり読める立ち読み機能

学習お役立ちの特設ページも充実!

TAC出版書籍販売サイト「サイバーブックストア」では、TAC出版および早稲田経営出版から刊行されている、すべての最新書籍をお取り扱いしています。
また、会員登録(無料)をしていただくことで、会員様限定キャンペーンのほか、送料無料サービス、メールマガジン配信サービス、マイページのご利用など、うれしい特典がたくさん受けられます。

サイバーブックストア会員は、特典がいっぱい! (一部抜粋)

通常、1万円(税込)未満のご注文につきましては、送料・手数料として500円(全国一律・税込)頂戴しておりますが、1冊から無料となります。

専用の「マイページ」は、「購入履歴・配送状況の確認」のほか、「ほしいものリスト」や「マイフォルダ」など、便利な機能が満載です。

メールマガジンでは、キャンペーンやおすすめ書籍、新刊情報のほか、「電子ブック版TACNEWS(ダイジェスト版)」をお届けします。

書籍の発売を、販売開始当日にメールにてお知らせします。これなら買い忘れの心配もありません。

書籍の正誤に関するご確認とお問合せについて

書籍の記載内容に誤りではないかと思われる箇所がございましたら、以下の手順にてご確認とお問合せをしてくださいますよう、お願い申し上げます。
なお、正誤のお問合せ以外の**書籍内容に関する解説および受験指導などは、一切行っておりません。**
そのようなお問合せにつきましては、お答えいたしかねますので、あらかじめご了承ください。

1 「Cyber Book Store」にて正誤表を確認する

TAC出版書籍販売サイト「Cyber Book Store」の
トップページ内「正誤表」コーナーにて、正誤表をご確認ください。

CYBER BOOK STORE TAC出版書籍販売サイト

URL:https://bookstore.tac-school.co.jp/

2 1の正誤表がない、あるいは正誤表に該当箇所の記載がない ⇒ 下記①、②のどちらかの方法で文書にて問合せをする

★ご注意ください★

お電話でのお問合せは、お受けいたしません。
①、②のどちらの方法でも、お問合せの際には、「お名前」とともに、
「対象の書籍名(○級・第○回対策も含む)およびその版数(第○版・○○年度版など)」
「お問合せ該当箇所の頁数と行数」
「誤りと思われる記載」
「正しいとお考えになる記載とその根拠」
を明記してください。
なお、回答までに1週間前後を要する場合もございます。あらかじめご了承ください。

① ウェブページ「Cyber Book Store」内の「お問合せフォーム」より問合せをする

【お問合せフォームアドレス】

https://bookstore.tac-school.co.jp/inquiry/

② メールにより問合せをする

【メール宛先 TAC出版】

syuppan-h@tac-school.co.jp

※土日祝日はお問合せ対応をおこなっておりません。
※正誤のお問合せ対応は、該当書籍の改訂版刊行月末日までといたします。

乱丁・落丁による交換は、該当書籍の改訂版刊行月末日までといたします。なお、書籍の在庫状況等により、お受けできない場合もございます。
また、各種本試験の実施の延期、中止を理由とした本書の返品はお受けいたしません。返金もいたしかねますので、あらかじめご了承くださいますようお願い申し上げます。

TACにおける個人情報の取り扱いについて
■お預かりした個人情報は、TAC(株)で管理させていただき、お問合せへの対応、当社の記録保管にのみ利用いたします。お客様の同意なしに業務委託先以外の第三者に開示、提供することはございません(法令等により開示を求められた場合を除く)。その他、個人情報保護管理者、お預かりした個人情報の開示等及びTAC(株)への個人情報の提供の任意性については、当社ホームページ(https://www.tac-school.co.jp)をご覧いただくか、個人情報に関するお問い合わせ窓口(E-mail:privacy@tac-school.co.jp)までお問合せください。

(2022年7月現在)